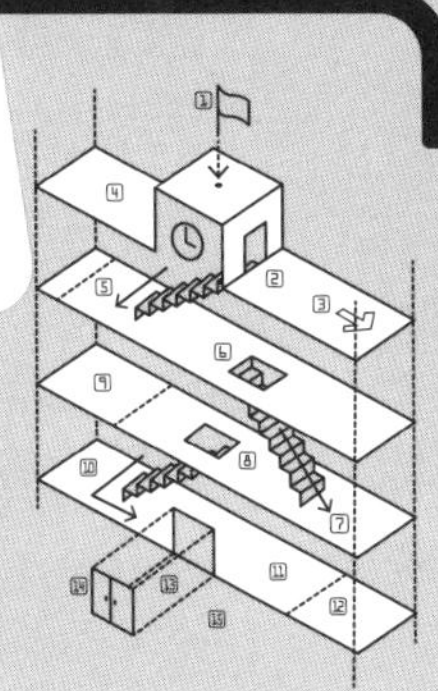

渡邉正樹 編著

学校安全と危機管理

大修館書店

はじめに

「学校安全と危機管理」の初版を2006年に発刊して以来，改訂版（2013年），三訂版（2020年）と改訂を重ね，この度四訂版を発刊することになりました。これまで本書をご活用いただいた多くの方々に，心より感謝申し上げます。

2013年の改訂版では，東日本大震災を受けて「自然災害と学校」を大幅に書き直したほか，「水の事故」「遊具の事故」を追加し，内容の充実を図りました。また2012年に策定された「学校安全の推進に関する計画」の内容を反映させました。しかしその後，熊本地震や西日本豪雨など自然災害により毎年のように大きな被害がもたらされ，登下校中の児童が殺傷される事件も繰り返し発生しました。2016年には「学校事故対応に関する指針」が発表され，2017年には「第２次学校安全の推進に関する計画」が閣議決定されました。さらに文部科学省からの刊行物として，2018年には「学校の危機管理マニュアル作成の手引」が，2019年には「学校安全資料『生きる力』をはぐくむ学校での安全教育」が発刊されました。この間に学習指導要領も改訂され，2020年の三訂版は以上の動向を受けて作成しました。

そして今回の四訂版では，「第３次学校安全の推進に関する計画」（2022年）を受けて，内容を改訂しました。たとえば，「学校管理下において発生した事故等の検証や再発防止に関する実効性を高めるため，事故対応指針の内容の改訂その他の必要な措置について，早期に検討を開始する」ことを受けて，2024年に「学校事故対応に関する指針」が改訂されました。このことについて本書で取り上げています。また現代的課題への対策として「生命（いのち）の安全教育」を含む性犯罪･性暴力対策についても取り上げています。

ところで中央教育審議会による「これからの学校教育を担う教員の資質能力の向上について～学び合い，高め合う教員育成コミュニティの構築に向けて～（答申）」（2015 年 12 月 21 日）では，「東日本大震災をはじめとした自然災害や学校管理下における事件・事故災害が繰り返し発生している現状から，全ての教職員が災害発生時に的確に対応できる素養（知識・技能等）を備えておくこと」が挙げられています。前述の「第3次学校安全の推進に関する計画」でも,「学校安全に関わる活動を校内全体として行うためには，安全教育・安全管理を担当する教職員にその重要性や進め方が共通理解されていることが大切である」とし，教職員にとって学校安全に関して学ぶことの重要性が述べられています。

教員養成に関しては，2017年には文部科学省より「教職課程コアカリキュラム」が発表されました。この中の「教育の基礎的理解に関する科目」として「教育に関する社会的，制度的又は経営的事項（学校と地域との連携及び学校安全への対応を含む。)」が挙げられ，教員を目指すすべての学生が学校安全を学ぶことになりました。「学校安全への対応」の一般目標と到達目標は次のとおりです。

一般目標：
学校の管理下で起こる事件，事故及び災害の実情を踏まえて，学校保健安全法に基づく，危機管理を含む学校安全の目的と具体的な取組を理解する。
到達目標：
1）学校の管理下で起こる事件，事故及び災害の実情を踏まえ，危機管理や事故対応を含む学校安全の必要性について理解している。
2）生活安全・交通安全・災害安全の各領域や我が国の学校をとりまく新たな安全上の課題について，安全管理及び安全教育の両面から具体的な取組を理解している。

このように現職教員の方々はもちろん，これから教員をめざす学生の皆さんにとって，学校安全や危機管理についての資質・能力の向上を図ることは極めて重要な課題となっています。本書はこのような社会の要望に対して参考となる図書として，子供たちの安全確保に取り組むすべての方々にご活用いただくことを願っています。

目次

第12章

第13章

第14章

学校安全・危機管理の概要

- 安全を確保することは，すべての人々が生活する上での基盤となる。
- 安全とは，心身や物品に危害をもたらす様々な危険が取り除かれることによって事件・事故の発生が防止され，万が一事件・事故が発生した場合には，災害（被害）を最小限にするために適切に対処された状態であり，事件・事故および災害（被害）の脅威を人々が感じることのない状態のことである。
- 事故・災害の発生メカニズムを説明するには，要因の構造からとらえる視点と時系列からとらえる視点があり，ハドンのマトリックスは両方の特徴を取り入れた代表的な理論である。
- 学校安全は安全教育と安全管理から構成され，両者を相互補完的に進めていくことがより高い効果を生む。また組織活動も学校安全を円滑に進める上で重要である。
- 学校安全が対象とする領域としては，「生活安全」「交通安全」「災害安全（防災）」の３つの領域がある。
- 学校安全の活動は学校保健安全法に基づいて進められている。
- 学校安全を推進していくためには，学校安全計画を立案し，実行後に評価することが必要である。
- 学校の危機管理は事前の危機管理，発生時の危機管理，事後の危機管理の各段階で行われる。学校は危機管理マニュアルを作成しなければならない。

キーワード

安全　危険
安全文化
学校安全
安全教育
安全管理
学校保健安全法
学校安全計画
危機管理マニュアル

1 安全・危険のとらえ方

(1) 安全はあらゆる活動の基盤である

安全な社会を実現することは，すべての人々が生きる上で最も基本的かつ不可欠なことである。しかし，いつの時代でも，私たちの生活を脅かす数々の危険や災害が存在している。例えば，交通事故，地震や台風などがもたらす自然災害，原子力災害，食品の汚染，新興・再興感染症，環境破壊，暴力，戦争・テロリズムなど，私たちを取り巻く危険は多岐に渡っている。そして，これらの危険に遭遇し，実際に被害にあったりすることもけっして少なくない。

不慮の事故や他殺など外因的な死亡は，WHO（世界保健機関）によると毎年約500万人であり，全世界の死亡の9%を占めると報告されている[1)]。安全を確保し，傷害を防止するための対策は，発展途上国，先進国に関係なくどの国においても重要とされ，公衆衛生の重要な課題の一つとなっている。

また健康と福祉の維持・改善の前提条件として安全が存在することが指摘されている[2)]。すなわち健康や福祉を充実させるためには，まず安全が確保されなければならない。たとえば戦争地域では安全が確保されていないために，子供たちに対してポリオワクチンをはじめとする予防接種が困難であることが知られている。安全はそれ自体重要であるとともに，様々な保健活動や福祉活動を支えているのである。そして私たちの家庭，学校，職場をはじめ社会全体において，安全が確保されていることは，すべての人々のあらゆる活動にとって基盤となっている。

(2) 安全の定義

安全とはどのような状態を指すのであろうか。安全は，「心身や物品に危害をもたらす様々な危険が取り除かれることによって事件・事故の発生が防止され，万が一事件・事故が発生した場合には，災害（被害）を最小限にするために適切に対処された状態であり，事件・事故および災害（被害）の脅威を人々が感じることのない状態」と定義することができるだろう[①]。

この定義には二つの重要な内容が含まれている。

第一に災害をもたらす事件・事故の発生を防止することが，安全を確保する上で最も重要である。危険をいち早く発見し，その危険を除去することで，事件・事故の発生を未然に防ぐことが可能となる。しかし，事件・事故の発生を完全に防ぐことは現実的には困難である。たとえば自然災害では，気象災害に比べて地震災害は予想が難しい。また世の中には，自動車や鉄道のように，その利便性は高いが，事故・災害を完全に除去することはほぼ不可能である。すなわち，災害の原因となる危険を十分理解した上で，事件・事故の発生後を想定した準備が必要とされる。万が一事件・事故が発生した場合でも，被害の発生や拡大を防ぐことができる状態もまた安全ということができる。

ところで一般に,「安全」とともに「安心」という言葉が用いられることが多い。安全には主観的側面と客観的側面があると考えられるが[2)]，安全の主観的側面が「安心」を意味しているとみることができる。前述の安全の定義の後半部分にある「事件・事故および災害（被害）の脅威を人々が感じることのない状態」は「安心」を表している。

このような“主観的な”安全と“客観的な”安全は互いに影響し合うが,必ずしも両立するとは限らない。たとえば“客観的な”安全のために職場や地域社会の警備や監視を強化すると，かえって人々が不安になり,“主観的な”安全が低下する可能性がある。逆に“主観的な”安全を求めて人々が銃器を容易に所有することができるとしたら，犯罪が増加するなど“客観的な”安全が低下するだろう。しかし私たちは，事件・事故の減少という“客観的な”安全を追求するとともに,“主観的な”安全である「安心」も同時に求めていかなければならない。それが実現することによって，真の安全と言える。

①文部科学省による以下の定義を加筆修正したもの。「心身や物品に危害をもたらす様々な危険や災害が防止され，万が一，事件や事故，災害等が発生した場合には，被害を最小限にするために適切に対処された状態である」。

⑶ 危険とは何か

ここで危険という用語についても整理しておきたい。私たちが日常的に“危険”という用語を使うのは，心身が傷ついたり，物品に損害が及んだりする可能性がある場合である。しかし危険には様々な意味が含まれ，危険を表す英語にはdanger，risk，hazardなどいくつかの表現がある。

- dangerは危害・損壊の「恐れ，危険（性）」を表す最も一般的な語。
- hazardは健康・安全などが侵される危険性が潜んでいること。
- riskは自らの判断・行動により悪い結果を引き起こすかもしれない可能性。

（大修館書店「ジーニアス英和辞典　第５版」より）

リスクとハザードの定義には数多くの定義があり，統一された定義は存在しない。また両者を明確に区別することは困難であるが，それぞれの特徴は次のように示すことができる。自然災害を例にすると，地震や津波自体は自然現象であり災害そのものではないが，地震や津波が人々の生活する場所で発生した場合，それらはハザードととらえることができる。また人々が地震や津波に関する知識を十分にもたずに，地震・津波発生時に適切な対応をとれない場合は，リスクが高いことになる。したがって，建築物の耐震化を図ったり，津波災害を防ぐ防潮堤を作ったりすることはハザード対策の一部である。それに対して，人々が適切な避難行動をとれるような防災教育を行うことはリスク対策と言えるであろう。また交通事故では，自動車や道路はハザードの一つと考えることができるが，交通事故の発生にはリスクの高い運転や歩行などが関係している。このようにハザードそのものが災害をもたらすのではなく，ハザードという危険に対して，リスクという危険が高まった時に災害が発生するととらえることができるわけである。

またリスクの構成要素とは以下の３つであるとされる[3)]。

（ａ）潜在的な損失

（ｂ）損失の重要性

（ｃ）損失の不確定性

すなわち危険（リスク）とは，損失が生じる可能性があり，その損失は（自分や関係者にとって）重要である。予想される損失が大きければ大きいほど，危険も大きくなる。また損失は不確定なものであり，必ず生じるというものではない。危険（リスク）は確率的に示されるものである。

危険は必ずしもすべて除くべきものとは限らない。社会的に認知されている危険もある。たとえばモータースポーツや格闘技のようなスポーツ競技は身体的な危険が高い。一部のギャンブルやゲーム，さらには株への投資や起業などには経済的な危険が伴う。

さらに小さな危険は人に対して用心することを身につけさせ，危険を経験することは大きな危険に対する免疫としての機能を持っているという考え方もある[2)]。あらゆる危険をすべて除去することが，常に望ましいというわけではない。むしろ安全のためには危険をコントロールすることに重点が置かれるべきであろう。

⑷ 事故・災害の発生の基礎理論

事故・災害の発生するメカニズムを説明した理論は，疫学的な要因分析と時系列分析の2通りに分けることが可能である。前者では，事故・災害の原因に対して疫学的な分類を行う。たとえば交通事故では，人・車・環境に分類して要因分析を行うことが多い。学校安全の古典的な理論である「潜在危険論」や，保健教育の領域において用いられる人的要因と環境要因という分類もまた疫学的要因モデルである。このような理論は，複雑な事故・災害の発生要因を明確に分類することができるが，時々刻々と変化する危険を説明するには限界がある。

時系列的な分析を行う代表的な理論として，ハインリッヒ（H.W.Heinrich）のドミノ理論がある[4)]。ドミノ理論は，時系列的に先行要因を挙げて事故·災害の発生を説明している。ドミノ理論では，「社会環境」→「人間の過失」→「不安全な行為や状態」→「事故」→「傷害」の順で災害が発生することを示されている。最後の「傷害」を防止するためには，途中のドミノ（要因）を取り除くことが有効な対策となる。またハインリッヒによると，「不安全な行為や状態」が事故発生原因の88%を占めているといわれる。ドミノ理論は，因果関係が明確になる反面，多様な

表1 ハドンのマトリックスによる自動車事故･災害の要因分析例

	人間	自動車	環境
事故発生前	飲酒，疲労，いねむり，スピードの出しすぎ	車体の整備不良，未点検	夜間，雨天
事故発生	シートベルト非着用	ABS非搭載，エアバッグ非装備	狭く見通しの悪い道路
事故発生後	連絡の遅れ，応急手当のスキル不足	車体から受けた負傷	救急車の到着の遅れ

要因が同時に複合的に関わる事故・災害の説明に適しているとは言い難い。上記の疫学的な要因分析と時系列分析を同時に取り入れた代表的な理論としてハドン（W. Haddon）のマトリックスがある[5)]。例えば自動車事故・災害を例にしたハドンのマトリックスは↑表1のようになる。ハドンのマトリックスは事故・災害の要因を構造的かつ時系列的に分析できるので，傷害に関わる様々な場面で応用されている汎用性の高い理論といえる。

(5) 安全文化の創造

安全文化（Safety Culture）は，1991年に国際原子力機関（IAEA）の国際原子力安全諮問グループ（INSAG）により，チェルノブイリ原子力発電所事故を受けて提唱されるようになった概念である。ここで安全文化とは「原子力の安全問題には，その重要性にふさわしい注意が最優先で払われなければならない。安全文化とは，そうした組織や個人の特性と姿勢の総体である」[6)]と示された。さらに原子力施設安全諮問委員会（ACSNI）は，1993年に安全文化を「組織の健全性と安全管理への積極的参加，およびその様式と向上を決定する個人および集団の価値観，態度，認識，能力，行動様式の産物である。積極的な安全文化を持つ組織は相互信頼に基づいたコミュニケーション，安全の重要性に関する共通した認識，予防対策の有効性を確信することによって特徴づけられる」[6)]とした。このように安全文化は科学技術の進歩，特に原子力の発展・普及に伴って生まれてきた概念と言える。

また1999年10月に内閣官房副長官を議長とした「事故災害防止安全対策会議」が立ち上がり，同年12月に報告書が取りまとめられた。その中では国全体の問題として「安全文化」の創造が指摘された。「安全文化」の創造とは，組織と個人が「安全」を最優先にする気風や気質を育てていくことと示されている[7]。その背景としては，当時の科学技術に関わる事故，災害があり，特にヒューマンファクターに起因する問題が挙げられた。そして，この報告書では企業内教育はもちろん，学校教育全般を通じた安全教育の充実が以下の通り示された。

「小・中・高校等の初等中等教育の各段階において，各教科や道徳等学校教育全般を通じて安全に対する意識を高める教育を推進するとともに，児童生徒に安全な生活を営む上で必要な事柄を理解させ，日常生活，通学時，災害時等に安全な行動ができるような態度や能力を身に付けさせるなど，学校における安全教育の総合的な推進を図る。また，児童生徒の科学や技術に対する興味・関心を高めるための事業を積極的に展開する中で，安全の大切さの観点についての配慮を行う。さらに，大学等の高等教育機関においても，技術者教育の中で安全や技術者倫理に関する教育の充実を図る等，安全教育に関する取組を進める。」[7]

また2001年には「厚生労働省の医療に係る事故事例情報の取扱いに関する検討部会」による「安全な医療を提供するための10の要点」が策定された。この中では医療における安全文化を「医療に従事するすべての職員が，患者の安全を最優先に考え，その実現を目指す態度や考え方およびそれを可能にする組織のあり方」としている[8]。

その後も東日本大震災における福島第一原子力発電所における原子力事故が発生に伴い，安全文化の創造や醸成の重要性が改めて唱えられるようになった。安全文化はこのように原子力や医療の領域で特に重視され，安全文化の創造や醸成には学校教育が重要な役割を果たすわけである。

2 学校安全の意義とその内容

(1) 安全教育と安全管理

人々の安全を脅かす数々の危険や災害が存在し，深刻化している。それは学校という場も例外ではない。また幼児，児童，生徒に年齢を限定した場合でも，様々な危険，事故・災害を見出すことができる。実際，児童生徒等に該当する年齢層での死亡原因の上位には不慮の事故があり，そのため学校安全に関わる活動の果たす役割は非常に大きい。学校の管理下における事故・災害や，児童生徒等が巻き込まれる事件・事故などの詳細については後述するとして，ここでは学校安全の意義とその内容について紹介する。

学校安全は，学校保健，学校給食とともに学校健康教育の柱の一つであり，子供たちの命を守る上で欠かすことのできない活動である。学校安全の目的は，「児童生徒等が，自他の生命尊重を基盤として，自ら安全に行動し，他の人や社会の安全に貢献できる資質・能力を育成するとともに，児童生徒等の安全を確保するための環境を整えること」[9]である。この目的を実現するため，「児童生徒等が自らの行動や外部環境に存在する様々な危険を制御して，自ら安全に行動したり，他の人や社会の安全のために貢献したりできるようにすることを目指す」安全教育と，「児童生徒等を取り巻く環境を安全に整えることを目指す」安全管理の二つの活動に学校安全は分けられる。また両者の活動を推進するため「校内で組織的に取り組む体制を構築するとともに，教職員の研修や家庭及び地域社会との密接な連携」による組織活動が加わって，学校安全は構成されている↗図1。

安全教育は「児童生徒等自身に，日常生活全般における安全確保のために必要な事項を実践的に理解し，自他の生命尊重を基盤として，生涯を通じて安全な生活を送る基礎を培うとともに，進んで安全で安心な社会づくりに参加し貢献できるような資質・能力を育成すること」を目指して行われる[9]。安全教育の詳細は第10章で述べるが，具体的には体育科，保健体育科などの各教科で進められるほか，特別活動の学級活動や学校行事でも

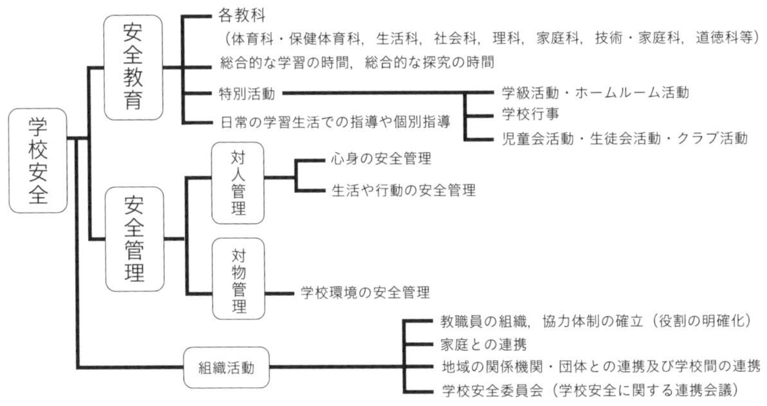

図1 学校安全の体系[9)]

行われるため，カリキュラム・マネジメントが重要となる。

安全管理は，「事故の要因となる学校環境や児童生徒等の学校生活等における行動の危険を早期に発見し，それらを速やかに除去するとともに，万が一，事故等が発生した場合に，適切な応急手当や安全措置ができるような体制を確立して，児童生徒等の安全の確保を図ること」を目指して行われる[9)]。安全管理はさらに児童生徒等の生活を対象として行う「対人管理」と，施設設備など学校環境の安全を図る「対物管理」に分かれる。

安全教育と安全管理は決して独立した活動ではなく，また分離することは困難である。両者を相互補完的に進めていくことがより高い効果を生む。例えば安全管理における対人管理には安全教育と重複する内容が含まれる。学校生活における安全管理では，教師が一方的に子供たちの生活を管理・統制するのではなく，安全教育としての働きかけを通して，よりよい状況を作り上げる必要がある。

さらに学校の教職員，保護者，地域住民，関係機関・団体が互いに連携を持ちながら進める組織活動も，学校安全には重要である。子供の安全を脅かす危険は学内外に数多く存在し，それらに適切に対応するためには，実効性の高い組織活動が不可欠となる。

⑵ 学校安全の領域

学校安全が対象とする領域としては,「生活安全」「交通安全」「災害安全（防災）」の三つの領域が挙げられる➚表2。生活安全では，学校の管理下における安全はもちろん，家庭生活を含む日常生活での安全が含まれる。犯罪被害から身を守ることも学校安全の重要な内容である。

交通安全では，歩行時の安全に加え，発育発達に応じて自転車，二輪車，自動車の内容を加える。なお学校周辺の交通状況を考慮することにより，重点を置くべき課題が明らかになる。また交通安全においては被害者になることを防ぐだけではなく，加害者にならないという内容も含むべきである。さらに周囲の人の交通安全に配慮する，安全な交通社会づくりへ協力するなども交通安全の重要な内容である。

災害安全（防災）においては，様々な自然災害についての理解に基づき，適切な避難法などを中心に具体的な対応を扱う。自然災害以外にも，人為的な火災や原子力災害における対処も含まれる。また災害発生前後の情報をいかにして確実に入手し，適切に行動するかも防災にとって重要な活動と言えるであろう。防災では学校が位置する地域の特性を重視する必要がある。過去の災害記録やハザードマップなどを参考にして，予想される災害に応じた活動内容を考えることが大切である。

これら三つの領域以外にも，共通した学校安全の内容として，応急手当や心のケアなどが挙げられ，各領域での内容に適宜関連づけて指導等を進めていくと効果的である。

⑶ 学校保健安全法と「学校安全の推進に関する計画」

学校安全活動の法的根拠は，2009年4月に施行された学校保健安全法に示されている（巻末資料参照）。同法第26条では学校の設置者の責務すなわち，学校における事故等により児童生徒等に生ずる危険を防止し，及び事故等により児童生徒等に危険又は危害が現に生じた場合において適切に対処することができるよう，学校の施設及び設備並びに管理運営体制の整備充実その他の必要な措置を講ずるよう努めることが示されている。また，学校施設及び設備の安全点検などの安全管理，児童生徒等に対する通学を含めた学校生活その他の日常生活における安全指導などの安全教育，そし

表2 学校安全の主な内容

生活安全	①学校（園）生活や各教科，総合的な学習の時間など学習時の安全 ②児童（生徒）会活動やクラブ活動等の安全 ③運動会，校内競技会等の健康安全・体育的行事の安全 ④遠足・旅行・集団宿泊的行事，勤労生産・奉仕的行事等学校行事の安全 ⑤始業前や放課後等休憩時間及び清掃活動等の安全 ⑥登下校（園）や家庭生活での安全 ⑦野外活動等の安全 ⑧窃盗，誘拐，傷害，強制わいせつなどの犯罪被害の防止 ⑨スマートフォン，ＳＮＳ等の普及に伴うネットワーク利用による犯罪被害の防止 ⑩施設設備の安全と安全な環境づくり
交通安全	①道路の歩行や道路横断時の安全 ②踏切での安全 ③交通機関利用時の安全 ④自転車利用に関する安全 ⑤二輪車の特性理解と乗車時の安全 ⑥自動車の特性理解と乗車時の安全 ⑦交通法規の正しい理解と遵守 ⑧自転車を含む運転者の義務と責任，自動車保険の理解 ⑨幼児，高齢者，障害のある人，傷病者等の交通安全に対する配慮 ⑩自動運転など新しい科学技術を踏まえた安全な交通社会づくり
災害安全	①火災防止と火災発生時における安全 ②地震・津波発生時における災害と防災 ③火山活動による災害と防災 ④風水（雪）害，落雷等の気象災害と防災 ⑤放射線の理解と原子力災害発生時の対処 ⑥屋内外の点検と災害に対する備え ⑦避難所の役割と避難経路について ⑧注意報，警報や災害情報へのアクセスとその理解 ⑨災害発生時の連絡法 ⑩地域の防災活動の理解と積極的な参加
共通	①応急手当の意義と方法 ②災害時における心のケア ③学校と保護者，地域住民との連携 ④関係諸機関・団体との連携 ⑤学校安全に関する広報活動

＊文献9）より著者が加筆修正した。

て教職員への研修など組織活動について，学校安全計画を策定し，これを実施しなければならないこととなっている。さらに，危険等発生時対処要領（危機管理マニュアル）を作成し，職員に対する周知，訓練の実施が示され，児童生徒等の保護者，警察等関係機関，地域のボランティア等団体，地域住民等との連携が求められている。

文部科学省は学校保健安全法に基づき（3条2項），2012年4月に「学校安全の推進に関する計画」を策定し，閣議決定された。さらに5年後の2017年3月には「第2次学校安全の推進に関する計画」が，2022年3月には「第3次学校安全の推進に関する計画」が閣議決定された。第3次計画は，2022年度からの5年間の学校安全の推進に関する施策の基本的方向と具体的な方策を示したものである。その概要を↗表3に示す。

⑷ 学校安全計画の立案

学校安全を推進していくためには，学校ごとに学校安全計画を立案することが不可欠となる。学校安全計画は，学校保健安全法によって学校で作成が義務づけられている（27条）。学校安全計画の作成には校長，教頭（副校長）と学校安全の中核となる教員（例えば安全主任や防災主任など）が中心となり，保健主事や生徒指導主任，養護教諭の協力，さらには警察署，消防署の助言を得ながら進めることが実際的であろう。作成にあたっては，各学校における教育課程を踏まえながら学校安全の課題を明確にする。各教科の内容や学校行事等の計画を考慮して，また安全教育と安全管理を関連させながら，年間の活動を振り分けていく。月ごとの安全教育・安全管理の具体的活動を学年ごとに示すと，活動内容がより明確になる。学校安全計画に含むべき内容については➔P.22 表4に示す。

学校安全計画は実施するだけではなく，評価を行って見直しを行い，改善を図っていかなければならない。学校の管理下で発生した事故，災害やヒヤリ・ハット事例，また避難訓練をはじめ安全教育の課題などを踏まえて，取組状況を振り返り，評価し，次年度の計画へ活かすことが重要である。

表3 「第３次学校安全の推進に関する計画」の概要[10)]

目指す姿	○全ての児童生徒等が，自ら適切に判断し，主体的に行動できるよう，安全に関する資質・能力を身に付けること。 ○学校管理下における児童生徒等の死亡事故の発生件数について限りなくゼロにすること。 ○学校管理下における児童生徒等の負傷・疾病の発生率について障害や重度の負傷を伴う事故を中心に減少させること。
施策の基本的な方向性	○学校安全計画・危機管理マニュアルを見直すサイクルを構築し，学校安全の実効性を高める。 ○地域の多様な主体と密接に連携・協働し，子供の視点を加えた安全対策を推進する。 ○全ての学校における実践的・実効的な安全教育を推進する。 ○地域の災害リスクを踏まえた実践的な防災教育・訓練を実施する。 ○事故情報や学校の取組状況などデータを活用し学校安全を「見える化」する。 ○学校安全に関する意識の向上を図る（学校における安全文化の醸成）。
推進方策	1．学校安全に関する組織的取組の推進 2．家庭，地域，関係機関等との連携・協働による学校安全の推進 3．学校における安全に関する教育の充実 4．学校における安全管理の取組の充実 5．学校安全の推進方策に関する横断的な事項等

表4 学校安全計画に含める内容例[9)]

1　安全教育に関する事項
⑴ 学年別・月別の関連教科等における安全に関する指導事項 ⑵ 学年別・月別の指導事項 　①特別活動における指導事項 　・学級活動（ホームルーム活動）における指導事項 　　（生活安全，交通安全，災害安全の内容についての題材名等） 　・学校行事（避難訓練，交通安全教室などの安全に関する行事）における指導事項 　・部活動等での安全に関して予想される活動に関する指導事項 　②課外における指導事項 　③個別指導に関する事項 ⑶ その他必要な事項
2　安全管理に関する事項
⑴ 生活安全 ・施設・設備，器具・用具等の安全点検 ・各教科等，部活動，休み時間その他における学校生活の安全のきまり・約束等の設定，安全を確保するための方法等に関する事項 ・生活安全に関する意識や行動，事件・事故の発生状況等の調査 ・校内及び地域における誘拐や傷害などの犯罪被害防止対策及び緊急通報等の体制に関する事項 ・その他必要な事項 ⑵ 交通安全 ・自転車，二輪車，自動車（定時制高校の場合）の使用に関するきまりの設定 ・交通安全に関する意識や行動，交通事故の発生状況等の調査 ・その他必要な事項 ⑶ 災害安全 ・防災のための組織づくり，連絡方法の設定 ・避難場所，避難経路の設定と点検・確保 ・防災設備の点検，防災情報の活用方法の設定 ・防災に関する意識や行動，過去の災害発生状況等の調査 ・その他必要な事項 ⑷ 通学の安全 ・通学路の設定と安全点検 ・通学に関する安全のきまり・約束等の設定
3　安全に関する組織活動
・家庭，地域社会との連携を密にするための地域学校安全委員会等の開催 ・安全教育，応急手当，防犯・防災等に関する危機管理マニュアル等に関する校内研修事項 ・保護者対象の安全に関する啓発事項 ・家庭，地域社会と連携した防犯，防災，交通安全などに関する具体的な活動 ・その他必要な事項

3 学校における危機管理

(1) 学校の危機管理の意義と考え方

学校における危機管理体制の確立と維持は，学校安全だけにとどまらず，学校教育全体にとって緊急かつ重要な課題である。学校への不審者侵入事件が続発して以降，特に重大視され，文部科学省や教育委員会による危機管理マニュアルの作成や普及が進められた。犯罪以外にも，交通安全や防災を含めて様々な事件・事故に対応した学校の危機管理体制が必要とされる。

危機管理は「人々の生命や心身等に危害をもたらす様々な危険や災害が防止され，万が一事故等が発生した場合，発生が差し迫った状況において，被害を最小限にするために適切かつ迅速に対処すること」と定義されている[11)]。さらに学校の危機管理は，①安全な環境を整備し，事故等の発生を未然に防ぐとともに，事故等の発生に対して備えるための事前の危機管理，②事故等の発生時に適切かつ迅速に対処し，被害を最小限に抑えるための発生時の危機管理，③危機が一旦収まった後，心のケアや授業再開など通常の生活の再開を図るとともに，再発の防止を図る事後の危機管理の三段階でとらえている↘図2。特に事前の危機管理は，事故等の種類に関わらず，共通する内容を含んでいる。

この中で体制整備は危機管理すべての基盤となるものであり，学校内で管理職のリーダーシップの下，すべての教職員が危機管理に関わるように役割分担と責任を明確にしておく必要がある。そのため職員会議や学内研修会などの機会を通じて，危機管理の課題と対応について話し合い，全教職員の危機管理意識を向上，維持しておく。また家庭･地域･関係機関（自治体，警察，消防など）と連携を図り，学校を含む地域全体の課題について日常的に情報交換し，協力体制を構築する。なお事前の危機管理では安全点検，避難訓練，安全教育，教職員研修などが挙げられているが，安全点検に関しては第9章で，避難訓練を含む安全教育は第10章で，教職員研修については第15章で取り上げる。事後の危機管理もまた事故等で共通

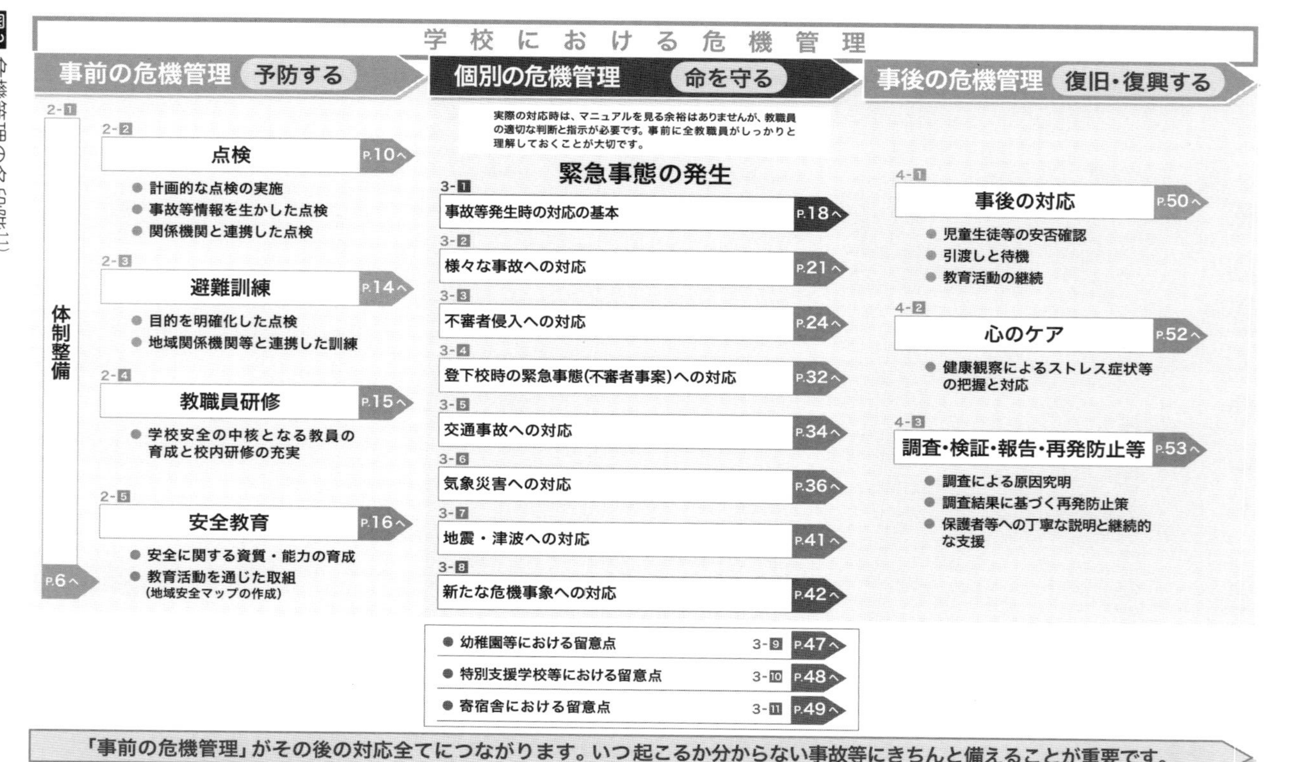
学校における危機管理
事前の危機管理 予防する
2-1 体制整備 P.6へ
2-2 点検 P.10へ
● 計画的な点検の実施
● 事故等情報を生かした点検
● 関係機関と連携した点検
2-3 避難訓練 P.14へ
● 目的を明確化した点検
● 地域関係機関等と連携した訓練
2-4 教職員研修 P.15へ
● 学校安全の中核となる教員の育成と校内研修の充実
2-5 安全教育 P.16へ
● 安全に関する資質・能力の育成
● 教育活動を通じた取組 (地域安全マップの作成)
個別の危機管理 命を守る
実際の対応時は、マニュアルを見る余裕はありませんが、教職員の適切な判断と指示が必要です。事前に全教職員がしっかりと理解しておくことが大切です。
緊急事態の発生
3-1 事故等発生時の対応の基本 P.18へ
3-2 様々な事故への対応 P.21へ
3-3 不審者侵入への対応 P.24へ
3-4 登下校時の緊急事態(不審者事案)への対応 P.32へ
3-5 交通事故への対応 P.34へ
3-6 気象災害への対応 P.36へ
3-7 地震・津波への対応 P.41へ
3-8 新たな危機事象への対応 P.42へ
● 幼稚園等における留意点 3-9 P.47へ
● 特別支援学校等における留意点 3-10 P.48へ
● 寄宿舎における留意点 3-11 P.49へ
事後の危機管理 復旧・復興する
4-1 事後の対応 P.50へ
● 児童生徒等の安否確認
● 引渡しと待機
● 教育活動の継続
4-2 心のケア P.52へ
● 健康観察によるストレス症状等の把握と対応
4-3 調査・検証・報告・再発防止等 P.53へ
● 調査による原因究明
● 調査結果に基づく再発防止策
● 保護者等への丁寧な説明と継続的な支援
「事前の危機管理」がその後の対応全てにつながります。いつ起こるか分からない事故等にきちんと備えることが重要です。
＊なお図中のページ番号は出典におけるページ番号を示す。

図2 危機管理の各段階[11]

している内容が挙げられているが，事後の対応で防災に関する内容は第7章で，心のケアは第14章で，学校事故調査に関しては第11章で取り上げる。

ところで学校危機管理をとらえる別の側面として,「ハード面」と「ソフト面」がある。防犯を例に説明すると「ハード面」とは，学校施設内に警報装置や防犯監視システムを導入するなど，施設・設備面で強化を図ることを指す。「ソフト面」では，危機管理体制の確立，危機管理マニュアルの作成と運用，防犯訓練を含む安全管理・安全教育，地域の関係機関・団体との連携が挙げられる。両側面が相互補完的に機能するように，危機管理を進めることになる。

⑵ 学校の危機管理の実際

学校の危機管理は学校安全から独立したものではなく，学校安全計画の中に位置づけるのが実際的である。たとえば，上記のハード面すなわち施設・設備面の充実は安全管理，児童生徒等への防犯教育・防災教育などは安全教育，学内の体制づくりや警察署・消防署との連携は組織活動に位置づけられる。学校危機管理に関する計画を実効性あるものにするためには，危機管理マニュアルを作成し，機能するように訓練することが不可欠である。

学校保健安全法29条1項において，学校は児童生徒等の安全の確保を図るため，学校の実情に応じて危険等発生時における職員がとるべき措置の具体的内容及び手順を定めた対処要領すなわち危険等発生時対処要領（危機管理マニュアル）を作成することが示された。また同法29条２項により，校長は危険等発生時対処要領を職員に対して周知し，危険等発生時において職員が適切に対処するために必要な措置を講ずる必要がある。もちろん学校の地域性や特徴を踏まえて，独自のマニュアルを作成する。

さらに危険等発生時対処要領を実効性あるものとするために，訓練を定期的に実施して，危機管理マニュアルの内容に問題点があれば見直しをして，改善を図る↘図3。また人事異動等によって分担や組織の変更があった場合には，早期に全職員を対象とした訓練を実施し，周知徹底する。

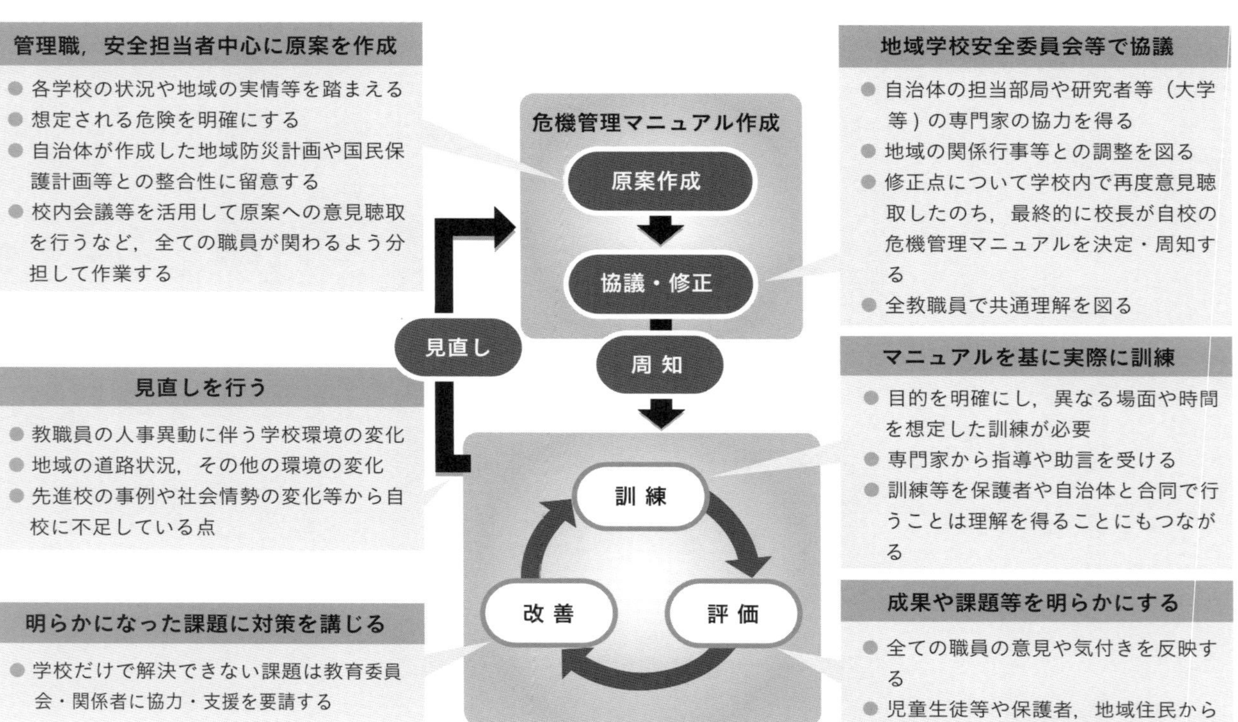

管理職，安全担当者中心に原案を作成
● 各学校の状況や地域の実情等を踏まえる
● 想定される危険を明確にする
● 自治体が作成した地域防災計画や国民保護計画等との整合性に留意する
● 校内会議等を活用して原案への意見聴取を行うなど，全ての職員が関わるよう分担して作業する
見直しを行う
● 教職員の人事異動に伴う学校環境の変化
● 地域の道路状況，その他の環境の変化
● 先進校の事例や社会情勢の変化等から自校に不足している点
明らかになった課題に対策を講じる
● 学校だけで解決できない課題は教育委員会・関係者に協力・支援を要請する
危機管理マニュアル作成
原案作成
協議・修正
周 知
見直し
訓 練
評 価
改 善
地域学校安全委員会等で協議
● 自治体の担当部局や研究者等（大学等）の専門家の協力を得る
● 地域の関係行事等との調整を図る
● 修正点について学校内で再度意見聴取したのち，最終的に校長が自校の危機管理マニュアルを決定・周知する
● 全教職員で共通理解を図る
マニュアルを基に実際に訓練
● 目的を明確にし，異なる場面や時間を想定した訓練が必要
● 専門家から指導や助言を受ける
● 訓練等を保護者や自治体と合同で行うことは理解を得ることにもつながる
成果や課題等を明らかにする
● 全ての職員の意見や気付きを反映する
● 児童生徒等や保護者，地域住民からのフィードバックも重要

図3 危機管理マニュアル作成・見直しの手順[11)]

文部科学省は危機管理マニュアルを点検し，見直しの図るために，危機管理マニュアルのチェックリストとその解説，さらにマニュアルの記載内容のサンプルなどの情報を提供している[12)]。

練習問題

① 学校安全の目的を説明しなさい。また安全教育と安全管理の役割を説明しなさい。

② 学校安全の３領域について説明しなさい。

（渡邉正樹）

●引用文献

1）WHO（2014）Injuries and violence: the facts
https://www.who.int/violence_injury_prevention/media/news/2015/Injury_violence_facts_2014/en/
2）WHO（1998）Safety and safety promotion: conceptual and operational aspects
3）Yates, J.F.（1992）Risk-taking behavior, John Wiley & Sons
4）International Labour Office（1999）Encyclopaedia of Occupational Health and Safety
5）WHO（2001）Injury surveillance guidelines
6）原子力安全委員会（2006）『原子力安全白書 平成17年版』内閣府
7）事故災害防止安全対策会議（1999）『事故災害防止安全対策会議報告書』
8）厚生労働省医政局医療安全対策検討会議ヒューマンエラー部会（2003）『安全な医療を提供するための10の要点』厚生労働省
9）文部科学省（2019）『学校安全資料「生きる力」をはぐくむ学校での安全教育』
10）文部科学省（2022）『第3次学校安全の推進に関する計画』
11）文部科学省（2018）『学校の危機管理マニュアル作成の手引』
12）文部科学省（2021）『学校の「危機管理マニュアル」等の評価・見直しガイドライン』

恐怖が引き起こす悲劇

「ボウリング・フォー・コロンバイン」(2002年)

「スクール・シューティング(School shooting)」という用語がある。学校で起こる銃犯罪を指す言葉であるが，アメリカ合衆国ではスクール・シューティングによって，これまで多くの犠牲者を生んできた。1999年にコロラド州で発生したコロンバイン高校銃乱射事件は当時世界中を震撼させたが，この事件に関わる映画も作られている。2003年に制作された「エレファント」(ガス・ヴァン・サント監督）は，コロンバイン事件をほぼなぞったものであり，ごく普通の高校の校内で2人の高校生によって突然起こされる無差別殺人の状況を描いている。この映画はカンヌ映画祭（2003年）でパルム・ドールと監督賞を同時受賞した。

実はその前年（2002年）のカンヌ映画祭では，同じくコロンバイン事件を題材とした「ボウリング・フォー・コロンバイン」が特別賞を受賞している。日本でも話題となったこの映画は，マイケル・ムーア監督自身が直接取材をしていることもあり，とてもインパクトのある内容となっている。特に全米ライフル協会に対する批判は非常に厳しい。スクール・シューティングが発生するたびに，銃規制の声が市民の間からあがっているが，銃の所持を肯定する人たちは少なくない。そして，その中心に全米ライフル協会がある。当時会長であった名優チャールトン・ヘストンは「死ぬまで銃を手放さない」と主張していた。

しかしなぜアメリカでは銃の所持が広がったのか。この映画の中でアニメーションによってその歴史を簡潔に説明している。ヨーロッパでの迫害を恐れた清教徒たちが，新大陸にやって来た。そこで先住民を恐れた彼らは先住民を虐殺する。それでも安心できない彼らは互いを恐れるようになる。銃が持てるように憲法を改正し，身を守るため銃を所持するようになった。自分たちが作り出した恐怖が多くの悲劇の根源なのである。

コロンバイン事件で子供を失った父親が訴える。「この国はおかしい。子供たちがあまりにも簡単に銃を入手できる。そして銃を撃つ。同じ子供の顔に向けてだ。」。このような事態に気づいている人々は多い。しかしこの映画では子供たちが射撃をするシーンがたびたび登場する。実はマイケル・ムーア監督自身もかつて射撃で全米ライフル協会に表彰されたことがあったそうだ。

子供を取り巻く危険と事件・事故

キーワード

学校の管理下

突然死

発育発達

危険行動

規範意識

- 不慮の事故は，特に0歳～29歳までの死因の常に上位にある。
- 学校の管理下で発生する負傷事故は，小学校では休憩時間，中学校・高等学校では課外指導で多く発生している。
- 学校の管理下で発生している死亡事故では突然死が多い。
- 心身面での発育発達が不十分である幼児期には，周囲の安全管理を充実させながら，徐々に安全に行動できるように指導を進めていく。
- 小学生においては，事故災害の原因と結果について理解させるように指導を行うとともに，周囲の大人が安全な行動のモデルとなるべきである。
- 自ら危険行動をとるようになる中学生以降では，生命の大切さや安全に行動する意義などを正しく伝えることが大切である。
- 中学生以降では，事件・事故の被害者にならないためだけではなく，加害者になる可能性とその責任についても学ぶ必要がある。
- 大人に近づく高校生の時期では，社会の安全に対する責任と一市民としての自覚を持たせるようにすることが重要である。

1 子供の事故と傷害

(1) 不慮の事故による死亡

不慮の事故は日本人の死因，特に0歳～19歳までの死因の常に上位にある。2021年の0歳～19歳の日本人の不慮の事故を，原因別に示したのが↓図1である[1]。この年齢層では交通事故死亡が最も多く，次いで溺死及び溺水となっており，不慮の事故全体の7割程度がこの両者で占められている。

(2) 学校の管理下における災害

児童生徒等の負傷・疾病（負傷等に起因するもの）や死亡の原因となる事故は，学校の管理下で発生した負傷や死亡を中心に，独立行政法人日本スポーツ振興センター（以下JSC）の災害共済給付のデータによっておおよそ把握できる。ここで「おおよそ」と述べたのは，帰宅後など学校の管理外での事件・事故に加え，通学中の交通事故によって負傷した事故のうち，損害保険等により賠償を受けた場合は，JSCのデータでは把握できないためである（ただし死亡事故は供花料によって把握できる)。なお学校の管理下とは，巻末資料（p.273）に示す通りである。

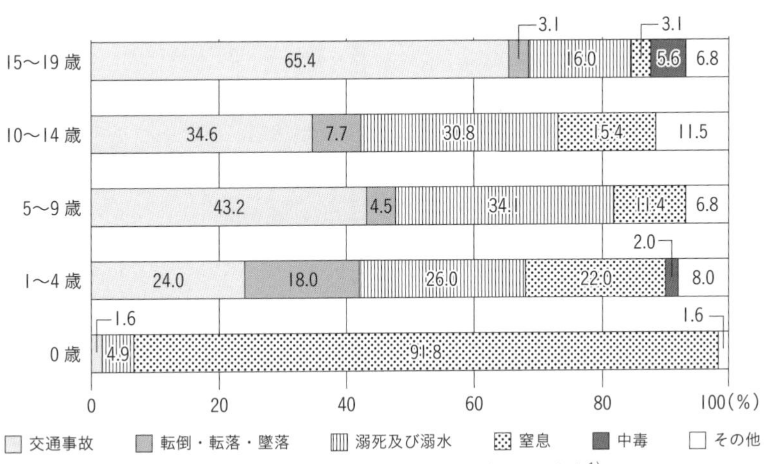

図1 0～19歳の不慮の事故による死亡原因の割合(2021年)[1]

↓図2はJSCの災害共済給付データより[2]，2021年度に医療費の支給が行われた負傷・疾病における場合別発生割合を示している。特徴としては，小学校では休憩時間における発生割合が高く，中学校・高等学校では課外指導（特に運動部活動）において発生割合が高い。例年，同じような傾向が続いている。

また→P.032図3は負傷・疾病における部位別発生割合を示している。これも校種による違いがみられるが，幼児では頭部・顔部の割合が高く，合わせて５割を超えている。小学生でも頭部・顔部の割合が高いが，上肢部や下肢部の割合も増えてくる。中学生で高い割合を占めているのが下肢部であるが，高校生ではさらに割合が高まる。

学校の管理下の負傷および疾病が治った後に残った障害については，→P.032表1に示す。歯牙障害，視力・眼球運動障害がどの校種でも高く，特に中学校，高等学校では運動部活動による事故（ボール，バット，ラケット等が顔面を直撃する，他の人と接触するなど）によって多く発生している。

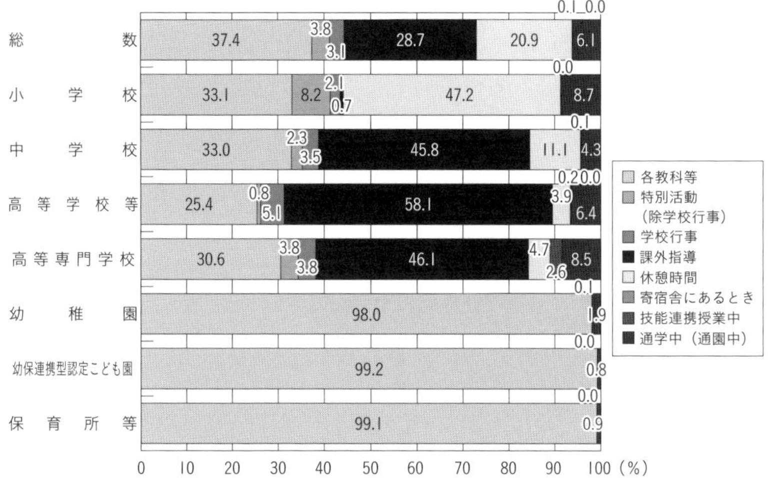

図2 負傷・疾病における場合別発生割合（2021年度）[2]

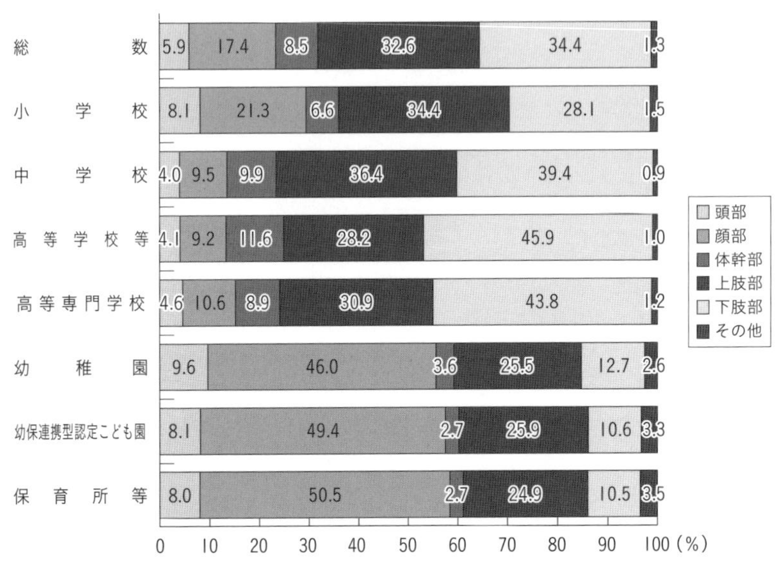

図3 負傷・疾病における部位別発生割合（2021年度）[2)]

表1 障害別の発生件数（2021年度）[2)]

	小学校	中学校	高等学校等・高等専門学校	特別支援学校			幼稚園・幼連・保育所等	総計
				小	中	高		
歯牙障害	4	11	28					43
視力・眼球運動障害	14	13	35		1		1	64
手指切断・機能障害	7	8	12				2	29
上肢切断・機能障害	4	2	3					9
下肢切断・機能障害		3	2			2		7
精神・神経障害	8	30	17				1	57
胸腹部臓器障害	2	2	11					15
外貌・露出部分の醜状障害	38	17	12	1		3	12	82
聴力障害		1	2					5
そしゃく機能障害		1	1					2
せき柱障害	5		2				1	8
総　計	84	88	161	1	1	5	17	321

学校の管理下の死亡件数については↓表2に示す。死亡は中学校，高等学校で多く発生しており，特に体育科，運動部活動で発生割合が高い。また死亡原因の約半数を占めるのが突然死である。WHO（世界保健機関）は，突然死を「発症から24時間以内の予期せぬ内因性（病）死」と定義している[3]。学校の管理下における突然死は，急性心不全など心臓系の突然死が多く，ついで中枢神経系の突然死が発生している。

ただし学校の管理下における突然死の年間報告件数は，1980年代中頃には150件前後であったが，現在は20～30件となっている。これは学校の定期健康診断で心電図検査が導入されたことや，ＡＥＤ（自動体外式除細動器）の普及が学校でも進んできたことが関係していると考えられる。

なお供花料支給の場合（第三者から損害賠償が支払われる等，死亡見舞金が支給されないケース）の死亡は別に集計されており，2021年度は↓表3に示す通りである。

表2 死因別発生件数(2021年度)[2]

死因別＼学校種別		小学校	中学校	高等学校等・高等専門学校	特別支援学校			幼稚園・幼連・保育所等	総計
					小	中	高		
突然死	心臓系	2	1	4			1		8
	中枢神経系	2	2	2	1				7
	大血管系			1					1
	小　計	4	3	7	1	0	1	0	16
頭部外傷		1	3	2					6
溺死			2	1					3
頸髄損傷		1							1
窒息死（溺死以外）		1	3	2			1		7
内臓損傷				1					1
熱中症			1						1
全身打撲			4	3					7
総　計		7	16	16	1	0	2	0	42

表3 供花料支給の場合の死亡件数(2021年度)[2]

死因別＼学校種別	小学校	中学校	高等学校等・高等専門学校	幼・幼連・保育所等	総計
頭部外傷	1	3	4		8
頸髄損傷				1	1
窒息死（溺死以外）		1	2		3
全身打撲	1	1	2		4
総　計	2	5	8	1	16

(3) 学校の管理下以外の事故の状況

（独）日本スポーツ振興センターによる災害共済給付以外で子供の事故を知るために役立つ情報源としては，こども家庭庁の「教育・保育施設等における事故報告集計」[4]および消費者庁の「事故情報データバンクシステム」[5]がある。前者はこども家庭庁・文部科学省に報告のあった事故の情報について，死亡事故や治療に要する期間が30日以上の負傷や疾病を伴う重篤な事故等の報告を取りまとめ，公表するものである。ここでいう教育・保育施設等とは，幼稚園，認可保育所，認定こども園のほか，認可外の保育施設も含んでいる。小学校は含まれないが，放課後児童クラブは対象となる。↓表4は2022（令和4）年の集計結果であるが，認定こども園，保育所，放課後児童クラブでの事故件数が多く，いずれも半数以上が施設内の室外で事故が発生している。

表4 学校の管理下以外の事故件数(2022年度)[4]

学校種別＼場所別	施設内		施設外	不明	合計
	室内	室外			
幼保連携型認定こども園	203	245 (1)	35	0	483 (1)
幼稚園型認定こども園	8	15	2	0	25
保育所型認定こども園	33	33	8	0	74
幼稚園	12	22	2	0	36
認可保育所	460	590	139 (1)	1	1,190 (1)
小規模保育事業	8	5	10	0	23
家庭的保育事業	1	0	0	0	1
事業所内保育事業(認可)	4	4	0	0	8
一時預かり事業	1	0	0	0	1
子育て援助活動支援事業 (ファミリー・サポート・センター事業)	0	0	2	0	2
放課後児童健全育成事業 (放課後児童クラブ)	170	336	59	0	565
企業主導型保育施設	13 (1)	4	7	0	24 (1)
その他の認可外保育施設	16 (2)	3	10	0	29 (2)
合 計	929 (3)	1,257 (1)	274 (1)	1	2,461 (5)

( ) 内の数字は死亡事故の件数で，上段の数値の内数

消費者庁の「事故情報データバンクシステム」は，消費者庁と（独）国民生活センターが連携し，生命・身体にかかわる消費生活上の事故情報を関係機関から一元的に集約して提供するシステムとなっている。子供だけを対象としたものではないが，様々な生活用製品を使用する上で発生する事故等を取り上げており，家庭内で発生する事故を知ることができるほか，商業施設など家庭外の施設で発生する事故も取り上げられている。保育施設における遊具事故もこのデータバンクシステムで知ることができる。

また，ほかにも厚生労働省はチャイルド・デス・レビュー（CDR）制度の導入を検討している[6)]。これは事故に限定されずに子供の死亡事例について死因を究明するものであり，そこで得た知見を予防対策につなげようとするものである。

2 発達段階からみた子供の安全課題

(1) 幼児期の心身と安全

1) 幼児期の心身と行動の特徴

幼児期は心身両面の発育発達が著しい時期である。また他者とのコミュニケーション能力が発達する時期でもある。しかし身体面・精神面は発達途上であるという以外に，この年齢層独自の特徴もある。幼児期に多くみられる事故・傷害の実態は別の節で紹介しているが，この年齢の特徴と事故・傷害とはもちろん無関係ではない。まず身体面の特徴であるが，主な点は次のとおりである。

①幼児期は第 1 発育急進期と第 2 発育急進期にはさまれ，身体発育では比較的安定して発育が進む時期である。

②視機能や聴覚機能が発達し，完成に向かう時期である。

③身体運動に関して，神経系の発達が著しく，複数の機能による協応動作が発達する。

危険を回避して安全に行動するという視点からは，考慮すべき発育発達の特徴がある。たとえば視覚・聴覚の発達が未熟であると，危険の察知が遅れることが予想される。視力は乳児期に著しく発達するが，視力1.0以上まで安定してくるのは5，6歳ごろである。両眼立体視の能力もまた5歳ごろに完成する。聴覚機能で安全に関わる重要な能力は，音源定位すなわち音源の位置を判断する能力であるが，これもまた幼児期を通じて発達する。音源定位の能力は，自動車の位置をすばやく発見し，危険を回避するために，的確に音源位置を判断することが重要である。しかしながら，視機能や聴覚機能が発達しても，身長が低い，危険の経験が少ないことなどから危険の発見が遅れてしまうことがあり，大人の視点だけでは危険を見落としがちなので十分注意が必要である。

運動能力の発達もまた危険の回避に重要な要素である。身体運動では目で対象をとらえることと体の動きが協応する動きが大切であるが，幼児期にはこのような協応動作が急速に発達する。乳児期には両手・両足をばらばらに動かしていた子供は，幼児期には目標物を手でつかんだり，一方の手から持ち替えたりなど，複数の機能を協調・統合させるようになる。このことは危険物を察知して，危険からの被害を回避する動きにつながるが，単に身体運動だけではなく，何が危険であるか，またどのような回避が適切であるかという理解も，経験や安全指導を通して身につけていかなければならない。

また精神面の特徴については，ピアジェの発達段階説に基づく感覚－運動期から前操作期が，この時期に相当する。幼児の大部分を占める前操作期には，次のような特徴が挙げられる。

①自己とは異なる他者の視点が不十分，すなわち自己中心性。
②ある事態の認識を，それ以前の事態との関係においてとらえることが困難。
③系統性操作，すなわちものの分類操作が不十分。

このことは安全に関わる状況の判断に大きな影響をもたらす。この時期では言葉やイメージによる思考が可能となるため，言葉で危険を伝えたり，危険を示す図を使ったりすることが可能となる。また目の前にあるものならば，原因と結果の関係を理解することが可能となるため，「ストーブを触るとやけどをする」などの危険を具体的に理解するようになる。幼児期の初期には「これは危ないから近づかない」という指示でよいが，発達に伴い「なぜ危ないのか」を説明するようにすることが重要である。

しかしこの時期には目に見えないものの因果関係など前後関係を理解することがまだ不十分である。また前述の「自己中心性」という特徴に関わることだが，複数の視点から物事をとらえることができず，自分の視点からしか危険をとらえることができない。

さらに環境との関係も無視できない。外界にある危険に対する直接的な経験が少ない幼児では，初めて出遭う危険を理解することが難しい。

2) 幼児期の安全課題

幼児期は非常に好奇心が強い時期であるが，時には大人からは衝動的にみえる行動を取ることがある。すぐそばの危険に気づかず飛び出したり，遊びで夢中になったりして周囲の障害物に気づかないことは，幼児ではしばしば見られる状況である。その結果として，大きなけがにつながることも少なくない。

また危険の予測と経験が少ないゆえに，大人が予想しない事故に巻き込まれることがある。アパートの窓やベランダから身を乗り出して転落する事故もみられるが，頭部が大きいという幼児の特徴に加え，先にある結果に気づくことが困難であることも要因といえるであろう。

幼児期の安全教育では，具体的な事例をもとに指導を進める。遊具の安全な使い方，危険な場所での安全な行動，安全についてのきまりの遵守など，生活安全や交通安全の課題ごとに何をすべきかを学ぶ。幼児自身のヒヤリ・ハット体験を活用したり，周囲の大人が安全な行動をとる模範となったりすることも効果的である。また危険を発見したり，他者の事故やけがに遭遇した場合には，保護者など信頼できる大人へ即座に通報することも重要な指導内容である。なお幼児期初期は図や映像などを活用した視覚的教材が効果的であるが，幼児期後期では言語による指導も効果を上げ

るようになってくる。

もちろん前提としてまずは周囲の大人による適切な安全管理は非常に重要である。特に1，2歳児では誤飲や溺水による事故も多く，周囲に危険な物を置かない，危険な場所に近づけないようにするなど周囲の安全管理が必要である。また交通安全に関して，チャイルドシートの着用，自転車乗車時のヘルメットの着用なども，保護者など周囲の大人が配慮すべき点である。

⑵ 小学生の心身と安全

1) 小学生の心身と行動の特徴

小学校の6年間における発育発達は，大きな変化といえる。6歳の平均身長は女子116.0cm，男子117.0cmであるが，11歳では女子147.9cm，男子146.1cmまで成長する（「令和4年度学校保健統計調査」より）。特に10〜12歳は第2発育急進期であり，身長に代表される発育のスパートがみられる。さらに運動能力の発達も進み，安全に行動するための身体面の基礎が築かれる時期でもある。また小学校高学年より始まる二次性徴は，発育発達の大きな特徴として挙げられる。もちろん成長の個人差も大きいわけだが，総じて子供から青年期へ脱皮が始まる時期と言えるだろう。

しかし身体発育以上に，安全の視点からは心理社会面あるいは行動面の変化が重要な特徴と言える。保護者の庇護の下で行動していた幼児期とは大きく異なり，小学生では行動範囲が大きく広がる。それだけに多くの危険に出遭う可能性も高くなり，自分自身で安全な行動を選択することが求められる。

小学校低学年では，まだ幼児期の特徴を残しているものの，衝動的な行動は減少し，学年が進むにつれて自分の行動とその結果の関係を理解して，適切な行動をとることができるようになる。親から一方的にしつけをつけるだけではなく，自分の意見を持ち，時には反発するようになる。

また子供だけの集団として行動することが多くなり，小学校高学年には教師や親のような大人よりも友人との関係を重視するような傾向が強まる。反面，規範意識において小学生では中学生・高校生に較べてルールを守るべきとする傾向が強いため，安全教育の効果をあげやすいと言える。

しかし小学校高学年になると，ストレスを感じたり，感情をコントロールできないなど，心の問題を抱える児童が増えてくる[7]。うまく問題を解決できずに精神的に不安定になり，対人暴力や器物損壊を引き起こすこともある。いわゆる「キレる」という行動がみられるようになる。場合によっては大きな事故・災害につながる危険性もあり，周囲の大人による指導・管理が重要である。

そのほかでは，食事・運動・休養を中心とした基本的生活習慣は高学年に向かうにつれて乱れるようになる。平日子供たちは，帰宅後には宿題や読書の時間を除くと，小学生ではテレビ，ゲーム，スマートフォンなどのスクリーンタイムが増えてくる[7]。このような生活パターンは子供たちの生活習慣の規則性を崩しやすく，結果として健康への影響が生じる危険性を含んでいるといえる。もちろん，これらは直接的に安全な生活に影響するものではないが，日常生活の注意が散漫になったり，後述する危険行動につながったりする可能性もあり，安全教育の視点からも無視することはできない。

2）小学生の安全課題

行動の原因と結果の予測に関する心理的発達は，危険の予知と回避という視点から重要な要素となる。小学校では，このような因果関係の理解が容易になり，効果的な安全教育が可能となる。自分の経験を通じて身近な危険に気づくことから，徐々に危険や災害についての知識を増やしていく。高学年においてはマスメディアからの情報を活用し，安全に関する判断材料とすることも有効であろう。

また小学生は規範意識も高く，大人による指導を率直に受け止める時期であり，安全教育に適した時期といえるであろう。しかし直接的な安全教育だけではなく，大人が安全行動のモデルとなることも大切である。規則を遵守するなど，まずは大人が模範を示すことは安全教育の基本と言えるであろう。さらに自分以外の人の安全，特に家族や年少者，高齢者の安全をはかることも，少しずつ指導内容に含むことも必要である。

⑶ 中学生の心身と安全

1) 中学生の心身と行動の特徴

思春期を迎えるこの時期では，これまで以上に親から精神的に自立しようとして，親や学校へ反発することも多くなる。中学校ではいじめや暴力行為の発生件数が小学校・高等学校に比べて高く，問題行動を含む危険行動①の可能性が高まる時期でもある。

危険行動の要因として規範意識が挙げられる。中学生では社会ルールに反する行為に対して許容する傾向が強まる。たとえば信号を無視した道路横断や歩行中や電車内での携帯電話・スマートフォンの使用などが挙げられる。社会規範を遵守する意識が低下することがそのまま問題行動につながるわけではないが，例えば薬物乱用との関係が指摘されており[8)]，重要な背景要因の一つということができるであろう。

また仲間からの圧力（ピア・プレッシャー）を受けやすくなるのもこの時期の特徴である。仲間はずれを恐れ，仲間の前であえて危険なことを冒すことによって，仲間からの注目を集めたり，仲間集団への帰属感を高めようとしたりする傾向がみられるようになる。危険な状況を早めに回避する，社会的スキルを高めるなどの対応が必要であろう。

2) 中学生の安全課題

危険行動に関わって発達をとらえるならば，危険行動をとろうとする傾向は特定の子供だけにみられるとするのは適切ではない。むしろ青少年の正常な発達過程の中で普遍的にみられ，大人になる上で良くも悪しくも重要な役割を担っているということである。危険行動は，親から自立し，仲間を得るための手段としての側面を持っている。そのことは逆に，学校の校則に代表されるような社会規範への準拠意識の低下を招くことにつながる可能性がある。それが様々な危険行動へのきっかけとなる。多くの場合，この時期の危険行動は探索行動すなわち「試してみる行動」に止まり，そ

---

①危険行動とは，現在および将来の傷病や死亡の直接的・間接的な原因となる行動全般を指す。具体的には，交通事故につながる無謀な行動，暴力，喫煙・飲酒・薬物乱用，性感染症や望まない妊娠につながる危険な性行動，自殺を含む自傷行為など従来には問題行動として捉えられていた行動に加え，生活習慣病につながる食行動と身体運動も含まれる[11)]。

のまま大きく逸脱し，継続的な危険行動に至るのは一部であると考えられる。

しかしながら自分や他者を傷つけ，時に死に至らしめる可能性がある行動であるならば，指導者は生徒に対して自他の生命の尊重が大切であることと無謀な行動が引き起こす結果を正しく伝え，安全に行動することの根拠を示すことが求められる。

また事件・事故の被害者になるだけではなく，時には加害者になる危険性についても学ぶ必要がある。例えば自転車の無灯火乗車は歩行者と接触事故を招き，最悪の場合相手の命を奪うことさえある。中学生とはいえ交通安全については一市民としての責任を自覚する必要がある。生徒指導と学校安全との連携を図り，効果的な指導を進めていく必要がある。

(4) 高校生の心身と安全

1) 高校生の心身と行動の特徴

思春期も後半に向かい，身体発育も安定し，中学生時から比べて精神的にも落ち着きがみられる時期である。日常生活の活動範囲も広くなり，放課後は学業や課外活動のみならず，アルバイトなどで過ごす生徒も少なくない。そのために事件・事故に巻き込まれる機会も増えてくる。たとえば20歳未満の刑法犯罪種別学職別被害認知件数では高校生の被害がもっとも高い[9]。また成人とほぼ同様に，多様なスポーツを行うようになり，それが原因となって傷害および障害を引き起こすことも少なくない。さらに原動機付自転車，二輪車あるいは自動車を運転することで，交通事故に遭う危険性も高くなる。

体力面や知力面では成人に近づく高校生であるが，日常経験の不足や自分の能力への過信が事件・事故の引き金になる可能性は高い。また危険行動という課題を抱えている点は中学生と同様である。高校生に限定されず，一般に危険行動に特徴的にみられる心理社会的要因として挙げられるのが，刺激への欲求と危険をもいとわない特性である刺激希求（Sensation Seeking）の傾向である。刺激希求傾向は，スリルや冒険を好む傾向，抑制を解放する傾向，多様で新奇な経験を求める傾向，同じことの繰り返しを嫌う傾向から構成される。刺激希求傾向の強い者は，喫煙しやすい，薬

物を乱用しやすい，危険な運転をするなどが報告されている[10]。もう一つ重要な要因として自己中心性が挙げられる。自己中心性自体は特に幼児期において普遍的にみられるが，青少年期の自己中心性の特徴は，「自分だけは大丈夫」「自分ならうまくやれる」という自己の行動とその結果に対する楽観的に偏った認知である。また「きっと誰かが助けてくれる」「この前は大丈夫だった」という考え方も同様である。

刺激探求傾向と自己中心性の二つは危険行動の社会心理的要因の中でも特に重要視されている。このような性格特性は教育によって容易に変わるものであるかどうかは必ずしも明確ではない。しかしこのような要因の存在を知ることで，個々の特性に合わせた対応が可能となる。また危険行動の予測因子として，ハイリスク集団を知る上での指標にもなるだろう[11]。

2）高校生の安全課題

高校生に対する安全教育では，中学生までの教育を発展させるとともに，社会の安全活動も含むようにすることが大切である。地域の防災訓練，災害発生時のボランティアなど高校生でも参加できる活動が数多くある。一市民として社会の安全確保に積極的に寄与し，責任を持つことも高校生にとって重要な課題である。

練習問題

① 学校の管理下における災害の特徴を，日本スポーツ振興センターのデータを踏まえて説明しなさい。

② 幼児，小学生，中学生，高校生の各段階における安全課題について，交通事故を例にして説明しなさい。

（渡邉正樹）

●引用文献

1）一般財団法人厚生労働統計協会（2023）『国民衛生の動向2023／2024』

2）独立行政法人日本スポーツ振興センター（2022）『学校の管理下の災害　令和４年版』 https://www.jpnsport.go.jp/anzen/kankobutuichiran/tabid/3020/Default.aspx

3）独立行政法人日本スポーツ振興センター（2011）『学校における突然死予防必携－改訂版－』 https://warp.ndl.go.jp/info:ndljp/pid/12848785/www.jpnsport.go.jp/anzen/Default.aspx?TabId=228

4）子ども家庭庁，教育・保育施設等における事故報告集計　https://www.cfa.go.jp/policies/child-safety/effort/shukei/

5）消費者庁，事故情報データバンクシステム　https://www.jikojoho.caa.go.jp/ai-national/

6）厚生労働省（2023）『予防のためのこどもの死亡検証（Child Death Review）について』 https://www.mhlw.go.jp/content/10800000/07shiryou7.pdf

7）児童生徒の健康状態サーベイランス事業委員会（2020）『平成30年度・令和元年度児童生徒の健康状態サーベイランス事業報告書』公益財団法人日本学校保健会

8）市村國夫・下村義夫・渡邉正樹（2001）「中・高校生の薬物乱用・喫煙・飲酒行動と規範意識」『学校保健研究』43（1） pp.39-49　日本学校保健学会

9）警察庁生活安全局人身安全・少年課（2023）『令和４年における少年非行及び子供の性被害の状況』 https://www.npa.go.jp/bureau/safetylife/syonen/pdf-r4-syonenhikoujyokyo-kakutei.pdf

10）渡邉正樹（1998）「Sensation Seekingとヘルスリスク行動との関連」『健康心理学研究』11（1） pp.28-38　日本健康心理学会

11）渡邉正樹（2011）「青少年危険行動志向性尺度の開発」『東京学芸大学紀要芸術・スポーツ科学系』63 pp.79-85　東京学芸大学

■参考文献

小林寛道他（1990）『幼児の発達運動学』ミネルヴァ書房

杉原隆・柴崎正行・河邉貴子編（2001）『保育内容「健康」』ミネルヴァ書房

無藤隆・藤崎眞知代編著（2005）『保育ライブラリ：子どもを知る　発達心理学』北大路書房

卑劣な手口

「チェンジリング」(2008年)

1920年代にアメリカ合衆国で発生した連続少年誘拐殺人事件がある。犯人の名前からゴードン・ノースコット事件とも，事件現場からワインヴィル養鶏場連続殺人事件とも呼ばれる事件である。ノースコットは繰り返し少年を誘拐し，性的虐待の後に殺害していた。現場周辺から大量の人骨が見つかっていたことから複数の被害者がいることはわかっていたが，事件の全貌がわからないままノースコットは死刑となった。この事件の被害者の一人にウォルター・コリンズ（行方不明当時9歳）がいる。そしてウォルター少年の母親を主人公にした映画が「チェンジリング」（2008年）である。

ロサンゼルスに住むクリスティン（アンジェリーナ・ジョリー）の一人息子ウォルターがある日忽然と姿を消す。クリスティンは必死でウォルターを探すが，警察はまともに捜査を行おうとはしない。それどころか全くの別の子をウォルターとしてクリスティンに差し出し，それを否定するクリスティンを無理やり病院に入院させてしまう。

しかし状況が一転する。サンフォードという少年が，従兄のノースコットが20人もの少年たちを誘拐して殺害した事実を告白したのである。ノースコットによる少年誘拐の手口とは，ターゲットとなる少年を見つけると，「おうちの人がけがで病院に運ばれた」と言って車に乗せ，連れ去るというものであった。少年たちはなぜ簡単に車に乗ってしまうのか。それは同年代のサンフォードがノースコットと一緒に乗っていたため，安心してしまったのである。ノースコットはサンフォードを誘拐に利用していたのだ。そしてノースコットが営む養鶏場からは多くの人骨が見つかり，彼は逮捕される。しかしウォルターの消息はわからなかった。

卑劣な手口を用いる犯罪者はトマス・ハリス原作の「羊たちの沈黙」（映画は1991年公開）にも登場する。大きなソファーを一人でワゴン車に運び込もうとする男は，通りがかりの女性に助けてもらい，彼女にソファーを持たせたまま車の奥に押し込んで誘拐した。困っているふりをしてだましたわけである。こちらはフィクションではあるが，残念ながら人の好意につけこむ犯罪が実際にあることは否定できない。

- ☑交通事故死者数は減少する傾向にある。
- ☑交通事故死者数は青少年層と高齢者層に多く，青少年層の事故の特徴として速度違反などの危険な運転がみられる。
- ☑飲酒運転や携帯電話の使用など運転中の危険行為に対して道路交通法等の改正によって厳罰化が図られている。
- ☑自転車事故を減らすための対策の充実が図られている。
- ☑児童生徒に対する交通安全教育では，安全に対する責任など交通社会の一員であることを学ぶことが大切である。

3 交通事故とその防止

キーワード

交通事故

自転車

自動二輪車

飲酒運転

携帯電話

1 交通事故災害の実態

(1) 減少する交通事故死者数

交通事故は私たちにとって常に身近な問題である。後述するように，交通事故死者数は，現在減少する傾向にある。しかしながら厚生労働省の人口動態統計①によると，5～19歳までの死亡原因第1位である不慮の事故の内訳において，交通事故の原因となった死亡事故は，5～9歳では43.2%，10～14歳では34.6%，15～19歳では65.4%を占めている（2021年）[1]。この年齢層においては，交通事故災害は今なお重要な課題である。なお，以下交通事故と記しているのは，道路交通事故を指している。

日本における自動車保有台数は，1960年代半ばには約1,000万台であったが，2022年には8,274万台まで達している。そのうち乗用車は全体の約88%を占めており，この数は日本人の約2人に1人が所有するだけの台数があたる。運転免許証の保有者数も年々増加し，2022年では8,100万人を超えた[2]。このように自動車は，私たちの日常生活において欠くことのできない交通手段となっているわけだが，当然それは災害をもたらす原因となりうる。

日本における道路交通事故の推移は↗図1に示す通りである[2]。交通事故発生件数は，1940年代より増加し，1969年に第一のピーク（年間720,880件）に達する。その後一旦減少するものの，1970年代から再び増加し，現在は減少傾向にある。道路交通事故による死者数は，1940年代から死者数が急増し，1970年には年間16,765人となる。その後死者数は減少し，1992年まで再び増加するが，2022年には2,610人まで減少した（30日以内では3,216人）。負傷者も1992年までは同様の変化を見せるが，その後も事

---

①警察庁の交通統計では，交通事故死者数は原則事故発生後24時間以内に死亡した人数である。それに対して厚生労働省の人口動態統計では，交通事故を死因とする死者数を示しているため，両者間には数値の違いがある。厚生労働省の統計が示した数値は，警察庁統計の数値の約1.5倍である。なお近年の警察庁の統計では，24時間死者数と30日以内死者数を同時に示すようになった。

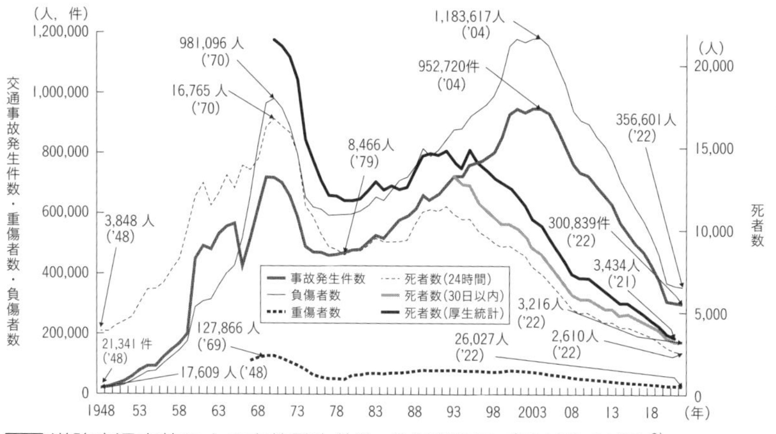

図1 道路交通事故による事故発生件数，負傷者数及び死者数の推移[2)]

故発生件数同様増加を続けた。しかし，2022年には35万人台まで減少した。

近年の死者数が減少している理由として，運転中の危険認知速度（運転者が危険を認知した時点の速度）の低下や，シートベルト着用率の向上，悪質・危険性の高い事故の減少等が挙げられている[2)]。

(2) 青少年層における交通事故の特徴

年齢層別に交通事故の近年の実態をみると，死者数に関して近年は，65歳以上の高齢者が約5割を占めている。10歳未満及び10～19歳のそれぞれの年齢層とともに，死者数は減少傾向にある。

このように交通事故死者数では高齢者が増え，原動機付自転車や自転車乗車中も高齢者について死者数が多い傾向がみられる。青少年は減少傾向にあるわけだが，青少年期の課題もある。例えば自動二輪車乗車中については，16～24歳の男子では死者数がこの年齢層の36.7%を占めている。また，16～24歳の女子では死者数が20.0%となっている（いずれも2022年）。

若者の交通事故の背景には，交通ルールを守る意識が低い，スピードの快感やスリル感などを安全よりも優先する，運転者としての責任に関する自覚が不十分であることなど，若者特有の心理も関係していることがしばしば指摘されることである。特に自動車，自動二輪車または原動機付自転車の運転者が第1当事者[②]となる死亡事故件数では，16〜19歳がほかの年齢層と比べて最も高くなっている。

(3) 小学生の交通事故

就学前は保護者など大人と一緒に行動することが多いが，小学校入学後には一人もしくは同学年の児童と行動することが多くなる。危険予測・回避能力が十分ではないこの年齢では，児童のみで事故を回避することは難しいと考えられる。そのため，小学校低学年では交通事故の被害者となる危険性が高い。警察庁の資料によると2012（平成24）年から2021（令和3）年までの小学生の状態別死者重傷者数をみると，低学年で数値が高く，学年が上がるにつれて数値が下がってくる↓図2[3)]。また低学年では歩行中の事故が多いが，中学年・高学年では自転車乗車中の事故が増えていく。それ以外だと，歩行中の死亡・重傷事故の内訳については，通学中が約1／3を占めている。歩行中および自転車乗車中の死亡・重傷事故の多い時間帯については，14時〜17時に事故が集中している。

②第1当事者とは，最初に交通事故に関与した車両等の運転者または歩行者のうち，当該事故における過失が重い者を，また過失が同程度の場合には人身損傷程度の低い者を指す。

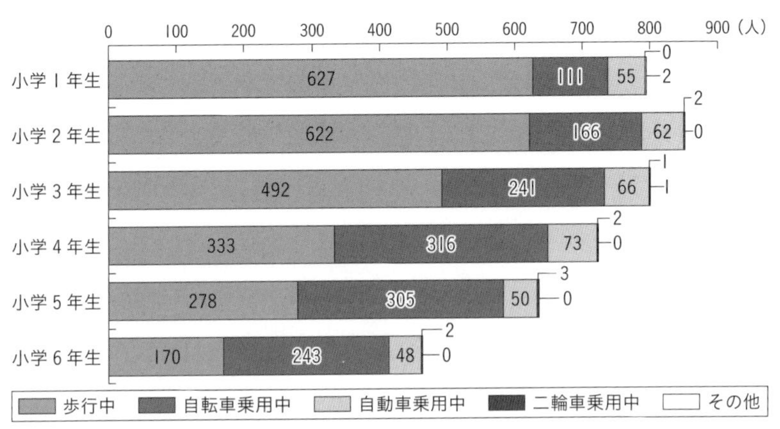

図2 小学生の状態別死者重傷者数（2012〜2021年）

2 道路交通における危険行動 ―飲酒・携帯電話・スマートフォン

飲酒運転による死亡事故のリスクは飲酒なしの場合の８倍以上とされる[2]。それでも飲酒運転による事故は後を絶たないが，例えアルコールに強い体質の人であれ，飲酒した上での運転は非常に危険である。飲酒と運転について興味深い実験がある[4]。被験者に呼気中のアルコール濃度を目安として四つの飲酒条件で，運転シミュレーターを用いた課題を与えた。課題のうち一つは子どもの飛び出しであり，飛び出しという刺激に対してアクセルを離すまでの反応時間を計測した。その結果が↓図3であるが，呼気中のアルコール濃度が高くなるほど，すなわち飲酒量が増えるほど，酒に強い・弱いに関係なく反応時間が遅くなる結果が現れた。反応時間が長いということは事故発生の危険性が高まるということである。このように飲酒運転はどのような人にとっても危険な行為なのである。飲酒運転による死亡事故は，2000年から2021年までに約10分の1に減少してきた。後述するように，刑法と道路交通法の改正により，飲酒運転がこれまで以上に厳しく規制されたことが効果を上げていると考えられる。

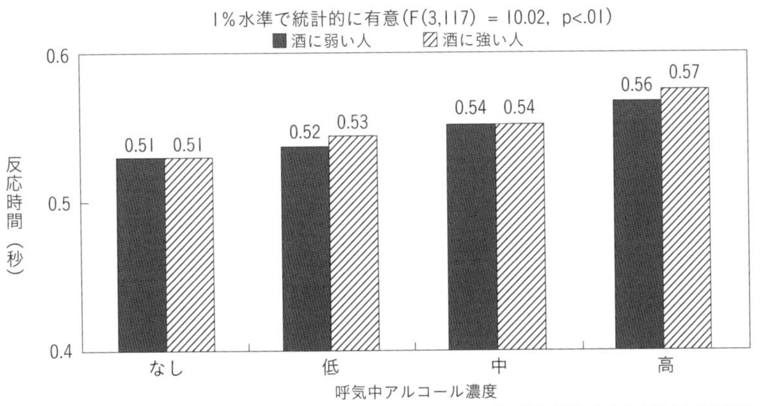

図3 呼気中アルコール濃度とアクセル操作反応時間との関係

また歩行中あるいは自転車乗車中，自動車運転中の携帯電話やスマートフォンの使用は，危険要因の一つとしてしばしば問題視されている。

↓表1は（独）日本スポーツ振興センターの災害共済給付データ（1999年度から2012年度）より，携帯電話の使用に関わる事故を取り上げたものである[5)]。自分が使用していて発生した単独事故と，相手が使用していて自分が被害を受けた事故の典型的事例が挙がっている。このデータには含まれないが，自分が加害者となるケースも考えられる。2017年には電動アシスト自転車に乗りながらスマートフォンを操作していた大学生が，歩行中の高齢者と衝突して相手が死亡するという事故も発生し，その後も大学生による類似した死亡事故が発生している。中高生でも十分想定できる事故である。

表1 携帯電話の使用に関わる事故事例

自分が使用していた場合				
学校種	学年	性別	登下校別	災害発生時の状況
高	1	女	登校中	信号が赤になり自転車を停止しようとしたとき，右手で携帯電話を持っていたためバランスを崩し，右足を捻った。
高	1	女	登校中	自転車で走行中，制服のポケットから携帯電話を取り出し，時間を確認しようとしたところ，バランスを崩して，道路わきの川に転落し負傷した。
高	2	男	下校中	自転車で下校途中，胸ポケットに入れていた携帯電話が落ちかけたのに気を取られ，前方にあった看板に顔面を打ち付けてしまった。
高	2	男	下校中	駅から帰宅途中の下り坂で，携帯話電話を見ていたため，電柱を避けきれなかった。
高	2	女	登校中	自転車で駅まで走行していた際，時間を見るため携帯電話を取ろうとしたところ，カーブミラーに衝突し，頭部をぶつけた。
高	3	男	下校中	部活動を終えて帰宅中に，自分が路肩に落とした携帯電話を自転車にまたがったまま拾おうとしたところ，自転車ごと転倒して右胸部を地面に強打した。

相手（加害者）が使用していた場合				
学校種	学年	性別	登下校別	災害発生時の状況
中	3	女	下校中	自転車でゆっくりと走っていたところ，交差点の出会い頭で，（携帯電話らしきものを触って自転車で走ってきた）高校生らしき男子とぶつかって転倒した。その際に，膝を地面で強く打った。
高	2	女	下校中	友達と下校中，反対側から自転車が来たので一列になろうとした。相手は携帯電話を見て，前方を見ていなかったため，相手の自転車のハンドルが右手にぶつかった。相手はそのまま行ってしまったが，右手の痛みが強く変形していたため帰宅後，病院を受診した。
高	2	女	登校中	横断歩道で，本生徒は，信号が青に変わり渡り始めたところへ，正面から携帯電話を操作しながらスピードを出して自転車が突っ込んできた。避けきれずに接触した際に強い衝撃を受けそのまま転倒した。

自動車等運転中のカーナビゲーション装置等の画像の注視による交通事故もしばしば発生している。先の1999年改正道路交通法では運転中の携帯電話使用やカーナビゲーションの使用は禁止されているが，罰則の対象となるのは，これらの行為によって交通事故の危険を生じさせた場合に限られていた。しかしこれも後述するように，2004年及び2007年の改正でより厳しい内容となった。

3 道路交通法等の改正による安全対策の強化

世界で初めてシートベルト着用が義務化されたのは1971年，オーストラリアにおいてであるが，日本でも1983年に高速道路・自動車専用道路に限定して着用が義務化され，1985年には一般道路にまで着用義務が拡大された。さらに，2008年には全座席にシートベルトが義務化づけられた。シートベルト着用は二次衝突や車外放出を防ぐ効果があり，アメリカ合衆国運輸省によると三点式シートベルトの着用は死亡や重傷を40～55％減少させると報告されている[6)]。シートベルトの着用率は近年高まる傾向にあり，これにともない自動車乗車中の死亡重傷率は逆に減少傾向にある[2)]。

チャイルドシートは，2000年に6歳未満の幼児に対して使用が義務化された。警察庁等の調査によると，2023年には6歳未満に対するチャイルドシート使用率は76.0％となっている。さらに海外では6歳以上を対象としたブースターシート↓図4が一般的であるが，日本での普及は低いと考えられる。

近年では悪質・危険運転について道路交通法が数度に渡り改正された[③]。この改正道路交通法は，それ以前と比べて罰則規定が一層強化されている。例えば2002年の改正では，酒酔い運転及び酒気帯び運転など悪質・危険な行為への罰則が強化され，2007年にはさらに罰則罰金が大幅に引き上げられた。

図4 チャイルドシート・ジュニアシート：成長に合わせてブースターシートとしても使用可能（コンビ株式会社提供）

---

③改正道路交通法に先立ち，2001年には刑法が改正され，危険運転致死傷罪が新設された。これによって，飲酒運転や危険なスピードで信号無視をするなど，悪質な運転で死亡事故や人身事故を起こした場合には，業務上過失致死傷罪ではなく危険運転致死傷罪が適用されることになり，被害者死亡の場合には「1年以上の有期懲役，15年以下の懲役」のように，以前よりも厳しく罰せられるようになった。

4 自転車事故対策

自転車事故による死者数は高齢者が多く占めているが，幼児期から青少年期にかけても自転車事故防止が重要な課題であることには違いない。

2007年の道路交通法の改正に伴い，自転車の使用に関して「自転車安全利用五則」が使われるようになった↓表2。また2015年には道路交通法が一部改正され，危険行為を繰り返す（3年以内に2回以上）運転者に安全講習が義務づけられた↓表3。このため自転車の安全利用に関する教育，すなわち自転車安全教育を推進することが重要であるが，小中学校の交通安全教育以外では学習する機会は少ない。そこで「自転車の交通ルールの徹底方策に関する懇談会」では，「大学生等，成人及び高齢者への自転車安全教育の機会を提供するため，学校，企業，自転車販売店等の各教育主体に協力を求め，また，警察庁においては，具体的な教育内容等についての指針等や教育に資するための資料を示すことなどにより，各教育主体が適切

表2 自転車安全利用五則

1	自転車は，車道が原則，歩道は例外
2	車道は左側を通行
3	歩道は歩行者優先で，車道寄りを徐行
4	安全ルールを守る ○飲酒運転・二人乗り・並進の禁止 ○夜間はライトを点灯 ○交差点での信号遵守と一時停止・安全確認
5	ヘルメットを着用

（2022年道路交通法改正）

表3 自転車の危険運転行為

❶信号無視
❷通行禁止違反
❸歩行者用道路における車両の義務違反
❹通行区分違反
❺路側帯通行時の歩行者の通行妨害
❻遮断踏切立ち入り
❼交差点安全通行義務違反等
❽交差点優先車妨害等
❾環状交差点安全進行義務違反等
❿指定場所一時不停止等
⓫歩道通行時の通行方法違反
⓬制動装置（ブレーキ）不良自転車運転
⓭酒酔い運転
⓮安全運転義務違反

に教育を行うことができるよう配慮すること」を提言し，小中学校以外での自転車安全教育の充実を唱えている。さらに「自転車教室を受講した者に限って自転車通勤・通学を認めるなど，インセンティブを与えることによって教育の場への参加を促し，また，悪質・危険な違反行為をするなどの自転車運転者に対しては，講習を行うことなどによりその危険性を改善することが適当であり，効果的な教育内容・手法と併せて検討することが必要」とも指摘している。

もちろん教育だけではなく，道路の整備も必要である。車道に自転車専用通行帯を設置する等が対策の一例である➔図5↓図6。なお，道路交通法の改正により，2023年4月から，自転車に乗るすべての人にヘルメット着用が努力義務化された。

図5 自転車専用通行帯<東京>

図6 歩道を歩行者側と自転車側に区分している例<東京>
(Murara-555／PIXTA提供)

5 交通環境対策

安全な運転を啓発したり，法整備を進めたりすることも大切であるが，安全な交通環境づくりも欠かせない。前述の自転車専用通行帯もその一例であるが，立体交差によって複数の走路が平面で交差することを避け，交通事故の危険性を低減する方法もある。交通事故が交差点で発生することからも効果的と考えられる。またスピードハンプは車道の一部を盛り上げて自動車の走行速度を低減させるものだが，住宅地や学校周辺などにみられる対策である↓図7。スピードハンプやクランク（道路をジグザグにする方法）は，いわゆるコミュニティ道路においてみることができる。

近年は「ゾーン30」が積極的に推進されている。「ゾーン30」とは「生活道路における歩行者等の安全な通行を確保することを目的として，区域（ゾーン）を定めて時速30キロの速度規制を実施するとともに，その他の安全対策を必要に応じて組み合わせ，ゾーン内における速度抑制や，ゾーン内を抜け道として通行する行為の抑制等を図る生活道路対策」（警察庁交通局）とされる。時速30キロを基準としているのは，30キロを超えると歩行者の致死率が急激に上昇するためである。しかし「ゾーン30」自体の認知度が低いという問題点もある。

図7 スピードハンプの例<ニュージーランド・オークランド>

6 学校における交通安全教育のこれまでとこれから

交通安全教育については，いまなお学校教育の中で重要な位置を占めているように，教科はもちろん学級活動・ホームルーム活動を中心に特別活動において，地域性を考慮に入れながら実施されている。

第11次交通安全基本計画によると，学校における交通安全教育について，以下のように述べられている。

「学校においては，ICTを活用した効果的な学習活動を取り入れながら，学習指導要領等に基づく関連教科，総合的な学習の時間，特別活動及び自立活動など，教育活動全体を通じて計画的かつ組織的な指導に努めるとともに，学校保健安全法に基づき策定することになっている学校安全計画により，児童生徒等に対し，通学を含めた学校生活及びその他の日常生活における安全に関して，通学を含めた学校生活及びその他の日常生活における学校安全に関して，自転車の利用に係るものを含めた指導を実施する。障害のある児童生徒等に対しては,特別支援学校等において,その障害の特性を踏まえ，交通安全に関する指導に配慮する。」

なおこれまでも交通安全教育では体験型の学習が取り入れられてきたが，交通ルールやマナーの指導に留まらず，実際に危険を予測，回避する学習を導入するなど，より一層実践的な学習が求められるだろう。また高校では，生徒の多くが近い将来，普通免許等を取得することが予想されることから，免許取得前の教育を重視した交通安全教育も考えられる。その中には運転者としての責任も含めることになる。

高等学校保健体育科科目保健の学習指導要領においても，交通社会で必要な資質と責任を取り上げ，交通事故には責任と補償問題が生じることを理解し，加害事故を起こさない努力が必要であることという視点を重視している。このように学年が上がるにつれて，単に被害者にならないための指導だけではなく，加害者にならないための指導が加わる。

高校生の二輪車事故防止の対策として，従来「三ない運動[④]」が行われていたが，1989年に文部省（当時）から二輪車指導について通知が出され，その中では「高等学校においては，このような措置（すなわち三ない運動，著者注）だけをもって交通安全対策とすることなく，その実施の有無にかかわらず，生徒自らが交通社会の一員としての責任を自覚し，（中略）社会の安全に貢献できる健全な社会人を育成することを目指して」とあるように，二輪車についてより積極的な交通安全教育を推進することの必要性が指摘されている。

2004年6月に公布された改正道路交通法では，年齢が20歳以上の者で，二輪免許を受けていた期間が3年以上の者は，高速自動車国道等において自動二輪車を二人乗りすることができることになった。それを受けて警察庁では，「自動二輪車の二人乗りに関する安全教育の在り方」に関する指針を出し，二人乗りの運転特性に関する十分な教育の機会を提供し，二人乗りに関する正しい技能及び知識を習得できるようにすることを示した。また具体的な安全教育項目や運転シミュレーターの活用についても記述されている。

交通安全対策においては飲酒運転のように厳しく規制することも必要であるが，二輪車対策ではまず安全な運転を指導する機会を作ることが大切であろう。

---

④「免許を取らない，バイクを買わない，バイクに乗らない」

練習問題

① 交通事故による死者数が減少してきた背景を説明しなさい。
② 自転車事故を防止するための取組について例を挙げて説明しなさい。

（渡邉正樹）

●引用文献
1）厚生労働統計協会（2023）『国民衛生の動向2023／2024』
2）内閣府（2023）『交通安全白書　令和5年版』
3）内閣府（2022）『交通安全白書　令和4年版』
4）科学警察研究所交通安全研究室：低濃度のアルコールが運転操作等に与える影響に関する調査研究 http://www.npa.go.jp/koutsuu/kikaku/insyuunten/kakeiken-kenkyu.pdf
5）独立行政法人日本スポーツ振興センター（2014）『通学中の事故の現状と事故防止の留意点　調査研究報告書』
6）社団法人日本損害保険協会自動車保険部交通安全推進室（1996）『交通安全の基礎知識』社団法人日本損害保険協会

■参考文献
文部科学省（2019）『学校安全資料「生きる力」をはぐくむ学校での安全教育』

- ☑近年，子供が被害者となる犯罪件数は減少傾向にある。
- ☑学校においては，不審者侵入への対策が特に重要である。
- ☑性犯罪やSNS使用に関わる犯罪が課題となっており，学校においても対策が必要である。
- ☑防犯対策においては，保護者や地域住民との連携が重要である。

4 犯罪被害とその防止

キーワード

犯罪被害

不審者侵入

性犯罪

SNS

複数交流系サイト

防犯対策

1 子供が被害者となる犯罪の実態

(1) 未成年者の犯罪被害

日本では刑法犯の認知件数[①]が，1970年代以降増加し続け，特に1996年以降は7年連続して，戦後最多を更新してきた。この傾向は一般刑法犯[②]でも同様である。しかし2006年以降は減少し続けている。

↓図1は少年[③]すなわち20歳未満が被害者となった刑法犯認知件数の年次推移を示している。この図が示しているように，近年は件数は減少する傾向にあったが，2022年は増加に転じた。

↗図2は13歳未満の略取誘拐の被害件数を示している。刑法犯全体の傾向とは異なり，2013年から10年間数値は横ばいであり，2018年以降は微増傾向にある。略取誘拐は後述する性犯罪やSNS関連犯罪とともに対策が急がれる課題と言える。

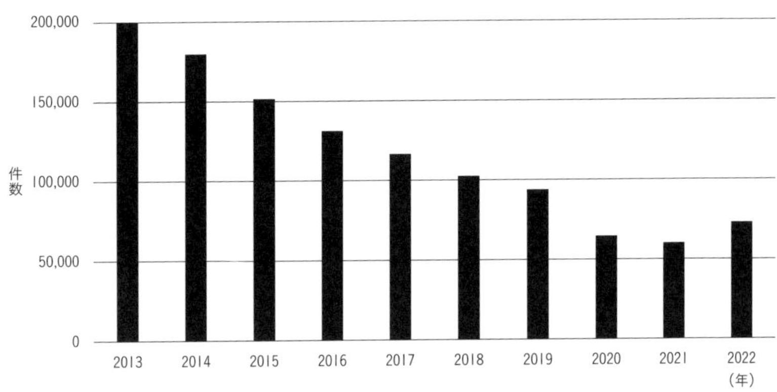

図1 20歳未満が被害に遭った刑法犯認知件数の推移[1)]

①警察等の捜査機関が認知した事件の件数。
②刑法犯全体から交通関係業務過失を除いたもの。
③警察統計では20歳未満のこと。男子のみを指すのではない。

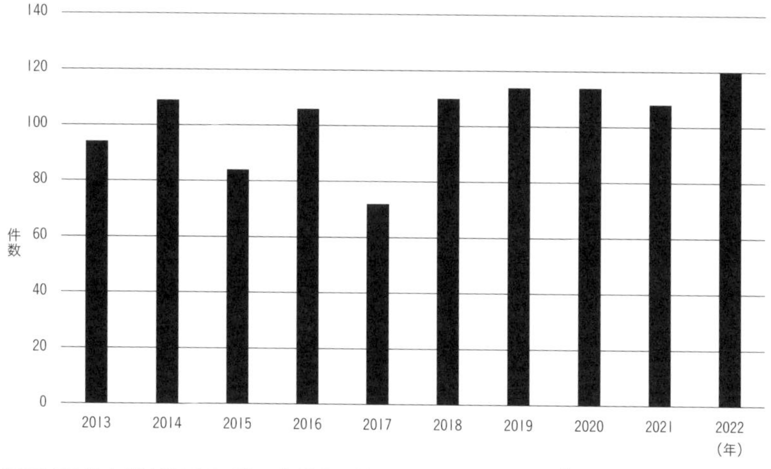

図2 13歳未満が被害に遭った略取誘拐の認知件数の推移[2)]

⑵ 学校及び通学路における犯罪と対策

2001（平成13）年6月に発生した大阪教育大学附属池田小学校での不審者による児童殺傷事件がきっかけとなり，全国の学校において防犯の取り組みが強化されてきた。学校の不審者侵入を防ぐために，文部科学省では2003年2月に「学校への不審者侵入時の危機管理マニュアル」を作成し，全国の学校に配布した。2004年，2005年には，下校途中の児童が殺害される事件が発生し，通学路の安全確保が課題となってきたため，文部科学省は通学路での危機管理を加えた「学校の危機管理マニュアル―子どもを犯罪から守るために―」を2007年に発刊した。これらのマニュアルでは，学校への不審者侵入を想定した教職員や地域住民の対応を示している。なお2018年には再度改訂された。

危機管理マニュアルの作成以外にも，各学校では門扉をオートロック化したり，出入り口周辺に防犯カメラを設置したりするなど，ハード面の対策が必要である。侵入しにくい塀を設置し，門扉を取り付けることは，学校の領域性を確保することにつながる。屋外や建物内の見通しをよくし，死角を減らすことは，視認性を高めることになる。防犯カメラのような防犯監視システムの設置も同様である。

ハード面以外にも学校における防犯教室が推進され，小学校体育科の「けがの防止」に犯罪被害の防止を位置付けるなど，教科において防犯教育が取り上げられている。もちろん学校だけではなく，保護者，地域住民，警察やボランティア団体などとの連携も必要である。2018年に下校途中の児童が殺害される事件を受け「登下校時の子供の安全確保に関する関係閣僚会議」は，社会全体で子どもを守る「登下校防犯プラン」を発表した➚図3[3]。

ところで犯罪が起こる条件を説明した理論の一つに，「ルーティン・アクティビティ理論」がある。この理論では，犯罪の引き金となる三つの条件すなわち，「適当な対象」「犯意のある者」「監視者の不在」が，同じ時間・空間に揃った場合に犯罪が発生すると考える。2011年末に埼玉県と千葉県で相次いで帰宅途中の児童生徒が刃物で襲われるという事件が発生したが，犯人は被害者が一人で帰宅する状況で襲っており，ルーティン・アクティビティ理論が当てはまる事例といえる。

この理論が示す条件は防犯を考える上で役に立つ。例えば，保護者らの見守りは，「監督者の不在」への対策である。「適当な対象」である児童生徒等を見守る人たちがいることで，犯罪は発生しにくくなる。これは監視性を高める取り組みといえる。また「適当な対象」と「犯意のある者」を，時間的あるいは空間的に引き離すことも対策の一つである。例えば学校の敷地などの領域性を確保することなどが挙げられる。

2023年3月，埼玉県内において刃物を持った少年が中学校に侵入し，教員が重傷を負う事件が発生した。改めて不審者の学校侵入防止対策の推進が学校に求められている。

登下校防犯プランの概要

登下校時における子供の安全の課題

(1) 子供の被害は登下校，特に下校時（15〜18時）に集中
犯罪件数が減少する中，ほぼ横ばいで推移
(2) ①既存の防犯ボランティアの高齢化，②共働き家庭の増加
→「地域の目」が減少，「見守りの空白地帯」が生じている
➡ 登下校時における総合的な防犯対策の強化が急務

子供（13歳未満）が被害者となる身体犯の発生状況
（土日除く。道路上での事案に限る）（H27〜29年累計）

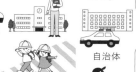

400件 378 318 233 146 200 0
0 2 4 6 8 10 12 14 16 18 20 22 時台

1. 地域における連携の強化

(1) 登下校時における防犯対策に関する「地域の連携の場」の構築
(2) 政府の「登下校防犯ポータルサイト」による取組の支援

2. 通学路の合同点検の徹底及び環境の整備・改善

(1) 通学路の防犯の観点による緊急合同点検の実施，危険箇所に関する情報共有
(2) 危険箇所の重点的な警戒・見守り
(3) 防犯カメラの設置に関する支援，防犯まちづくりの推進

3. 不審者情報の共有及び迅速な対応

(1) 警察・教育委員会・学校間の情報共有
(2) 地域住民等による効果的な見守りや迅速な対応に資する情報の提供・発信
(3) 放課後児童クラブ・放課後子供教室等の安全対策の推進

4. 多様な担い手による見守りの活性化

(1) 多様な世代や事業者が日常活動の機会に気軽に実施できる「ながら見守り」等の推進
(2) スクールガードの養成，防犯ボランティア団体の活動等の支援
(3) 「子供110番の家・車」への支援等

5. 子供の危険回避に関する対策の促進

(1) 防犯教育の充実
(2) 集団登下校，ICタグ，スクールバス等を活用した登下校の安全確保の推進

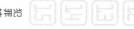

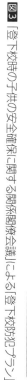

図3 「登下校時の子供の安全確保に関する関係閣僚会議」による「登下校防犯プラン」

2 性犯罪，SNS使用等に関わる犯罪

(1) 性犯罪の実態と対策

性犯罪は，成人，未成年に関係なく被害者の尊厳を著しく踏みにじる行為である。↓図4は20歳未満の性犯罪被害に関する刑法犯認知件数の推移を示したものである。ここで性犯罪とは強制性交等及び強制わいせつを指す。2013年からは件数が減少傾向であったが，2020年からは増加へ転じている。なお強制性交等という名称は，刑法及び刑事訴訟法の一部改正によって，2023年7月から準強制性交等を含めて不同意性交等と名称が改められた。

2020年6月に，性犯罪・性暴力対策強化のための関係府省会議によって「性犯罪・性暴力対策の強化の方針」が決定された。これにより2020年度からの3年間を性犯罪・性暴力対策の「集中強化期間」として，刑事法の在り方の検討や，被害者支援の充実，加害者対策，そして教育・啓発の強化に取り組むこととした。さらに2023年度からの3年間を性犯罪・性暴力対策の「更なる集中強化期間」としている。学校関係の取組としては，わいせつ行為を行った教員等の厳正な処分と再発防止のため,「教育職員等による児童生徒性暴力等の防止等に関する法律」が2021年に制定された。

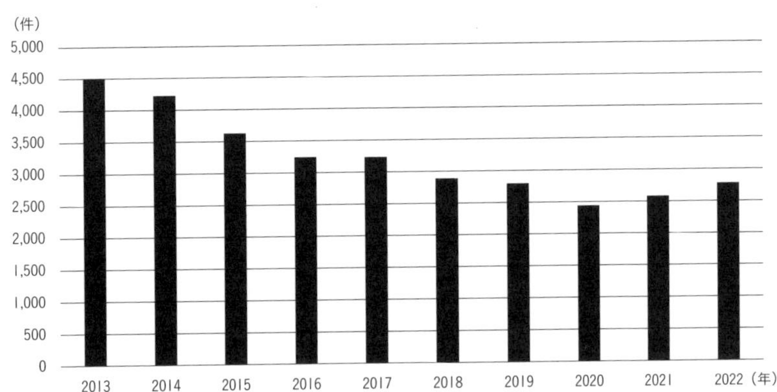

図4 20歳未満の性犯罪被害に関する刑法犯認知件数の推移[1)]

さらに性犯罪歴等についての証明を求める日本版DBSの導入に向けた検討が進められている。また年齢や性別に関係なく被害申告・相談をしやすい環境を整備するために，性犯罪・性暴力被害者支援のためのワンストップ支援センターの整備と周知を図っている。

教育・啓発に関する取組として，性犯罪・性暴力を根絶していくためには，加害者にならない，被害者にならない，傍観者にならないための「生命（いのち）の安全教育」の教材作成と普及が文部科学省，内閣府（その後はこども家庭庁が担当）によって行われている。教材は就学前から高校卒業後までを対象として発達段階に応じて作成されており，動画も作られている。教材の詳細については第10章でとりあげる。

⑵ SNS使用等に関わる犯罪の実態と対策

近年増加が著しいのがSNSを介した犯罪被害である。2022年の内閣府の調査[4]によると，専用のスマートフォンを利用している割合は，小学生で64.0%，中学生で91.0%，高校生では98.9%となっている。そのため子供によるSNS使用も高まっており，同調査において専用スマートフォン利用者の中でメッセージ交換や投稿などを行っている子供は，小学生で55.6%，中学生で82.2%，高校生で90.4%となっている。SNSの使用にともなう犯罪被害は増えており，特に18歳未満のSNSに起因する重要犯罪等の被害人数は急激に増加している（↓図5）。ここで重要犯罪等とは殺

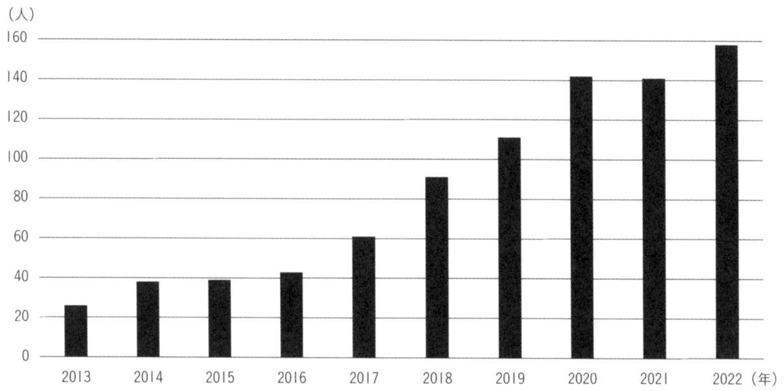

図5 SNSに起因する事犯のうち，重要犯罪等の18歳未満被害人数の推移[5]

人，強盗，放火，強制性交等，略取誘拐，人身売買，強制わいせつ，逮捕監禁を指す。その背景には，SNSの使用では匿名で不特定多数の者に瞬時に連絡を取ることもでき，容易に犯罪に巻き込まれる危険性が高いことがある。また犯罪被害に遭った18歳未満の約9割が被害時にフィルタリングを利用していなかったことも原因の一つである[2)]。

具体的なSNS使用に関わる犯罪被害としては，警察庁が報告した事例が以下の通りである[5)]。なおここでは一部用語を省略している。

【事例1】 大学准教授の男は，SNSで知り合った女子高校生が18歳未満と知りながら現金を供与する約束をして，ホテルでわいせつな行為をした。

【事例2】 大学生の男は，SNSで知り合った男子中学生に少年自身のわいせつな画像を撮影させ，同画像を自己のスマートフォンに送信させ，児童ポルノを製造した。

【事例3】 無職の男は，SNSで知り合った女子高校生が18歳未満と知りながら，自宅でわいせつな行為をするとともに，その状況をスマートフォンで撮影し，児童ポルノを製造した。

このような典型的な犯罪として，SNSで知り合った子供に対して自撮り画像，特に裸の画像の送信を要求する，子供に対して家出をそそのかす，犯罪への加害を強要するなどが挙げられる。さらに他人の個人情報をネットにあげたり，個人を中傷する内容を書き込んだりなど，加害行為を行うことも少なくないが，これらは自分自身が加害者になる。

そのほかに直接的な犯罪行為ではないが，いわゆる「教唆（きょうさ）サイト」も大きな問題となっている。例えば，サイト上で不法薬物の作り方や入手に関する情報を流したり，コンピュータウイルスの情報を提供したり，ハッキングを唆（そそのか）すようなサイトが作られている。自殺者をネットを利用して集めようとする「自殺系サイト」も問題となっている。

総務省による「国民のためのサイバーセキュリティサイト」[6)]ではSNS利用時に想定される脅威として「偽アカウント，架空アカウントの作成」「短縮URLの悪用」「スパムアプリケーション」が挙がっており，本人が注意しなければならない行動として「プライバシー情報の書き込み」「SNSへの写真掲載による意図しない情報の流出」「あやしいリンクへの投稿」が指摘されている。学校における安全なインターネット利用に関する指導では，SNS使用にともなう危険行為について指導を行うことも必要であろう。

3 地域社会を中心とした防犯対策

学校における防犯対策や子供たちに対する防犯教育については，後述する安全管理と安全教育の章に述べるとして，ここでは地域社会を中心とした取り組みについて述べたい。

学校保健安全法第30条では，学校は児童生徒等の安全の確保を図るために，地域の関係機関，団体，住民等と連携することが示されている。

まず保護者や地域住民が子供たちを犯罪から守るためにできることは，

①学校安全についての啓発活動を推進する。

②犯罪情報を収集し，通報する。

③犯罪が起こりやすい場所での巡回と注意喚起への協力を依頼する。

④事件・事故発生時の緊急連絡体制を確立する。

などが挙げられる。

前述の「登下校防犯プラン」に示された合同点検プランは学校と保護者が協働で行う取り組みの一つである➔P.068 図6。この点検結果を踏まえて，各都道府県警察は危険箇所の重点的な警戒・見守りや防犯カメラの設置等に係る指導助言を行うこととなっている[4)]。

保護者が日頃使用する自転車に，子供たちを見守っていることを示すステッカーなどを付けることは（➔P.069 図7），地域全体の安心・安全のためにも効果的である。また通学時の安全のために防犯ブザーをランドセルなどに付けている児童も多いが，ランドセルの横に付けていると，いざという時に鳴らすことが困難な場合がある。少しの工夫で前の部分に付けることができる（➔P.069 図8）。保護者自身の安全意識を高めるためにも，このような協力を呼びかけることは大切である。

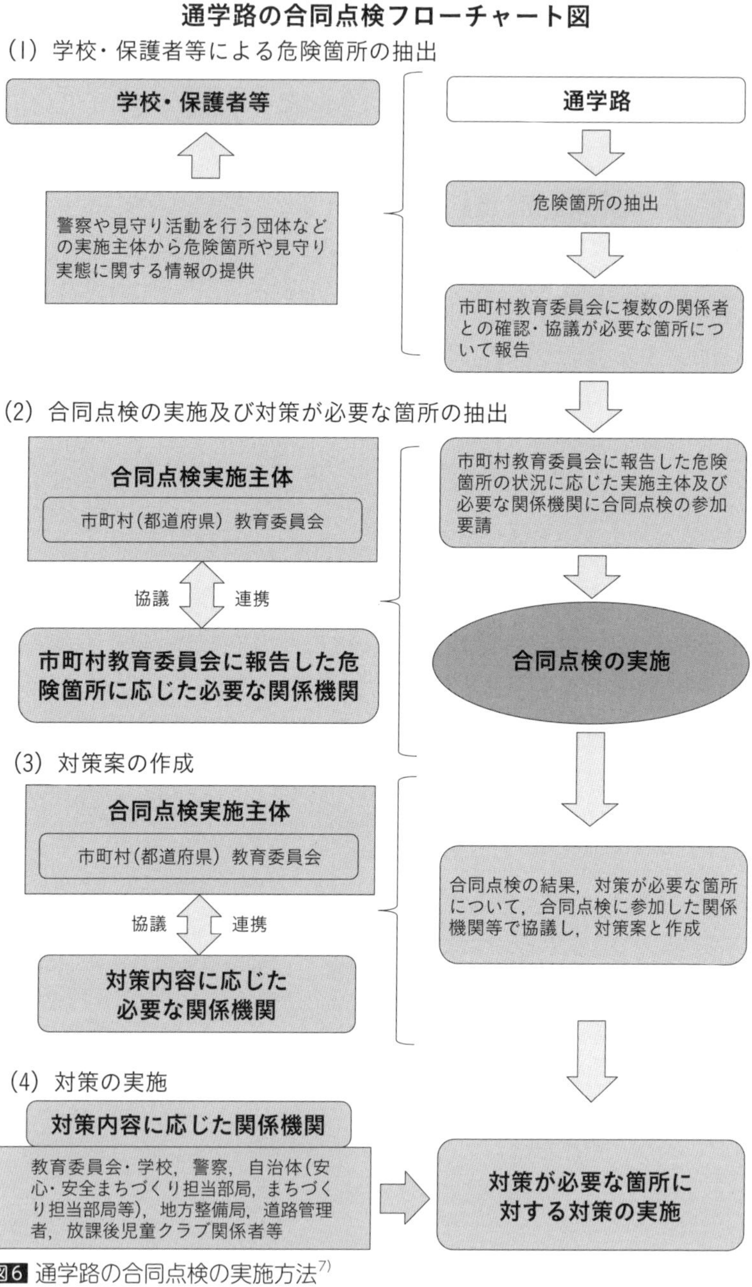

通学路の合同点検フローチャート図

(1) 学校・保護者等による危険箇所の抽出

学校・保護者等

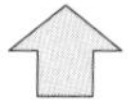

警察や見守り活動を行う団体などの実施主体から危険箇所や見守り実態に関する情報の提供

通学路

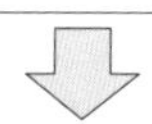

危険箇所の抽出

市町村教育委員会に複数の関係者との確認・協議が必要な箇所について報告

(2) 合同点検の実施及び対策が必要な箇所の抽出

合同点検実施主体

市町村(都道府県) 教育委員会

市町村教育委員会に報告した危険箇所に応じた必要な関係機関

市町村教育委員会に報告した危険箇所の状況に応じた実施主体及び必要な関係機関に合同点検の参加要請

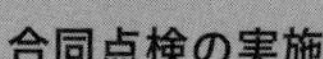

合同点検の実施

(3) 対策案の作成

合同点検実施主体

市町村(都道府県) 教育委員会

対策内容に応じた必要な関係機関

合同点検の結果, 対策が必要な箇所について, 合同点検に参加した関係機関等で協議し, 対策案と作成

(4) 対策の実施

対策内容に応じた関係機関

教育委員会・学校, 警察, 自治体(安心・安全まちづくり担当部局, まちづくり担当部局等), 地方整備局, 道路管理者, 放課後児童クラブ関係者等

対策が必要な箇所に対する対策の実施

図6 通学路の合同点検の実施方法[7)]

図7 見守りステッカー

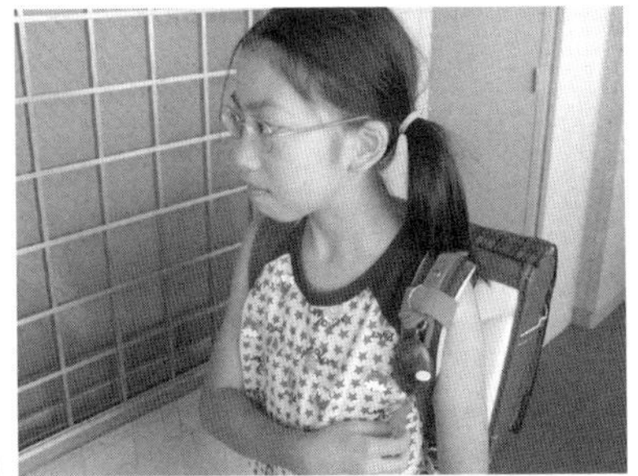

図8 防犯ブザー着用例

また地域住民との連携としては，次の通りである。

①地域の自治会と学校との間で，不審者情報連絡体制を確立する。

②コミュニティ・スクールや学校評議員制度等を活用し，安全確保と学校安全管理について話し合いをもつ。

③地域住民に「子ども110番の家」等に協力してもらう。

④校内及び学校周辺での安全確保のため，ボランティアによる巡回と注意の協力を得る。

地域の活動としては，「子ども110番の家」の活動がよく知られている。地域住民の積極的な協力を得るために，児童自身も心がけるべきことがある。通学時の挨拶をきちんと行うように指導することなど通学マナーの徹底である。当たり前のことだが，日頃より住民の人たちと顔見知りになることが大きな防犯力となる。特に「子ども110番の家」の協力者には，近くを通学する児童たちと教師が一緒に挨拶に行っておくことも大切な安全指導の一部である。

なお，2005年度よりスクールガード・リーダーによる学校巡回や，ボランティア（スクールガード）への指導等が行われている。スクールガード・リーダーは警察官OB等が担当している。

練習問題

① 児童生徒が被害者となる犯罪の特徴を述べなさい。
② 防犯のための，保護者や地域住民との効果的な連携の進め方について説明しなさい。

（渡邉正樹）

●引用文献
1）警察庁（2023）『令和4年中における少年の補導及び保護の概況』
2）警察庁（2023）『令和5年版警察白書』
3）文部科学省『登下校防犯プランに基づく取組』 https://anzenkyouiku.mext.go.jp/tougekoubouhan/index.html
4）内閣府（2023）『令和4年度 青少年のインターネット利用環境実態調査』
5）警察庁（2023）『令和4年における少年非行及び子供の性被害の状況』
6）総務省『国民のためのサイバーセキュリティサイト』 https://www.soumu.go.jp/main_sosiki/cybersecurity/kokumin/enduser/enduser_security02_05.html
7）文部科学省・警察庁・厚生労働省・国土交通省『通学路における緊急合同点検等実施要領』 https://www.mlit.go.jp/common/001244790.pdf
■参考文献
文部科学省（2018）『学校の危機管理マニュアル作成の手引』
文部科学省（2019）『学校安全資料「生きる力」をはぐくむ学校での安全教育』

5 水の事故とその防止

- ☑水難事故による死者・行方不明者数および致死率は下げ止まりの傾向にある。
- ☑水難事故対策として，浮漂能力の向上および集団における単独行動を防ぐことが重要である。
- ☑水辺の危険認識には学齢期までの水辺活動経験が重要である。

キーワード

水難事故

溺水

離岸流

フロート

プールの事故

吸水口（排水口，環水口）

ライフジャケット

着衣水泳

1 水の事故の特徴

(1) 水難事故の概要

日本における水難事故統計は警察庁や海上保安庁によって公開されている。海上保安庁で扱う水難事故は海洋における船舶事故を含むが，海浜のレジャーにおける事故や事故対策情報などが体系的にまとめられている。一方，警察庁の統計では水泳用プール，海水浴場，および湖沼や河川など通常の生活で発生する水難事故を対象としてまとめられている。したがって，水難事故対策として学校教育において検討するためには，警察庁統計が引用されることが多い。以下で示す水難事故に関する分析は警察庁の統計に基づく。

2022年中の水難の概況[1)]（警察庁HP）によると，全年齢を対象とした本邦における水難事故による行為別死者数（死者，行方不明者の総数；以下水死者とする）で最も高い割合を占めるのは魚取り・釣り中魚（25.6%）であり，その傾向は1990年以降水泳中の水死者数が減少して以来大きく変わらない↗図1。一方，水着を身につけた状態での水死者の割合は，水遊び中が5.6%，水泳中が5.5%，シュノーケリング中が4.0%，スキューバダイビング中が1.8%，サーフィン中が1.8%であることから，全年齢を対象とした水難死亡事故のおおよそ80%は衣服を身に着けた状態で発生していると考えられる。なお場所別構成比では海が最も多く，次いで河川であり，プールが最も少ない↗図2。

水難事故発生件数，水死者，および致死率の推移について概観すると，1968年以降いずれも漸減傾向を示している。しかしながら，これらをより詳細に見てみると，水死者数は2002年に1,000人を下回り，その後2011年に800人を下回ったもののそれ以降750人前後で下げ止まっている↘図3。水死者の増減と水泳や海水浴などの活動人口の増減について2013～2022年の10年間でみてみると，水死者と水泳人口，および海水浴人口と間にいずれも相関は認められない→P.074 図4 図5。また，2020～2022年は新型コロナウイルス感染症の世界的な流行による行動制限が施されていた

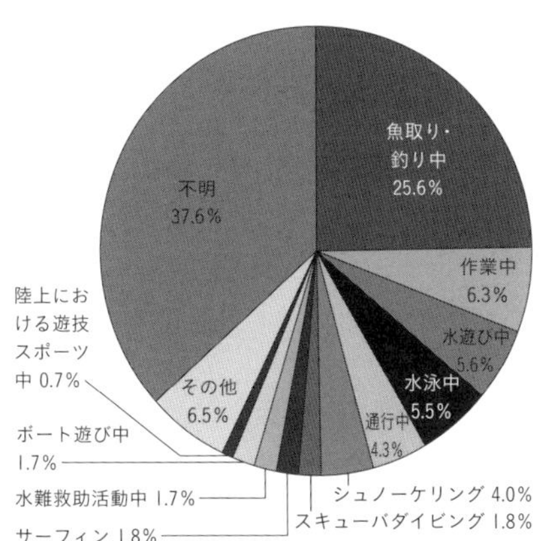

図1 2022年における水難事故行為別構成比(警察庁統計より著者作図)

図2 2022年における水難事故場所別構成比(警察庁統計より著者作図)

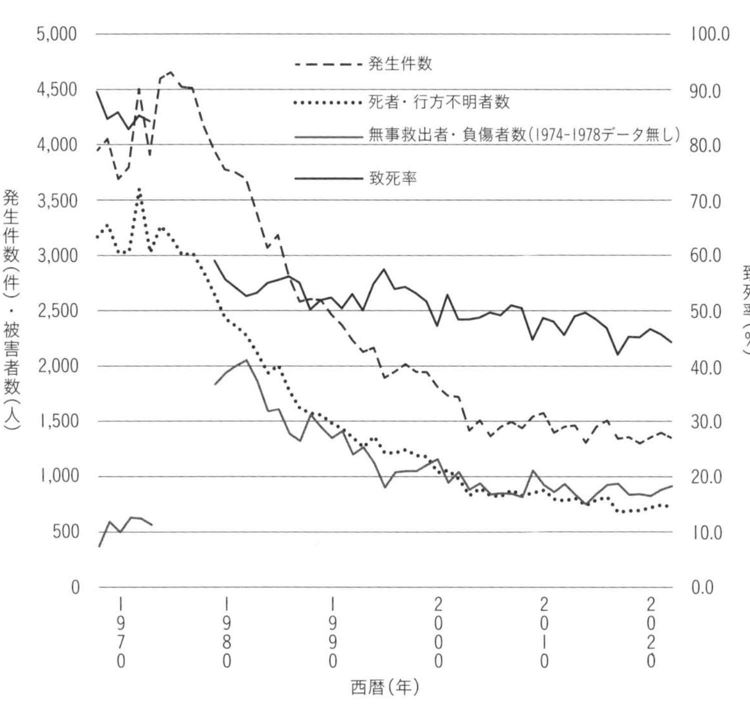

図3 水難事故の推移(警察庁統計より著者作図)

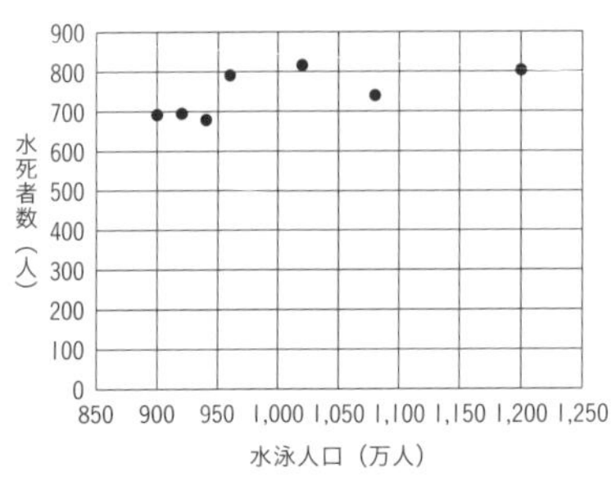

図4 水死者数と水泳人口の関係

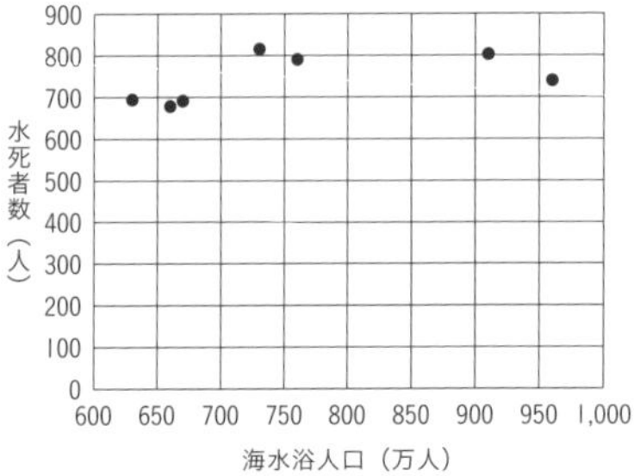

図5 水死者数と海水浴人口の関係

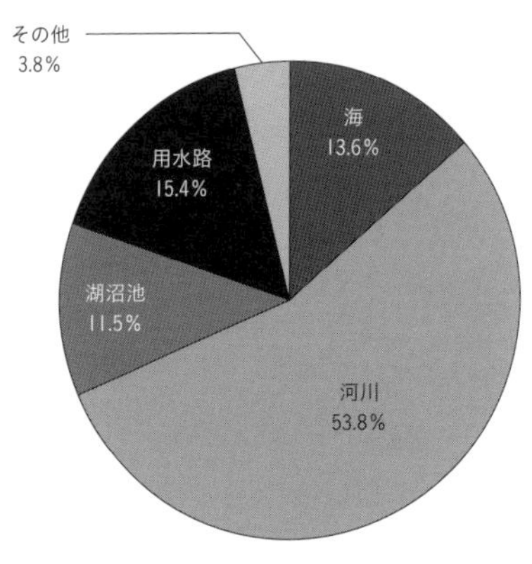

図6 中学生以下の水死者場所別構成比（警察庁統計より著者作図）

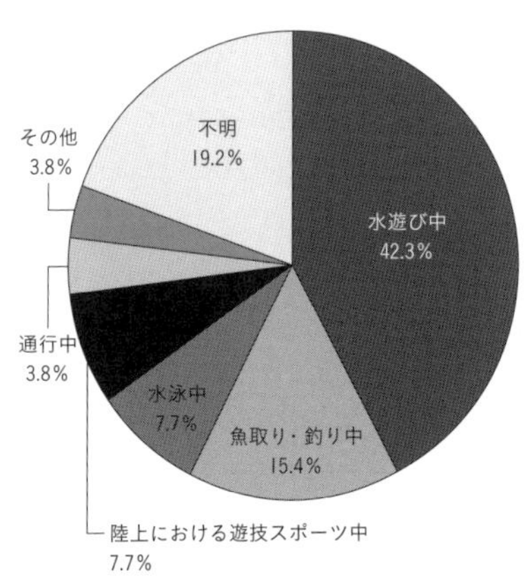

図7 中学生以下の水死者行為別構成比（警察庁統計より著者作図）

にも関わらず，その間の水死者数は2019年より増加している。水難事故対策という視点での水死者数の増減の要因について，詳細な検討が必要であろう。

⑵ 中学生以下の子供の水難事故被害

2013~2022年までの中学生以下の水難事故をみると，水死者は，場所別では河川が最も多く，次に多いのは海であり，プールは年間0~3人と少ない↑図6。行為別構成比は，水遊び中が最も多く，次いで水泳中であり，魚取り・釣り中は5人以下で推移ししており，全年齢層の水難事故の傾向とは異なる傾向を示す↑図7。

(3) 水難事故の発生要因

水難事故の事例分析（高橋）[2] ➔P.076 表1によると，その主な発生要因は事故発生前の事故者自身によるものが最も多く，次いで事故発生前の周囲の人間によるもの，事故発生時の事故者自身によるもの，事故発生時の周囲の人間によるものの順に多く，水難事故発生後にかかる要因は少ない。

具体的には，事故発生前までは事故者自身にかかる要因として，子供だけでの単独行動（14件），単独行動（13件），無知・技能不足（13件）が主要な要因であり，周囲の人間にかかる要因では，指導者・引率者の過失（31件）が主要であった。なお無知・技能不足とは自然の水に対する知識や対象能力が不足していることを示す。事故発生時における事故者自身にかかる要因は，自然の水への対応力不足（17件）が主要な原因であり，周囲の人間にかかるものとして，事故発生に気がつかなかった（11件），事故発生の認識の遅れ（6件）が主要な要因であった。

すなわち水難死亡事故を防ぐには，事故を発生させないことが最も重要であり，そのためには単独行動をさせないことに加え，自然の水への対応力を向上させることが重要である。また事故が発生した場合には，事故者は救助を待つために浮漂することが被害を拡大させないために重要である。

2 自然の水域における事故

水難死亡事故を防ぐには，水難事故発生要因分析から，事故そのものを発生させないことが最も重要であり，そのためには単独行動をさせないことに加え，自然の水への対応力を向上させることが重要である。また事故が発生した場合には，事故者は水面上で救助を待つために浮漂する能力を身につけることが被害を拡大させないために重要である。

(1) 自然の水への対処

水難事故発生の主要な要因の一つに，自然の水の対処ができないことが挙げられる。自然の水とは，海，河川および湖沼池などのことであり，水泳用プールとは異なり，波や流れがあり，水温や水底の状況が変化する。

表1 水難事故分析結果[2)]

	事故者自身		周囲の人間		作業手順，規則		機械，装置，設備，施設		環境	
事故発生前	子供だけでの単独行動	14	指導者・引率者の過失	31	安全配慮準備不足	5	安全対策不備＊	9	天候悪化	7
	単独行動		大人同行の子供だけ	8	法制度不備，行政の不作為	4	施設の瑕疵	4	活動前からの悪天候	5
	無知・技能不足	13	大人不在の子供だけ	4	過去の教訓周知不足	3	立ち入り禁止フェンス不備	3	鉄砲水・津波	2
	用具の不適切使用	13	大人のミスリード	3	プール管理マニュアル不備	2	警報システム不備	2	離岸流	1
	悪天候への不適切対応	9	無関心	2	安全教育不備	1	その他	1		
	不適切救助活動	9								
	禁止行為	8								
	不注意	8								
	危険への接近	2								
	体調不良	3								
	原因不明	2								
		1								
	合計	82	合計	48	合計	15	合計	19	合計	15
事故発生時	自然の水への対応力不足	17	事故発生に気がつかなかった	11	法的規制不備	1	安全対策不備＊	8	埋め立て地のため離岸流が強かった	1
	不適切救助	5	事故発生の認識遅れ	6	排水ポンプ緊急停止マニュアル不備	1	冬期にプールの水を張りっぱなし	1		
	防護用具の不適切使用	3	知識・技能不足	4			海面上で人を乗せにくい構造のカヤック	1		
	注意力不足	1	不適切救助	3						
			人員確認不足	2						
	合計	26	合計	26	合計	2	合計	10	合計	1
事故発生後	泳力・浮漂能力	4	行方不明の判断遅れ	4			安全対策不備＊	7	必要な工作物による救助阻害	1
			監視不備	4						
			対処行動の誤り	1						
	合計	4	合計	9	合計	0	合計	7	合計	1

＊遊泳禁止区域のため，そもそも安全対策を講じる必要はない。

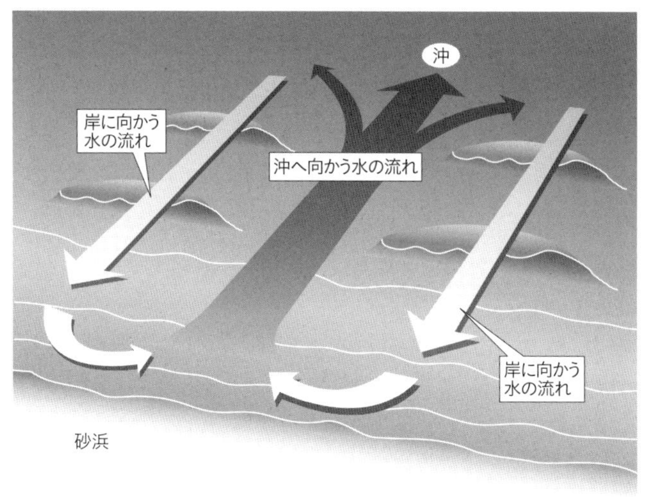

図8 離岸流（日本水泳連盟編『水泳指導教本三訂版』より）

特に水底に足を取られたり，波や流れによって流されたりして発生する水難事故が後を絶たない。自然の水域で安全に活動するには，水や水底の状況が多様な変化をすることを予め理解しておくことが必要であるが，日常生活や安定した環境である水泳用プールでは十分に体験ができない。そのため，自然水への対処法を見つけるためには，自然環境における活動を通じて多様な体験をしておくことが不可欠である。なお，海における事故対策については，海上保安庁のサイト「ウォーターセーフティーガイド（遊泳編）」が詳しい。これは水辺活動に関連する諸団体と海上保安庁が，自然の水域における水難事故対策という視点での意見交換を通じて集約したものであり，学術的な裏付けのある実践的な対策がまとめられている。

⑵ 離岸流

海で発生する水難事故の発生要因として重要なものの一つに離岸流がある↑図8。離岸流とは海岸から沖へ向かう流れであり，その流速は2m／秒に及ぶこともある。100mクロールの世界記録が46秒86（平均泳速2.13m／秒；2024年1月現在）[3] であることから，離岸流に逆らって岸まで泳ぎ切ることは不可能である。ただし，離岸流の大きさは，幅が10～30mであり，岸から沖方向への流れの長さは100m程度であることから，

図9 フロートイメージ図[7)]

流れに逆らわずに岸と平行に泳ぐことによって離脱することができる[4)]。

(3) フロート事故

フロートとは，サーフボード型，海洋生物型，鳥型↑図9などの形状をしたビニール製の浮き具（遊具）である。海で遊ぶ際に子供に使われることの多い遊具であるが，風の影響を強く受ける。フロートの形状が海面と同じレベル（サーフボード型）であれば風の影響は受けにくいが，海面レベルより高い造形があるもの（鳥型）では風の影響を強く受ける。サーフボード型であってもフロート上で身体を立てると，身体が帆の役割を果たすことによって，風の影響を受けやすいと考えられる。これはSUP（Stand up paddleboard）も同様である。

フロート使用中に岸から沖へ向かう風によって沖に流されると，自力で岸に戻ることは困難である[5)]。風速2～4mの時に海岸から5mの地点へフロートを浮かべた実験では，1分50秒後に50m先の沖合に流されている[6)]。消費者庁ほかの報告[7)]によると，鳥型フロートに3･4歳児相当のダミー人形（身長100cm，体重15kg）を乗せて，風速3，6，10m／秒の風を当てたところ，フロートの漂流速度はそれぞれ0.64，1.02，1.37m/秒であった。これはそれぞれ，50m泳のタイムに換算すると，1分18秒13，49秒02，36秒50になる。海での遊泳中に着用しているレジャー用の水着や波，流れなどの条件を考慮すると，すでに流されたフロートを一般の人が泳いで追いかけてもフロートに到達することは不可能である。

⑷ 禁止行為による事故

遊泳禁止区域に設定されている海浜は，そもそも遊泳に適さない危険な場所であり，遊泳を想定していないため，遊泳時の事故へ対処するための救助体制が整っていない。遊泳禁止区域には，海浜公園や防波堤，人口構造物の周囲など，離岸流が発生しやすい場所が多い。なお，ここでいう遊泳禁止区域には，気象条件等の変化によって遊泳に適さない状況になった海水浴場も含まれる。このような場所では事故発生予防策が十分になされていない上，迅速な事故発生後の対処がなされにくく，被害発生予防および拡大予防も十分になされない。

このような危険な場所において，引率者である大人の行為によって子供が事故に遭遇することが少なくない。大人は引率だけでなく，保護者として子供の安全を確保する義務がある。遊泳禁止区域において，子供を危険にさらして事故を発生させることのないよう，その危険性を正確に認識するとともに，禁止行為を惹起することのないようマナーとモラルの向上を促進することも必要であろう。

3 水泳用プールにおける事故

⑴ 水泳用プールにおける事故の概要

水泳用プールで発生する重大事故は，溺水，吸込，飛込の3様態である。水泳プールにおける溺水は，心停止と関連するケースが多く，心肺蘇生が安全対策の原則として普及している。ところで，心機能停止からの1ヶ月後生存率（消防庁）は，バイスタンダーによって応急手当が為されなかった場合4.7％であり，応急手当が為されていても5.9％にとどまる。また，心機能停止時点が一般市民により目撃された心原性心停止の場合，1ヶ月後生存率は，応急処置なしで6.6％，応急処置ありの場合であっても12.8％にとどまる。すなわち，プールでの溺水事故対応としては，事故を速やかに発見するための監視体制を整えるとともに，適切な応急手当ができる体制を整えておく必要がある。とは言え，応急処置の有無にかかわらず心機

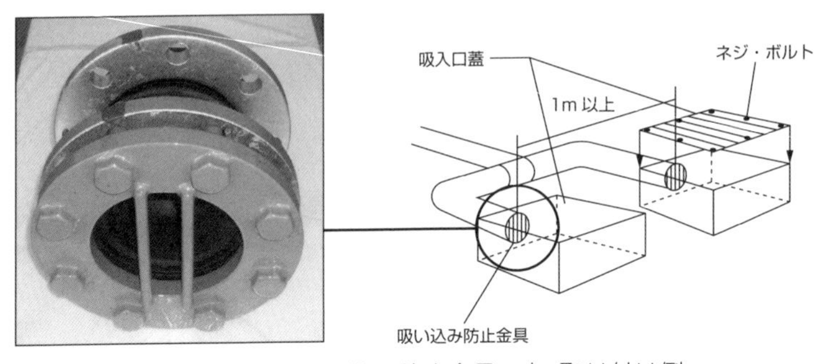

図10 吸水口の固定方法　左：吸い込み防止金具　右：取り付け例
（写真提供：健康運動施設開発機構）

能停止1ヶ月後生存率の低さを鑑みると，事故発生予防にもっと視点を向けるべきであろう。

(2) 吸込事故

吸込事故とは，水泳用プールの吸水口（含；排水口，還水口）に身体の一部が吸い込まれることにより，プール内で身動きが取れなくなる事故のことである。吸い込まれる部位が頭部であれば，呼吸器官が水没し重大な結果を招くことになりかねない。

社会的にもっとも大きな衝撃をもたらした吸込事故は，2006年に埼玉県ふじみ野市で発生したものである。これは流水プールにおいて，吸水口の吸込防止柵の固定が不適切であったことに加え，柵が外れたことへの対応が不適切であったために発生した事故である[8)]。吸込事故対策として，水泳用プールの吸・排水口には，蓋やネジをボルトで固定し，さらに吸い込み防止金具を設置する二重構造の安全対策を講ずることは，この事故が発生する以前より国の指針[9)]で定められており，さらに再三に渡って注意喚起がなされている↑図10。ふじみ野市ではこの指針を受け，当初は吸水口の吸込防止柵をボルトで固定していた。その際ボルト穴とプール壁の穴を現場合わせしたため，吸込防止柵を清掃等で取り外した際に柵とプール壁の組み合わせが異なるとボルトによる固定ができなくなった。そのため，当該プールでは吸込防止柵を針金で固定することが常態化していた。事故当日は，その針金が腐食し吸込防止柵が外れた状態であったことが分かっている。吸込事故は，安全管理が適切になされていれば防ぐことのできた事故であり，プール設置者と管理者の責任は重大である。

(3) 飛び込みスタート事故

飛び込みスタート事故は，プールサイドやスタート台からプールに飛び込んだ際に，水底に頭部が衝突し，頚椎（髄）損傷を引き起こす事故である。頚椎（髄）損傷は全身麻痺に繋がることがあり，麻痺が回復したとしてもその他の後遺症が残る可能性のある重大な事故である。

飛び込みスタート事故対策の一つとして，日本水泳連盟は水泳用プールの水深とスタート台の高さについてガイドラインを定めている[①]。ただし，成人男子がスタート台からどのような姿勢で飛び込んでも水底に衝突しない水深は2.7mであるとの報告もある。すなわち，このガイドライン[10)]は，日本における水泳用プールの水深の現状を踏まえた上での目安であり，必ずしも安全を担保する基準ではないことには注意が必要である。

飛び込み事故は一瞬にして重大な結果を生じることから，事故発生を防ぐことだけが唯一の対策であり，そのためには施設（水深とスタート台の高さ）と指導法を整備することが必須である。しかしながら，安全を担保する飛び込みスタートの指導法について十分な検討がなされないまま，指導者の経験と誤った情報に基づく指導によって重大事故が後を絶たない。そのため，一般的には飛び込みを禁止することで安全を担保する方策がとられている。学校教育においても小中学校では学習指導要領上，飛込スタートが削除されている。高等学校では，2016年に発生した都立高校での飛込事故を契機として，2018（平成30）年告示の学習指導要領で削除された。このように，学校教育では飛込スタートが禁止されたものの，2019年には中学校水泳部活動において事故が発生している（横浜市学校保健審議会学校安全部[11)]）。飛込事故対策がその禁止で完結してしまい，指導法や事故対策について十分な議論がなされないまま教育の現場から排除された

---

①既存のプールの多くは水深が1.0～1.2mであることから，日本水泳連盟はスタートを十分に習得した競技者を対象に2008年に「プールの水深とスタート台の高さに関するガイドライン」を制定した。その後，飛び込みスタート事故が後を絶たないことから，2018年に同ガイドラインを見直し，スタート台の高さを水面からの高さとして，水深に対する上限を定めている。

ことは，スポーツの文化的価値や体育の意義に関わる問題と考えるものである。

(4) その他の事故様態

これまで本邦では水難事故対策として，着衣水泳と浮漂能力の獲得が中心になされてきており，水辺活動には浮力体の着用が安全を担保するもっとも効果的な手段であることと認識されてきた。しかしながら，2019年に都内の遊園地のプールで発生した事故[12]は，これまでの安全対策だけでは十分ではないことを示した。

この事故は，大型のフロート遊具（2.5×5.0m，厚さ30cm）の下に潜り込んでしまった児童が水死した事故であり，事故当時その児童はライフジャケットを身につけていた。当該プールの最大水深は190cmで，このアトラクションの利用条件として110cm以上の身長とライフジャケットの着用が義務づけられていた。事故児童は，何らかの原因によりフロートの下に潜り込んでしまい，ライフジャケットの浮力により身動きが取れなくなったとみられている。このような大型遊具は，新しいアトラクションとしてプールや海での導入が進んでいる。事故対策としては，遊具を透明にして水中の状況が確認できるものとすること，フロートの底部が水面と接しない構造とすることで一定時間呼吸ができるような空間を設けること，フロートの下に潜り込めないように網や柵を設けることなどが考えられるが，さらに詳細な検証が必要であろう。

ただし，この事故によってライフジャケットの着用や浮漂能力の獲得が水難事故対策として否定されるものではない。水面上に障害物がなければ浮漂することによって呼吸が確保できることは自明であるからである。水難事故対策＝浮漂と思考停止せず，様々な様態があるという前提を踏まえ，さらに事故の発生数の多寡や大きさに関わらず，実際に発生したケースをきちんと検証し理解することが肝要である。なお水難事故事例については，新聞報道やネットニュースの他，学校事故事例検索データベース（学校安全web）[13]や裁判所ホームページにある判例を検索[14]することで収集できる。

4 水難事故対策

(1) 着衣水泳

1990年に発生した大学生の着衣水難事故を契機に，着衣水泳は水泳教育における安全確保の内容として普及していった。その目的は，水難死亡事故の約80%が衣服を身に着けた状態で発生していたことから，着衣状態での水中転落事故を疑似体験させ，その対処法を習得させることであった。着衣水泳の普及は水難事故死者数の減少に一定の成果を与えたと評価される一方で，その実施時期や実施内容からイベント化しているという批判もある。また「着衣水泳」という名称から，衣服を身につけた状態で泳ぐことの困難さを体験させること，あるいは浮いて救助を待つことなど，主として事故発生後の対応に教育内容がとどまっていることが少なくない。

また水難死亡事故の約80%が衣服を身につけた状態であるのは，全年齢層を対象とした場合であり，中学生以下に限定してみると，水泳中と水遊び中で46.2～65.9%（2013～2022）を占めており傾向が異なる➔P.076 表1。すなわち，中学生以下に限定すると，水難死亡事故は必ずしも衣服を身に着けた状態で発生しているとは言えないため，着衣水泳だけでは水難事故対策として著しく不十分と言える。

(2) 浮漂能力の獲得

水難事故に遭遇した際に身を守るには，事故者自身によって自力救助するか，あるいは他者の救助を待たなくてはならない。自力救助の場合，衣服を身につけた状態で泳ぐことは著しく体力を消耗することが明らかにされている。さらに事故現場が自然の水域である場合には，波や流れによってより一層体力を消耗する。したがって，水難事故に遭遇した場合には，一般的には体力を消耗させないで，呼吸の確保と保温に努めた上で救助を待つことが適当であるとされている。

水難事故対策として身につけるべき泳法に「エレメンタリーバックストローク」[②]がある。これは水泳初心者であったとしても比較的容易に習得可能であり，呼吸を確保した上で水面上に浮いていることのできる泳法であ

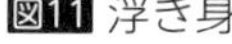 浮き身

図12 ライフジャケット(写真提供：高階救命器具株式会社)

る。しかしながら，エレメンタリーバックストロークは一定の場所にとどまっていることができない上，進行方向を見ることができないという欠点がある。この点，高橋は日本泳法にある「休み泳」や「背浮き」という泳法について検討し，安全水泳上，体力を消耗しないで浮漂することができる有益な泳法であると指摘している[15)]。ただし，波がある場合には，呼吸の確保や姿勢の維持のために補助的に手足の動きを使う必要がある。これについて海上保安庁は，実験室にて波高30〜50cmの津波を模した波を発生させた際の背浮きの姿勢変化の検討をした。被検者は身長182cmで体重が80kgの男性であったが，波に瞬時に流され，あっという間に鼻や口から水を飲んだとコメントしている。

「浮き身」は体力の消耗を抑えて浮漂するための泳法↑図11であるが，これを補助するための器具としてライフジャケットがある↑図12。海上保安庁によると，ライフジャケットの着用によって，水難事故による致死率を半分程度まで抑制することができる。一方で，小中学生のライフジャケットに対する認識度や理解度が低い[16)] ことから，ライフジャケットの体験教育の必要性が指摘されている。

---

②両腕を体側に付けた背浮きの状態から両肘と両ひざを曲げた後，掌と足の裏で水を足先方向に押すことによって推進力を得る泳ぎ方。「イカ泳ぎ」とも呼ばれ，水泳初心者でも呼吸を確保しながら進むことができる泳ぎ方である。

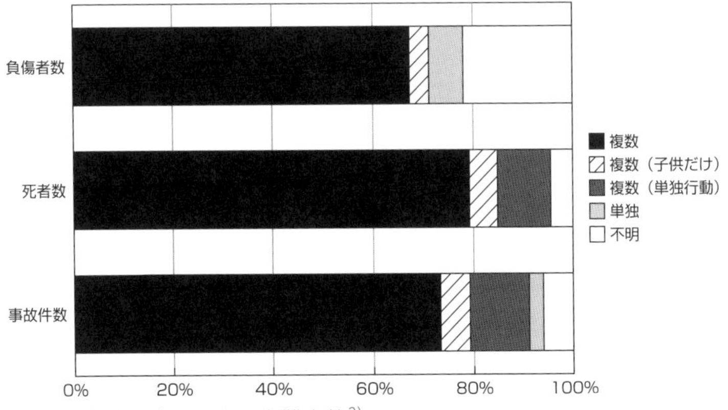

図13 同行者数の違いによる水難事故[2)]

なお，2011年に発生した東日本大震災の犠牲者の9割は津波であった。今村によると，この中には頭部損傷や多発性外傷を伴っていることが複合要因として影響を与えた可能性があると指摘されている[17)]。また，津波の威力について，有川はTBSニュース内で，波高が20〜30cmであっても危険であると指摘している[18)]。これは，津波注意報レベルの大きさ（気象庁[19)]）であり，ハザードマップに掲載されないことも多い。すなわち，津波に対しては，地震直後に到達する比較的波高の低いものであっても，浮き身だけで対応することは困難と言える。

⑶ 集団における単独行動

一般に，水辺における単独行動はリスク要因とされており，安全のためには複数で行動すべきとされている。↑図13は同行者数の違いによる水難事故について示したものである。これによると，水難事故発生件数，負傷者数，死亡者数のいずれについても単独行動で発生した事故が少ないことを示している。すなわち，水辺活動における複数での行動は，水辺での安全を担保しないことが示唆されるものである。

多人数での活動中に発生した水難事故事例として，三家族数十人での海辺でのキャンプ中に発生した事故がある。これは，保護者がバーベキューの準備をしている最中に子どもの一人が行方不明になった事故であり，捜索の結果，海底で水死しているのが発見された。多人数での活動では，物理的な監視の目は多いものの，実質的には「誰かが見ている」という思い込みから死角が生じている可能性がある。複数人数での活動の際には,「誰かが見ているだろう」ではなく,「自分が見る」あるいは具体的に責任を明確にして監視に当たることが必須である。

(4) 水辺の危険に対する感受性

危険に対する感受性は，幼少期の体験的活動に影響されるのではないかと考えられる。林と高橋[20]は，安全対策が施されたため池と，安全対策がなされていないため池に対する危険認識の感受性に対して，学齢期における水辺活動経験の有無が影響する可能性があることを指摘している。すなわち，学齢期における水辺活動経験が豊富であれば，自然の水域における危険認識の感受性が高まり，逆に水辺活動経験が乏しければ適切な危険認識ができなくなる可能性がある。

水泳教育が水泳用プールにおいてのみ展開されているとすると，自然の水域において見られるような波や流れ，水温の変化などを経験することができない。このような自然の水の多様性は，自然の水域においてのみ経験することができる。学習指導要領では，自然環境における活動を「積極的に取り扱うことに留意するものとする」としているが，水難事故対策や危機管理能力の向上のためにも，臨海学校をはじめとする体験教育を積極的に実施・展開することが望まれる。

5 水の事故防止のために

水の事故は自然の水域において多く発生している。また主要な事故要因は，事故発生前の事故者本人にかかるものが重要であるため，水難事故対策としては自然の水への対応力を向上させることに加え，ライフジャケットの活用を含め十分な浮漂能力を獲得するなど，水辺活動以前に身につけるべき態度や能力が重要である。また，教員，保護者，指導者としては集団の中で単独行動が生起しやすいことを理解するとともに，多様な事故様態とそれに対する予防策を検討・理解しておくことが事故と事故による被害を未然に防ぐために必要な態度である。水辺活動や水泳は本来楽しい活動であるが，水の事故はまさに一瞬にして重大な結果を引き起こしてしまう。事前の準備，教育によって防ぐことのできる水の事故を防ぐことが安全教育の意義であり，教員としての重要な責務である。

練習問題

① 水の事故の特徴を説明しなさい。

② 水の事故対策の内容について説明しなさい。

（髙橋宗良）

●引用文献

1）警察庁生活安全局地域課（2023）「令和4年における水難の概況」 https://www.npa.go.jp/publications/statistics/safetylife/r04suinan_gaikou.pdf（2024.2.1閲覧）

2）髙橋宗良（2009）「ハッドンのマトリックスおよびSHELモデルを用いた水難事故分析」学校教育論集19 pp.69-80.

3）日本水泳連盟「世界記録・一覧表」 https://swim.or.jp/assets/files/pdf/pages/swim/record/world/20221204m_lc_wr.pdf（2024.2.1閲覧）

4）海上保安庁 water safety guide >遊泳の安全情報 >海で遊ぶときの注意 https://www6.kaiho.mlit.go.jp/watersafety/swimming/02_attention.（2024.5.1閲覧）

5）海上保安庁：water safety guide 遊泳の安全情報>フロート遊具で楽しく遊ぶために． https://www6.kaiho.mlit.go.jp/watersafety/swimming/05_float.（2024.5.1閲覧）

6）読売新聞オンライン（2019.7.18）：海で流されるフロート事故多発…2分で45m沖に行った例も．https://www.yomiuri.co.jp/life/20190717-OYT1T50353/ （2019.8.30閲覧）

7）消費者庁・海上保安庁・国民生活センター（2019）海水浴での「フロート使用中の事故」に気を付けましょう！ http://www.kokusen.go.jp/pdf/n-20190717_1.pdf（2019.8.30閲覧）

8）ふじみ野市（2009）「ふじみ野市大井プール事故調査報告書」 http://www.city.fujimino.saitama.jp/doc/2014110400313/file_contents/pooljikokensyohoukokusyo.pdf（2019.8.30閲覧）

9）文部科学省・国土交通省（2007）「プールの安全標準指針」 http://www.mext.go.jp/a_menu/sports/boushi/__icsFiles/afieldfile/2011/05/26/1306538_01_1.pdf（2024.2.1閲覧）

10）日本水泳連盟（2005）「プール水深とスタート台の高さに関するガイドライン」 https://swim.or.jp/old/11_committee/14_tools/pdf/guideline050706.pdf（2024.2.3閲覧）

11）横浜市学校保健審議会学校安全部会（2023）「横浜市立中学校において水泳部の活動中に発生した事故に関する詳細調査報告書」 https://www.city.yokohama.lg.jp/kurashi/kosodate-kyoiku/kyoiku/sesaku/hoken/gakkouanzenbukai.files/0004_20230816.pdf（2024.2.1閲覧）

12）日本経済新聞（2019.8.16）としまえんプールで死亡の女児，全身が遊具の下に ライフジャケットの浮力が原因か． https://www.nikkei.com/article/DGXMZO48641290W9A810C1000000/（2019.8.16閲覧）

13）学校等事故事例検索データベース，日本スポーツ振興センター https://www.jpnsport.go.jp/anzen/anzen_school/anzen_school/tabid/822/Default.aspx（2024.2.1閲覧）

14）裁判所 http://www.courts.go.jp（2024.2.1閲覧）

15）髙橋宗良（2012）「日本泳法に見る安全水泳の教育内容に関する研究」野外教育研究15(1) pp.33-44.

16）野沢巌（2009）「小中学校におけるライフジャケット体験学習についての一考察」埼玉大学紀要 教育学部58(1) pp.57-64.

17）門廻充侍・今村文彦（2022）「東日本大震災における宮城県での死因体系化の試み」土木学会東北支部技術研究発表会

18）有川太郎（2024），TBS NEWS DIG「1m以下の津波，能登半島地震で“想定より早く”到達 南海トラ

フ地震でも危険性が指摘【現場から，】」 https://www.youtube.com/watch?v=Dx4n0VxGS4I（2024.2.2閲覧）
19）気象庁「津波警報・注意報，津波情報，津波予報について」 https://www.data.jma.go.jp/svd/eqev/data/joho/tsunamiinfo.html（2024.2.2閲覧）
20）林直樹・高橋強（2001）「ため池における危険イメージに関する基礎的研究」農村計画論文集3 pp.85-90.

6 遊具の事故とその防止

- 2005年度〜2017年度の13年間で，小学校では鉄棒と雲ていにより2名，幼稚園・保育所ではすべり台で3名が死亡している。
- 小学校・幼稚園・保育所で発生した遊具事故を遊具別にみると，鉄棒が最も多く，次いでぶらんこ，すべり台，ジャングルジムが多い。
- 小学校・幼稚園・保育所で発生した遊具事故は，遊具でほかの児童・園児と遊んでいる場合に最も多く発生している。
- 遊具事故のほとんどは，「物的ハザード」「物的リスク」「人的ハザード」「人的リスク」の４つの危険因子に分類することができる。
- 遊具事故を未然に防ぐためには，道具を利用する子供の特徴や遊び方の特徴に合わせた遊具事故防止対策がとられていること，遊具設置後の安全点検が確実に行われていることが重要である。

キーワード

固定遊具事故

ハザード

リスク

遊具事故防止対策

1 遊具事故の実態

遊びは子供の生活そのものであるとともに子供の心身の健全な成長発達に欠かせないものである。小学校・幼稚園・保育所の校庭や園庭には何らかの遊具が設置されており，それらを利用して遊ぶ子供たちは多い。しかし，子供の遊びに欠かせない要素となっている遊具は使い方によっては重大事故の原因となることもある。

我が国には学校管理下で発生した障害・死亡事故に対する災害共済給付制度があり，独立行政法人日本スポーツ振興センター（以下JSC）が行っている。JSCの共済給付制度には，全国の小中学校の99.8%，幼稚園79.3%，保育所等80.2%，幼保連携型認定こども園84.5%が加入しており（2022年度）[1]，加入していると簡単な手続きで給付を受けることができる。JSCが災害共済給付を行った障害・死亡事故は全てデータベース化され，JSCが毎年発行している「学校の管理下の災害」及び学校安全web学校事故事例検索データベースとして公開され，インターネット上で誰でも活用できるようになっている。

また，幼稚園·保育所等で発生した死亡事故や治療に要する期間が30日以上の負傷·疾病を伴う重篤な事故等については，2015年6月より内閣府が「特定教育·保育施設等における事故の報告等について」等に基づき，内閣府・文部科学省・厚生労働省に報告があった事故について集約・データベース化してホームページ上に公表しており，誰でも閲覧することが可能となっている。2023年度からはこども家庭庁が事務を引き継ぎ実施されている。幼稚園・保育所等は共済給付制度の加入率が8割程度のため，学校事故事例検索データベースで検索できる事故事例には限界があることが課題であったが，こちらを合わせて活用することでより多くの事故事例を知ることができるようになった。

「学校の管理下の災害」及び学校安全web学校事故事例検索データベース[2]を利用し，2013年度～2022年度の10年間にJSCが死亡見舞金及び障害見舞金を支給した固定遊具の死亡事故·障害事故事例4,283件のうち，小学校・幼稚園・幼保連携型認定こども園・保育所等における遊具に起因する事故を抽出した結果，死亡事故事例が1件，障害事故事例が101件抽出された。ただし，災害共済給付に加入していない小学校・幼稚園・保育所等もあることを考えると，実際にはこれより多くの事故が発生していることが考えられる。

死亡事故事例1件は保育所等で起きた事故で，雲ていで遊んでいた3歳の園児が雲ていに登ろうとして何度か挑戦しているうちに，雲ていの横板と斜めについていた補強板の間に頭部が挟まってしまったことによる窒息死であった。

障害事故事例を遊具別にみると鉄棒が25件と最も多く，次いで総合遊具･アスレティック12件，ぶらんこ12件，すべり台11件，雲てい6件，砂場6件，登り棒4件，固定タイヤ4件，シーソー3件，ジャングルジム3件，回旋塔2件と続き，障害事故事例の59.4％が鉄棒，ぶらんこ，すべり台，総合遊具・アスレティックによるものであることがわかる。また，小学校と幼稚園・保育所等では事故が多い遊具が異なっており，小学校では鉄棒による事故が，幼稚園・保育園等では総合遊具・アスレティックによる事故が起こる確率も高くなっている↗表1 表2。

これらの傾向は，小学校では鉄棒，砂場，雲てい，ぶらんこ，ジャングルジム，登り棒，すべり台の設置台数が，幼稚園・保育所等では砂場，鉄棒，すべり台，ぶらんこ，総合遊具・アスレティックの設置台数が多いこと[3]や子供に人気がある遊具が何であるかとも関係しており，小学校・幼稚園・保育所等における遊具事故は，遊具の設置数・設置の割合や子供たちの遊び方と関係があるといえる。

幼稚園・保育所等にぶらんこ，すべり台が設置されている割合が高いのは，幼稚園設置基準並びに児童福祉施設設備及び運営に関する基準（旧称：児童福祉施設最低基準）に幼稚園・保育所等に備えなければならない園具や教具として，砂遊び場（砂場），すべり台，ぶらんこが長年明記されていたことによる。

幼稚園・保育所等に砂場，すべり台，ぶらんこが設置されている割合が高いのは，幼稚園設置基準並びに児童福祉施設設備及び運営に関する基準

表1 学校種別障害事故件数

	鉄棒	ぶらんこ	総合遊具・アスレティック	すべり台	雲てい	砂場	固定タイヤ
小学校	22	12	8	9	3	4	3
幼稚園・保育所等	3	0	4	2	3	2	1
計	25	12	12	11	6	6	4

	登り棒	ジャングルジム	シーソー	回旋塔	その他	計
小学校	3	2	3	2	9	80
幼稚園・保育所等	1	1	0	0	4	21
計	4	3	3	2	13	101

注1：学校種別は，小学校・幼稚園・保育所・幼保連携型こども園として検索。
注2：幼保連携型認定こども園は，災害共済給付の加入対象となった平成27年度から集計している。

表2 学校種別固定遊具の事故率※

	小学校	幼稚園	認定こども園・保育所等
1位	総合遊具・アスレティック(37.8%)	総合遊具・アスレティック(14.1%)	総合遊具・アスレティック(9.7%)
2位	鉄棒(32.8%)	すべり台(8.6%)	雲てい(6.0%)
3位	雲てい(16.8%)	雲てい(8.2%)	すべり台(5.7%)

※事故率は，学校における固定遊具の設置数を基準として試算されており，各遊具を設置している小学校・幼稚園・幼保連携型認定こども園・保育所等において，1年間に1件の事故が起こる確率を示している。

(旧称：児童福祉施設最低基準）に幼稚園・保育所等に備えなければならない園具や教具として，砂遊び場（砂場)，すべり台，ぶらんこが長年明記されていたことによるが，近年では，総合遊具・アスティックを設置する幼稚園・保育所等が多い[4)]。

2 遊具事故の要因

2010（平成22）年度にJSCが災害共済給付を行った小学校・幼稚園・

保育所に通う3歳以上の子供の遊具による事故40,731件について，事故の種類別，事故前の行動別，事故の要因別に集計した結果が，独立行政法人日本スポーツ振興センター学校災害防止調査研究委員会がまとめた「学校における固定遊具による事故防止対策調査研究報告書」[5] で報告されている。

(1) 事故の種類別

事故の種類別では1位が「落下」16,765件（41.2%），2位が「ほかの児童との衝突」8,958件（22.0%），3位が「遊具等と衝突」5,144件（12.6%）で，高さのある遊具からの落下，衝突が原因で発生した事故が遊具事故全体の75.8%を占めていた。

また，消費者庁は2009年9月〜2015年12月までの約6年間に寄せられた，12歳以下の子供が学校や公園などの遊具で負傷した事故の情報1,518件のうち，「転落」が974件（64.8%）と最も多く，次いで「ぶつかる・当たる」が247件（16.4%）であったと発表している[6]。

東京消防庁は2007年〜2011年までの5年間に，管内における公園・広場等に設置されている遊具に起因する事故で救急搬送された12歳以下の子供3,281人のうち，遊具からの落下（落ちる）による事故が1,903件発生しており，実に全体の58.0%を占めていたことを報告している[7]。

これらのことから，遊具が設置してある場所にかかわらず，遊具事故の種類として「落下（転落）」が非常に多いことがわかる。遊具事故発生件数を減らすためには，遊具からの落下・転落事故を未然に防ぐことや回避することが重要であり，安全柵の設置や設置面に衝撃緩衝素材の使用など有効な予防策を考えることが重要である。

(2) 事故前の行動別

事故前の行動別では，1位が「遊具でほかの児童と遊んでいた」8,224件（20.2%），2位が「遊具で回転していた」7,186件（17.6%），3位が「遊具に上っていた」5,319件（13.1%），4位が「鬼ごっこをしていた」3,888件（9.6%）という結果であった。

(3) 事故の要因別

事故の要因別[①]では，1位が「主体要因（児童の身体能力や危険を予測する能力が不足し事故が発生したと考えられるもの）」16,775件（48.7%），2位が「人的環境要因（他児童との関係の中で起きている事故）」12,016件（34.9%），3位が「施設・設備の要因（施設・設備の材料や構造が関係していると思われるもの）」4,054件（11.8%）という結果であった。これらの結果から，遊具事故は子供が遊具を一人で利用して遊んでいるときよりも，複数人で同時に利用して遊んでいるときの方が発生しやすいこと，また，鬼ごっこ等の遊びの中で遊具を利用した場合や，例えばすべり台を下から駆け上がるなどのように大人や遊具メーカーの想定を超えた遊び方をしている際に多く発生していることが伺えた。これは，子供は遊びを通して冒険や挑戦をし，心身の能力を高めていく[8]存在であることと関係があるといえるだろう。遊びの中で生まれた冒険心や好奇心，仲間と同じことかそれ以上のことへ挑戦してみたいという意欲が高まったとき，子供は自分の身体能力を超えた行動を起こしやすい。遊具事故の多くはその結果起きていると考えられる。

3 遊具事故における リスクとハザード

危険要因を表す用語には「リスク」と「ハザード」があるが，遊具事故の分析では次のように定義されることが多い。

まず,「リスク」とは，子供の遊びに内在する危険のうち，冒険や挑戦の対象となるもので遊びの価値の一つであり，事故を回避できる能力を育む危険性，あるいは子供が判断可能な危険性のことである。子供は小さなリスクへの対応を学ぶことで経験的に危険を予測し，事故を回避できるようになる[9]。

「ハザード」とは，子供の遊びに内在する危険のうち，遊びがもっている冒険や挑戦といった遊びの価値とは関係ないところで事故を発生させる恐

①事故の要因別の分析については，事故件数40,731件のうち発生状況から事故の要因が読み取れた34,417件で分析を行った結果である。

れのある危険性，あるいは子供が予測できず，どのように対処したら良いか判断不可能な危険性のことである[10]。

「リスク」と「ハザード」はそれぞれさらに細かく，物的な要因によるものと人的な要因によるものに分けることができる。

具体的には，リスクについては，子供の身体能力の範囲内で対応可能な高さや可動部の揺れ具合などの遊具の構造に起因する物的な要因によるものを「物的リスク」，子どもができると思って高い所に登る，飛び降りるなど利用者に起因するものを「人的リスク」と区別することができる[11]。

ハザードについては，遊具の構造的な欠陥や故障，不適切な配置や構造，不十分な維持管理などを「物的ハザード」，突き飛ばすなどの不適切な行動や，絡まりやすい紐やフードのついた衣服など遊ぶのに不適切な服装や持ち物など利用者に起因するものを「人的ハザード」と区別することができる[12]。

遊具事故発生の原因となる危険要因の分類と，その代表的な事故事例を↓表3に示した[13]。遊具事故のほとんどは,「物的ハザード」「物的リスク」「人的ハザード」「人的リスク」の四つの危険要因に分類することができる。実際の遊具事故はこれらの危険要因のうちどれか一つが原因で発生するも

表3 危険要因別事故事例

分類項目		代表的な事故事例
物的要因	物的ハザード	・鉄棒を使用中，握り棒が回転し地面へ落下した。 ・すべり台を滑る面に飛び出していた金具で大腿部にけがをした。
	物的リスク	・鉄棒をしていて落下した。 ・すべり台の階段を一段ずつ登っている時に転落した。
人的要因	人的ハザード	・すべり台の手すりに着ていた服についていたフードが引っ掛かり，首を吊った状態になった。 ・ぶらんこに二人乗りしていて，一人が誤って転落し，それに引きずられて自分も転落した。
	人的リスク	・登り棒を滑り降りているときに，途中で棒をつかみ損ねて落下した。 ・すべり台の滑走面を立ち上がって逆行していたところ，途中でバランスを崩して転落した。

のと，複数が組み合わさって発生するものとがある。そのため，遊具事故事例やヒヤリ・ハット事例を検証する際，これら四つの危険要因の観点から事故内容を分析することで，その遊具事故に潜んでいた真の事故原因について気づくことが可能となる。ただし，リスクとハザードの境界は子どもの成長発達段階によって異なったり，明瞭でなかったりすることもあるため，分析できる遊具事故事例には限界があることに留意する必要がある。

遊具を利用する子どもの特徴や遊び方の特徴に合った具体的かつ効果的な遊具事故防止対策をとるためには，まず事故原因を明らかにし，その上で危険度や重大性の大きい事故原因は除去するなどの対策を講じることが重要である。

4 遊具事故防止対策

(1) 固定遊具に共通する事故防止対策

1) 安全指針と安全規準

1995年～2001年にかけて箱ブランコによる死亡事故が相次いで発生したことがきっかけになり，2002年3月に国土交通省が「都市公園における遊具の安全確保に関する指針」[14]（以下，安全指針）を策定した②。それにより，我が国ではじめての遊具の安全確保に関する規準が誕生した。同年10月には，一般社団法人日本公園施設業協会（以下JPFA）が，国の安全指針を踏まえ，遊具作成や設置にあたって安全確保に必要な安全規準を具体的な数値で示した「遊具の安全に関する規準（案）JPFA-S:2002」[15][16][17]を作成した③。

現在，これら二つが日本における遊具に関する主な安全指針と安全規準になっており，国土交通省が管轄する都市公園をはじめ，文部科学省が管

②この指針は2008年8月に改定が行われ，次いで2014年6月に改定第2版および「別編：子どもが利用する可能性のある健康器具系施設」が策定されている。

③この規準はその後，国の遊具指針の改定に合わせて改訂が実施された。2024年4月からは，10年ぶりに大幅改訂された「遊具の安全に関する規準JPFA-SP-S:2024」の適用が予定されている。

轄する幼稚園・小学校・中学校など学校等教育機関や，厚生労働省が管轄する児童遊園・児童館・保育所などにおいても，設置する遊具による重大事故を防止し安全確保するために必要な遊具の安全指針・安全規準として活用されている。しかしながら，実際にはその後も遊具に起因する事故は減少しておらず，死亡事故や障害を残すような重大事故が起こっているのである[18)]。

その原因として，遊具を利用する子供の特徴や遊び方の特徴に合わせた遊具事故防止対策が取られていないことや，遊具設置後の安全点検が十分に行われていないこと，安全指針や安全規準の活用が現場に十分に浸透していないことなどが挙げられる。

事態を重く見た独立行政法人日本スポーツ振興センターは，近年，小学校・幼稚園・保育所における実際の事故データを元にした遊具による事故防止対策の検証を行い，具体的かつ効果的な遊具の安全点検の方法や安全指導などについて提案している[19)]。その提案の中で，遊具による事故を防止するための科学的合理的対策として，次の五つの取り組みを行うことを推奨している[20)]。

①施設・設備の改善強化
　設置基準等の遵守，遊具を設置する際の十分な安全領域の確保
②教育・指導・訓練の実施
　子どもへの安全教育の充実，教職員の事故防止に必要な知識技術の能力向上。
③対応マニュアルの策定，危険個所の抽出及び防止対策
　定期点検及び日常点検の実施強化，事後措置。
④事故災害事例の共有及び模範的対策の共有
⑤学校環境の改善，地域との連携。

実際にこれらの取り組みを行う上では，子供の発達段階や理解度に応じたものにすることが求められる。小学校・幼稚園・保育所などの現場への周知が今後の課題である。

2) 遊具の安全に関する教育・指導

遊具事故を予防するためには遊具の安全に関する教育・指導は欠かせない。遊具の不適切な利用方法や遊び場での不適切な行動（人的ハザード）

図1 年齢表示シール（一般社団法人日本公園施設業協会提供）

図2 遊具種類別注意シール（一般社団法人日本公園施設業協会提供）

を減らし，事故を未然に防ぐためには，日頃からの遊びの経験を通してリスクに対する学習を積み重ねることが重要である。

JPFAは，遊具と遊び場に関わる事故を減らすこと（危険なリスクとハザードの除去）を目的として，保護者，保育者，学校関係者，公園管理者を対象に，遊具を使って安全に遊ぶ方法についてパンフレットによる啓蒙活動を行っている[21)]。また，遊具の利用対象年齢や危険な行為などについて「年齢表示シール」↑図1や「遊具種類別シール」↑図2「一般注意シール」↗図3など5種類の遊具安全利用表示シールを作成し，遊具に貼付することで遊具利用者へ注意喚起し，遊具を安全に利用できるようにしている。

学校における安全点検については，学校保健安全法第27条，同法施行規則第28条に定められている。遊具の安全点検の主な目的は，遊具の構造的な欠陥や故障，不適切な配置や構造などの物的ハザードを発見し除去する

Never play with your jacket flapping.
うわぎのまえを
あけっぱなしにしない

Do not play on equipment wearing a backpack.
ランドセルやカバンは
おいてあそぶ

図3 一般注意シール(一般社団法人日本公園施設業協会提供)

ことであり，遊具事故を防ぐ上で欠かせないものである。

遊具の安全点検は，内容，方法，頻度などにより，初期点検，日常点検，定期点検，精密点検に区分される[22)]。いずれも目視，触診，聴診，打診などにより行われる。点検結果は記録に残し，履歴がわかるよう一定期間保管しておくとよい。物的ハザードを早期に発見するために日常点検は特に重要である。遊具に共通する日常点検のポイントについて，独立行政法人日本スポーツ振興センター学校災害防止調査研究委員会は報告書に次のようにまとめている[23)]。

- ・変　　形：ゆがみ，たわみ。
- ・部分の異常：金具，締め具の変形やゆるみ，詰め物の脱落。
- ・部材の異常：ひび，破損，錆，腐食・腐朽，経年による劣化，塗料の剥離。
- ・遊具の異常：動かない，きしみ，揺れ，摩耗，傾き。
- ・欠損・消失：手すりや踏み板などの部材の欠損・消失，金具や締め具などの消失。
- ・周囲の異常：地面の凹凸，危険物の散乱，砂場などの衛生状態，不適切な基礎部分の露出，有害な害虫。

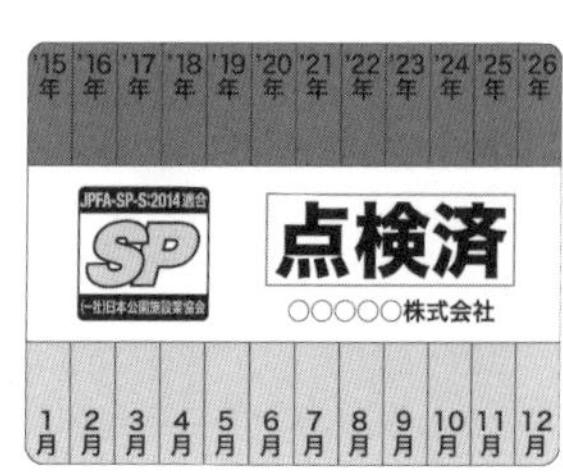

図4 点検済みシール（一般社団法人日本公園施設業協会提供）

定期点検を日本公園施設業協会の「SP表示認定企業」に委託した場合，劣化に関して健全であり，かつ「JPFA-SP-S:2014」に関して適合していると認められた遊具には「SP点検済シール」が遊具に貼付される↑**図4**。

(2) 固定遊具別にみた事故防止対策

遊具には多くの種類があるが，事故防止対策を立てるにあたっては，遊具それぞれについて，その形状や構造の特徴をよく理解しておく必要がある。ここでは，小学校・幼稚園・保育所において設置数・設置の割合が高く事故が多い遊具について，遊具別の具体的な安全点検のポイントを述べる[24)]。

安全点検にあたっては，遊具事故の種類として「落下（転落）」が特に多いことから，遊具設置付近の設置面の安全対策の状況を必ず調べ，問題が見つかった場合には迅速に対応することが重要である。

1) 鉄棒

・握り棒が回転する，グラグラするなどの異常はないか。
・握り棒と柱の接合部に変形，摩耗，亀裂，ボルトの緩みなどの異常はないか。
・鉄棒が傾いていないか。
・利用する子供に適した高さか。
・鉄棒を利用している時，人や柵と衝突しないだけの安全領域が確保されているか。
・安全領域全体に基礎の露出，危険物，障害物がないか。

・設置面（安全領域全体）は固すぎず，遊具からの落下等があった場合でも衝撃が吸収されるようになっているか。

2)（踏み板式）ぶらんこ

・揺動部（吊り金具，吊り鎖等），支柱部や梁部，継手金具に異常はないか。

・着座部（横木，踏み板），ゴムカバー，取り付け金具に異常はないか。

・吊り鎖に手や指を挟む危険はないか。鎖に指が入らないか。

・ぶらんこをこいでいる時，人や柵と衝突しないだけの安全領域が確保できる位置に安全柵が設置されているか。

・安全領域全体に基礎の露出，危険物（石やガラスの破片，木の根，地面の凹凸など），障害物（水たまりなど）はないか。

・設置面（安全領域全体）は固すぎず，遊具からの落下等があった場合でも衝撃が緩和されるようになっているか。

3) すべり台

・滑り出し部分や滑走面（柵を含む）に突起，隙間，亀裂はないか。

・ローラーすべり台の場合は滑走面のローラーが回転するか。

・基礎部や登行部（階段，手すり），連結部，柱部にガタつきなどの異常はないか。

・転落防止柵の幅は子供の頭や体が通り抜けない幅になっているか。

・エンド部分は，滑り終えた時地面に飛び出さないだけの適切な長さがあるか。

・滑り降りた時，人や柵と衝突しないだけの安全領域が確保されているか。

・安全領域全体に基礎の露出，危険物，障害物がないか。

・設置面（安全領域全体）は固すぎず，遊具からの落下等があった場合でも衝撃が緩和されるようになっているか。

4) ジャングルジム

・縦部材，横部材，接合材に亀裂，割れ，隙間，摩耗，ぐらつき，錆，飛び出し，ボルトの緩みなどの異常はないか。

・利用する子供に適した高さか。

・安全領域全体に基礎の露出，危険物，障害物がないか。

・設置面（安全領域全体）は固すぎず，遊具からの落下等があった場合で

も衝撃が吸収されるようになっているか。

・非常時に大人が入れるようになっているか。

5)雲てい

・出発部の横棒や握り棒に変形，摩耗，破損はないか。

・握り棒と握り棒の間隔は首を挟む危険がない十分な間隔がとられているか。

・握り棒の太さは利用する子供が握りやすい太さとなっているか。

・握り棒が回転する，グラグラするなどの異常はないか。

・雲ていを利用している時，人と衝突しないだけの安全領域が確保されているか。

・利用する子供に適した高さか。

・安全領域全体に基礎の露出，危険物，障害物がないか。

・設置面（安全領域全体）は固すぎず，遊具からの落下等があった場合でも衝撃が吸収されるようになっているか。

練習問題

① 小学校・幼稚園・保育所における遊具事故の特徴について，実際の遊具事故を例に挙げ説明しなさい。

② 遊具ごとの安全指導上の留意点について，小学校・幼稚園・保育所ごとにまとめなさい。

（森純子）

●引用文献

1）日本スポーツ振興センター『災害共済給付の給付状況等について』 https://www.jpnsport.go.jp/anzen/saigai/toukei/tabid/80/default.aspx
2）学校安全Web 学校事故事例検索データベース https://www.jpnsport.go.jp/anzen/saigai/anzen_school/anzen_school/tabid/822/Default.aspx
3）日本スポーツ振興センター学校災害防止調査研究委員会（2021）『固定遊具の事故防止マニュアル』
4）前掲３）
5）日本スポーツ振興センター学校災害防止調査研究委員会（2012）『学校における固定遊具による事故防止対策調査研究報告書』
6）消費者庁『遊具による子供の事故に御注意！』 https://www.caa.go.jp/policies/policy/consumer_safety/release/pdf/160210kouhyou_1.pdf
7）東京消防庁『遊具に起因する子どもの事故発生状況』 https://www.tfd.metro.tokyo.lg.jp/hp-kouhouka/pdf/240314.pdf
8）国土交通省（2014）『都市公園における遊具の安全確保に関する指針（改訂第２版）』https://www.mlit.go.jp/common/000022126.pdf
9）10）11）12）前掲８）pp.7-10
13）森純子・及川研・渡邉正樹（2013）「屋外遊び場における遊具事故の実態と要因の分析」『安全教育学研究』13（1）pp.3-17 日本安全教育学会
14）前掲８）
15）日本公園施設業協会（2008）『遊具の安全に関する規準（JPFA-S:2008）』
16）日本公園施設業協会（2014）『遊具の安全に関する規準（JPFA-S:2014）』
17）日本公園施設業協会（2024）『遊具の安全に関する規準（JPFA-S:2024）』
18）日本スポーツ振興センター（2022）『学校の管理下の災害（令和４年版）』
19）前掲５）
20）前掲５）pp.69
21）日本公園施設業協会（2019）『仲良く遊ぼう安全に－子どもの指導者と保護者のために－』 https://www.jpfa.or.jp/pamphlet_1903.pdf
22）前掲８）
23）前掲５）pp.69
24）前掲５）pp.78-84 pp.142-151

サイバー犯罪の現在と未来

「CSI：サイバー」（2015～2016年）

アメリカ合衆国のテレビドラマ「CSI：科学捜査班」は，最新の科学技術を駆使して犯罪を解決に導くという人気シリーズであった。「CSI：科学捜査班」はラスベガスを舞台にしているが，他にもスピンオフ・シリーズとして場所も登場人物も異なる「CSI:マイアミ」「CSI:ニューヨーク」，さらには本稿で取り上げる「CSI：サイバー」が製作されている。

CSI作品の最終シリーズである「CSI:サイバー」は他の作品とは異なり，FBI(連邦捜査局）本部に設置されたサイバー部門が舞台となっている。登場するメンバーも元ブラックハッカーから構成されるなど，他シリーズとは異なる特徴がある。

「CSI：サイバー」のエピソードで取り上げられている犯罪は，実際に身近で起きているものから，将来起こることが想定されるものまで幅広い。例えば，現在多くの空港にはスマートフォンなどの充電用コンセントが置かれているが，ドラマでは犯人がそこにUSB接続による偽の充電設備を設置する。何も知らない乗客は充電のため接続を行うが，実はスマートフォンからクレジットカード情報などを盗み出すためのものであった。またカフェに偽のルーターを持ち込み，無料Wi-Fiと見せかけて情報を盗み出すという手口も描かれた。

近い将来に起こりうる犯罪としては，無人の自動車を遠隔操作して事故を起こさせる犯罪や，旅客機の飛行計画をハッキングによって書き換え，異なる航路を飛ばせるという新たなハイジャック事件のエピソードがある。さらに，ハッキングにより人が死亡したと情報が書き換えられてしまう犯罪（デジタル殺人）も発生する。実際には生きているのだが，一旦死亡したと記録されると，社会的には死者になってしまうわけである。このように「CSI：サイバー」は非常に興味深いテーマを扱っていたが，残念ながら2016年に最終回を迎え，CSIシリーズも終了した。

ところでCSIシリーズといえば，主題歌にイギリスのロックバンド「ザ・フー」の楽曲が使われるのが恒例となっていたが，本作品も「I Can See for Miles」(邦題は「恋のマジック・アイ」）が使われている。シリーズで使われた主題歌では最も古い1967年の曲であるが，どんなに遠くにいても君を見ることができるという歌詞は，サイバー犯罪に合っているといえるだろう。

7 自然災害と学校防災

- 人間がこの地球上で暮らし，豊かな自然の恩恵を受けている限り，極端な自然現象がわたしたちに牙を向くことは避けられない。災害発生のメカニズムを知り，人間が自然とどう関わるか，差し迫った脅威において命を守るにはどうするかを考え，備えることが基本となる。災害をもたらす誘因や，被害の大小を左右する素因に着目したい。
- 戦後最大の被害をもたらした東日本大震災は多くの教訓を残した。震災当時，多くの学校施設が避難場所や避難所として機能した。教職員も避難所の運営に関わった。また，適切な避難誘導等により，多くの子供の命が助かった例がみられる。
- 他方，石巻市立大川小学校では，学校の管理下で多くの子供や教職員が津波の犠牲となった。遺族との事後対応にも問題が生じ，訴訟に発展した。確定判決は事前の備えの不備を厳しく指摘した。ハザードマップ等の学校や学区の立地，地域特性を把握して，実情に応じた備えの必要性を示唆している。
- 地域特性の把握には，防災地理情報の活用が有効である。基本的なWeb-GISの特徴と操作方法を習得し，学校や学区の自然環境やハザード，災害履歴を知り，それに応じた備えを考える必要がある。また，災害が差し迫った状況で，迅速かつ適確な避難等に関する情報を入手できる手段を知り，親しんでおく必要がある。

キーワード

災害誘因　災害素因
指定避難所　避難所運営
アサーティブ
ヒューマンエラー
地域特性　防災地理情報
GIS　自然災害伝承碑
災害情報

1 自然災害と学校防災

1995年の阪神・淡路大震災は，戦後経済成長を遂げた日本の都市で生じた大災害として衝撃をもたらした。21世紀に入っても，新潟県中越地方の地震やインド洋大津波など，国内外で災害が頻発した。2011年の東日本大震災では大津波により，子供を含む2万人近くの犠牲が生じた。学校の管理下における多数の津波犠牲に直面し，学校防災のあり方が厳しく問われるようになった。また近年では，地球温暖化を背景に気象現象が激化し，洪水や土砂災害なども頻発している。地震活動も活発で，2024年の元日に発生した能登半島地震は，高齢化・人口減少時代の日本の地方を襲った災害として，災害弱者や災害に脆弱なインフラなど，社会素因の理解の重要性を再認識させた。

本章では，自然災害と学校防災について取り上げる。まず自然災害の発生メカニズムの基本を確認した上で，学校防災に関連する政策を概観し，災害安全（防災）分野の学校安全について，東日本大震災による学校での経験・教訓を交えて考察していく。その上で，防災情報や地理情報を理解することの重要性に触れながら，自然災害に対して学校や地域社会はどのように備えればよいか具体的な方法を考える。

⑴ 自然現象と自然災害

自然災害を連想させる地震，津波，火山噴火，台風，雷などは，災害を発生させるハザード，すなわち危険を伴う自然の外力である。これらはただちに災害をもたらすものではない。人類が進化の末，豊かな社会を形成した今，我々人間の生命財産に，こうした自然現象が危害をあたえて初めて自然災害となる。「自然」災害といっても，災害は人間社会との関わりの中で生じるものであり,「自然に生じる」と含意する自然災害には語弊があるとの指摘もある。

日本の災害論では，自然災害の発生の前提条件となる外力を「災害誘因」と呼んできた。他方，人々がどのような土地条件の下に住み（自然素因)，社会が災害にどのようにどの程度備えているのか（社会素因）といったその地域の条件を「災害素因」と呼ぶ。誘因と素因の作用によって被害の有無や大小が決まる。自然現象が被害をもたらす社会の脆く弱い部分に，どれだけ備えを行きわたらせられるかによって，被害の程度は大きく異なるからである。

また，英語圏の災害研究disaster studiesにおいては，災害リスクについて以下のように説明される。

災害リスク(R)＝ハザード(H)×脆弱性(V)×曝露(E)

すなわち，災害のリスクはハザードそのものの大小（H値），影響を受ける側の弱さ（脆く弱いほどV値:vulnerabilityは高まる），そしてその影響にどれだけの人々が晒されるか（E値：exposure）の積と捉える。いずれの場合も，ハザードそのものの性質を理解するだけでなく，その影響を受ける社会の側の諸条件への着眼が，災害リスクの低減には不可欠だということが理解できる。

全国津々浦々に立地する各学校の防災をこの式に当てはめて考えると，学校や学区で特に顕著なハザード（誘因）にはどのようなものがあるかを理解した上で，地域の自然環境や社会的な特性（人口が密集する都市部なのか，村落なのか，財政的に豊かで防災インフラが機能する状況か否かなど）など，多様な地域の条件（素因）の理解が極めて重要であることがわかる。学校防災の実践には，以上のような災害発生のメカニズムの基本的理解が前提として必要になる。

⑵ 学校保健安全法と学校防災

学校防災を直接的に司る最も重要な法律は，学校保健安全法である（第1章参照）。2009年に，戦後つくられた学校保健法を改正して施行された。学校における子供と職員の健康の保持増進や安全の確保に必要な事項を定めた法律で，26条から30条に学校安全に関する規定がある。中でも29条は「危険等発生時対処要領の作成等」を定めている。学校が危機的状況に陥った時，職員が取るべき具体的な内容や手順を定めたいわゆる「マニュアル」を作成すること。そして，校長はそれを職員に周知し，危険等発生時に職員が適切に対処するための必要な措置を講ずることを義務づけている。また30条において，地域を管轄する警察署その他の関係機関，地域の諸団体，地域住民等との連携を図ることを求めている。

2 東日本大震災と学校

(1) 学校の被災と避難所運営

2011年3月11日金曜日の午後2時46分に発生した東北地方太平洋沖地震とそれに伴う大津波によって，戦後最大の犠牲者を出した東日本大震災は，学校関係者にも甚大な被害をもたらした。↓表1は，佐藤（2012）による東日本大震災における学校関係者の被害を示したものである。

この数には，保育園児や専門学生，大学生等も含まれる。今の時代に社会の最前線で活躍していたであろう600人を超える若き小さな命が犠牲になった悲しみは計り知れない。後述する宮城県石巻市立大川小学校での甚大な被害は，学校の安全管理に対する責任に対する世論の高まりにつながった。

学校施設の被害も著しく，文科省のまとめでは，北海道から和歌山にかけた22の都道府県で，7,988校が被害を報告している。このうち，全面的な建て替えや復旧を余儀なくされた学校は193校だった。特に津波による被害は甚大で，学校の敷地まで津波が到達した学校が131校，そのうち，児童生徒が震災当時在校していた学校は113校だった。

表1 東日本大震災における学校関係者の被害

都・県	死者数（人）						行方不明者数	計（人）
	園児	児童	生徒	学生	教職員	計		
岩手	10	17	63	11	9	110	23	133
宮城	66	169	152	41	22	450	41	491
福島	4	24	50	6	3	87	10	97
東京	0	0	0	0	2	2	0	2
計	80	210	265	58	36	649	74	723

＊2012年9月14日「東日本大震災による被害情報について（第208報）」で集計したもの

一方，多くの学校は指定緊急避難場所や指定避難所として，被災した人たちの避難のよりどころとして機能した。災害対策基本法に基づき，自治体が策定する地域防災計画によって避難場所に定められ，備蓄品や通信設備が設置される学校では多数の避難者を受け入れた↓写真1。東北地方太平洋沖地震は金曜日の午後に発生したため，多くの学校教職員は勤務中だった。教職員は本来，避難所運営やその支援の主たる担い手としては制度上期待されていないが，大災害の中，行政職員の参集もままならず，多くの教職員が避難所運営にあたった。発災から6日後の2011年3月17日をピークに，避難所となった学校施設は622校にのぼった。

避難所となった学校の教員は，校舎等の環境を熟知しているだけでなく，集団を統率し意見を集約し，わかりやすく伝える力を日頃から培っており，それらが活かされたと振り返る声もある。しかしその結果，自宅が被災したにもかかわらず，しばらく帰宅できなかった教職員たちも多かったという。こうした教訓を踏まえ，文部科学省は2017年に「大規模災害時の学校における避難所運営の協力に関する留意事項について」(28文科初第1353号）を発出しているので参考にしてほしい。

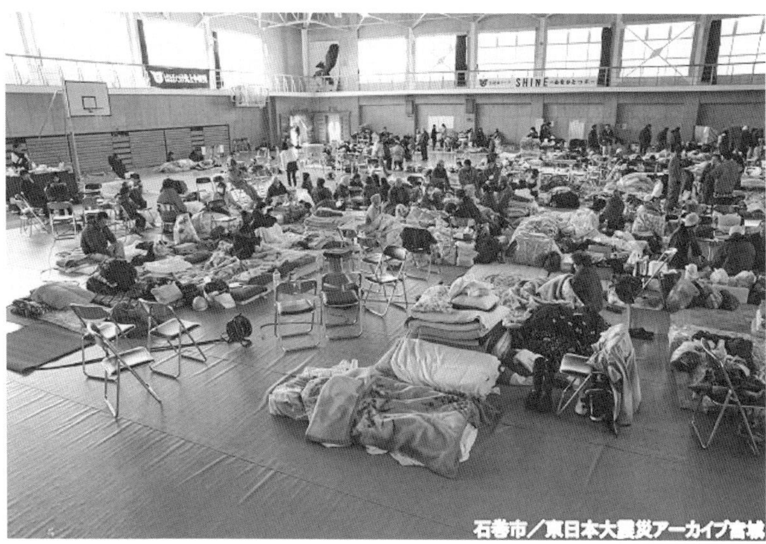

写真1 避難所の様子(石巻市，2011年3月14日撮影)

⑵ 学校の被災事例

ここからは，東日本大震災の学校における被災について，2つの異なる事例を取り上げる。

1）石巻市立大川小学校

宮城県石巻市立大川小学校では，学校の管理下で74人もの児童が犠牲になった。本稿執筆時点で，うち4人は未だに行方がわかっていない。当日在校していた11人の教員のうち10人が亡くなった。

学校は海岸から約3.7kmのところに位置していた。宮城県が作成していた津波ハザードマップ➔図1では，大川小の位置には津波浸水予測の色が塗られていない。しかしこのハザードマップは，マグニチュード7クラスの宮城県沖地震によって生じる津波を想定して作られたものだった。また，この学校は地域の避難所として指定されており，その記号が地図上に示されている。

震災発生当日校長は不在であり，教頭ほかが管理上の立場にあった。大きな揺れが発生してまもなく，教職員は児童らを校庭まで避難させた。その後の検証では，津波が15：37頃にこの周辺を襲う直前まで校庭にとどまったことがわかっている。校地の至近に裏山があったが，津波到達直前でさらに避難すべく目指したのは，反対方向の北上川にかかる橋近くの高台だった。川を遡上した津波は瓦礫が橋脚にぶつかるなどして堤防を越え，子供や大人を襲ったのである。

当時の様子を明らかにすることには困難を要した。石巻市が行った事故検証自体を多くの遺族が問題視し，その後設置された第三者による「大川小事故検証委員会」は，2014年3月検証報告書を発表した。その検証を踏まえ24の提言が出された➔表2。

これらの指摘は，学校防災の改善にとって重要な項目が多く含まれている。しかし遺族にとって，委員会の検証内容は事故に至った背景や経緯を詳らかにしたものではなく，それに基づいて示された提言も一般的な内容にとどまっていると受け止められた。

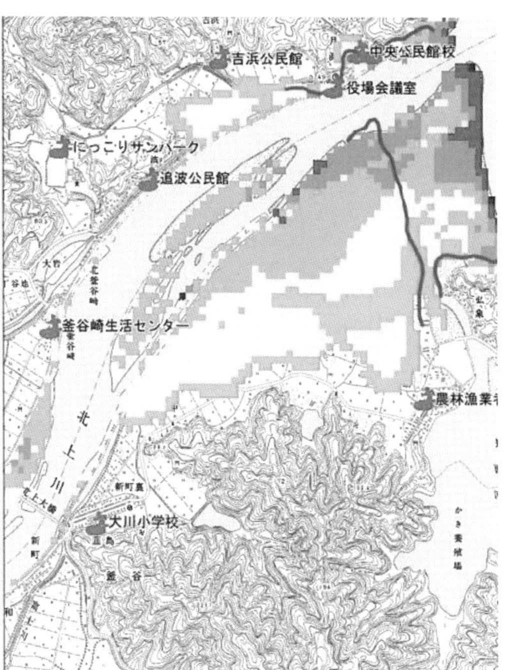

縮尺：1/25,000

0　0.5　1
(Km)

予想される浸水深
5 - 10(m)
4 - 5
3 - 4
2 - 3
1 - 2
0 - 1

既往津波の浸水域
1933年昭和三陸津波
1960年チリ地震津波（不明）

避難所
避難所

＊実際はカラー

図1 津波ハザードマップ(宮城県)

表2 大川小事故検証委員会の提言(要約)

- □ 文部科学省や大学は教職課程で防災教育を必修科目に位置付ける
- □ 教職員の防災研修を充実させ，子どもを守る危機管理能力を高める
- □ 災害の種類に応じた学校の対応マニュアルを定め，定期的に検証・改善する
- □ 自治体は迅速で多様な災害情報伝達手段を確立し，学校も積極的に情報収集する
- □ 学校は防災対策で住民や保護者と連携し，避難所は自主防災組織などが運営を担う
- □ 子どもが自ら判断，行動できる能力を身に付ける防災教育と訓練を充実させる
- □ 学校の立地，建設は災害の危険性を十分に考慮する
- □ 自治体は地形などに即してハザードマップを検証し，住民も危険性を認識する
- □ 学校が被災した際は自治体や教育委員会が対策本部を設置し，状況把握や支援に努める
- □ 文科省は被災者と遺族の心的ケアを含む支援と事故原因検証のガイドラインを策定し，教委や学校は事後対応の計画を定める
- □ 調査で子どもから聴き取る場合は専門家の助言を受け，負担を最小限にするよう努める

こうしたことから，一部の遺族が学校の設置者である石巻市と，教員の給与負担者である宮城県を相手に，国家賠償法に基づいて提訴した。一審の仙台地方裁判所に続き，二審の仙台高等裁判所でも被告に賠償を命じる判決が言い渡された。被告側はその一部を不服として最高裁に上告したが，2019年10月10日，最高裁はこれを棄却し仙台高裁判決が確定した。

この判決では，公立学校において義務教育を円滑に遂行する大前提が学校の安全であるとして，その具体的履行について学校保健安全法を根拠に，大川小の震災当日に至るまでの＜事前＞の備えに対する問題点を厳しく指摘した。同法29条は，当該学校の実情に応じて危険等発生時に学校職員が参照する対処要領の作成を義務づけているが，大川小では，当時入手可能だったハザードマップにおいて津波による浸水危険性が認められる区域からの通学児童が在籍児童の約半数に及んでいたにもかかわらず，津波注意報・警報の発表時に子供をどう保護し，引き渡すのかなどについて具体的に定めず，引き渡し訓練も行っていなかった。また，石巻市がその問題を指導していなかったことを指摘している。学校の立地だけでなく，学区全体を見渡して顕著な災害リスクを予見し，事前に備えを徹底しておく必要性を強調するものである↗表3。

大川小事故はその犠牲の甚大さゆえ，多くの人々に衝撃を与えた。また，事故後の市の対応の問題点はマスメディアでも厳しく取り上げられた。訴訟にまで発展した結果，一部の学校現場においては大川小事故自体を「タブー視」する状況もあったという。しかし，上記の判決や提言で指摘された学校の防災管理に関する具体的教訓は，現在の学校の組織マネジメントにおいて徹底されるべき重要なものばかりである。

これらを踏まえて，本章後半では学校において取り組むべき地図や災害情報を活用した「事前の備え」について述べる。厳しい判決内容に戸惑う学校管理職も多いが，地道で具体的な実践と検討の積み重ねが，学校防災の実効性を高めていくと受け止めたい。また，学校における日頃の組織コミュニケーションが学校防災の体制強化に資することについても述べる。

表3 仙台高裁判決の主な指摘

- ハザードマップが示す予想浸水区域の外に避難すれば安全であることを意味するものではない。
- 学校の設置者（地方公共団体）から提供される情報等を独自の立場からこれを批判的に検討する必要があった。
- 学区内は津波危険性が高い地区を含んでいて，学校も河川に近く，津波被害の危険性を認識すべきだった。
- 校長等に必要とされる知識・経験は地域住民の平均的知識・経験より遙かに高いレベルであるべきだった。
- 職務上，安全確保義務履行にかかる知識・経験を収集，蓄積できる立場にあった。
- 職務上知り得た知識・経験を市教委や他の教職員と相互に交換・共有できる立場にあった。
- 学校の危機管理マニュアルは，地域の実情に応じたものといえず，学校は適切な改訂を怠っていた。
- 市教委にはマニュアルの不備を指摘し，指導する義務があった。
- 住民と学校との避難行動が整合的となるよう地域住民等と事前に連携が図られるべきだった。
- 予め定めた避難場所で安全に避難できるよう，事前に環境の整備を市教委に申し出る等の措置をとるべきだった。

（小田隆史・佐々木克敬『学校安全ポケット必携』東京法令出版より）

2）南三陸町戸倉小の高台避難

マニュアルを土台にしつつ万全でないことを認め，想定以上のことが起きた際にも通用するよう実効性の高い備えをしていた事例として，宮城県南三陸町の町立戸倉小学校の事例を紹介する。

同校に赴任した麻生川敦（あそがわあつし）校長（当時）は，海に面していない埼玉県の出身ということもあり，海岸から300mほどの距離にあった学校に着任した直後から津波避難について悩んでいたという。校舎屋上に避難か，学校から400m離れた高台に避難か，マニュアルにどう記載するのか判断できずにいた。こうした中，地元出身のある教諭が，「子供の頃から〝地震が来たらできるだけ高いところに避難〟と教えられてきており，3階建ての校舎屋上では不十分，津波を軽視してはいけない」と指摘し，高台避難を強く主張した。しかし，近隣の保育所の園児も戸倉小に避難してくるため，もし地震発生から短時間で津波が来襲した場合に避難途上でのまれてしまうと考えると，校長は校舎屋上への避難という選択肢を捨てきれなかった。そのため，マニュアルには避難先として両方が記載された。

校長は震災当日を迎えるまで，教職員と雑談や打ち合わせで幾度も「屋上か高台か」意見を交わし続けたという。それでも決着がつかず，多数決を取ることになった。それに対し，地元出身教諭は主張を変えなかっただけでなく，同僚教員に「高台へ」と「根回し」までしたようである。結果，高台が第一候補となったものの，校長としては煮え切らない思いのまま震災の瞬間を迎えた。想像以上の大きな地震の揺れに，校長は即座に高台への避難を決断。校舎は屋上まで水没したが，91人の児童は助かった。実は最初に避難した高台にも津波が到達しており，子供たちはさらに上の神社の境内に登って一夜を過ごしている→**写真2**。

地震発生から津波来襲まで時間があったことを含め「運が味方した部分もある」と校長は振り返るが，事前に教職員と方針を入念に検討していたことが，発災後の迅速で正しい判断につながった例である。

校長自身の日頃からの危機意識と日常的な意見交換，それらを判断材料に下した決断が子供を救った好例だが，同じぐらい注目すべき点は，校長に対して臆さず考えの再考を促す直言をいとわなかった教諭の行動と，それを可能にした職場の雰囲気だと多くの人が評価する。

このような，自分が正しいと思う点について相手を尊重しながら遠慮せずに主張する「アサーティブ」な態度は，ヒューマンエラーを回避するため医療や航空業界などで重要視される。同業界ではCRM（クルー・リソース・マネジメント）と呼ばれる訓練を通じて，非技術的（ノン・テクニカル）スキルを磨き，複数の視点で望ましくない状態を認めたら，立場を超えて遠慮なく指摘し合う姿勢が必須だと植え付けられているという。

こうした命を預かる組織では，機長と副操縦士，医師と看護師など職位や職階を超えて，懸念事項や理想の安全策などを議論する「チーム力」が常に問われている。チーム力が発揮されるためには，徹底的な安全追求という価値と目的を共有し，個人を中傷しているのではないという前提を全員が認識している「心理的安全性」（psychological safety）の確保が鍵となる。誰もが自由に発言できる職場の雰囲気と，指摘された内容を検討材料に最後は管理職が判断を下し責任を引き受ける，という日常的なプロセスが備わってこそ，上意下達は有効に作用する。

戸倉小の例は，部下とチームを支える奉仕型の「サーバントリーダー」

の本質を軸に行動した麻生川校長が理想的な職場環境を醸成し，参画意識を持った教職員集団がただ命令に従うのではなく，各自の叡智を最大限発揮したものといえるだろう。

高台避難を躊躇せず主張した教諭は，震災後も定年まで教壇に立った。麻生川校長はその後多賀城市の教育長に就任し，教員を志す大学生などに震災経験や教訓を語り継いでいる。

写真2 戸倉小の児童らが避難した高台(南三陸町)

3 近年の自然災害と学校安全

(1) 近年の自然災害

東日本大震災以降も日本各地で自然災害が発生している。2016年の熊本地震や2018年の北海道胆振東部地震は，広範囲で甚大な被害をもたらした。同じく2018年に発生した大阪府北部地震は，最大震度6弱の揺れが観測され，高槻市の小学校ではプール沿いのブロック塀が崩壊し，登校途中だった小学生が下敷きになり亡くなった。1978年の宮城県沖地震の際，倒壊したブロック塀による犠牲が多数出たことから建築基準法が見直され，2.2m以内の高さ基準が設けられていたが，この学校ではプールの目隠しをするため元々あった1.9mの塀の上に1.6mの壁が積み上げられており，その部分が倒壊した。外部から危険性が指摘されていたが問題は見過ごされた。2020年には，神奈川県逗子市のマンションの斜面が崩落し，通行していた高校生が土砂に巻き込まれ亡くなっている。

東日本大震災発生から10年の節目の2021年2月13日には，福島県沖でM7.3の地震が発生し，宮城県と福島県で最大震度6強が観測された。翌2022年の3月16日にもM7.4の地震が福島県沖で発生したが，いずれも夜間に発生したため学校には子供がいなかった。この時期は新型コロナウイルス感染症により，避難所の運営などに大きな影響も与えていたことも特筆したい。

2024年の元日には，M7.3の能登半島地震が発生し，気象庁の震度階級最大の震度7を観測した。学校は休みだったが，正月の団らんを故郷の親族と過ごしていた人たちが多く被災した。発災の1ヶ月後には休校となっていた学校が再開したが，通学が困難な子供も多く，オンラインで授業を受けたり避難先の近くの学校で一時的に就学したりする子供も多かった。転校したり親元を離れ遠方の系列校に移って学んだりする高校生もいた。インフラが脆弱で長期間ライフラインが復旧せず，古い住宅を中心に多数の家屋の被害が出たこの地震では，長期の避難所での生活や，広域避難に関し様々な課題を浮き彫りにした。

その一方，これまでの自然災害への対応を教訓にして発足した各地の支援チームによる被災地支援が機能したことに注目したい。学校分野では兵庫県の「震災・学校支援チーム（EARTH）」をはじめ，宮城県，熊本県などのチームが教育復興を支援した。避難所として使われた学校施設の掃除など，学校再開への側面支援は国会でも取り上げられ，医療分野の災害時医療支援チーム（DMAT）を参考に,「学校版DMAT」創設を求める声もあがっている。

また，近年「過去に経験したことのない」大雨が降り続くなどして，夏場を中心に気象災害も相次いでいる。2021年7月には静岡県熱海市伊豆山で大規模な土石流が発生し，28人が犠牲となった。上流山間部で違法に盛土が行われたことが被害拡大の原因となった。翌8月には，梅雨末期の活発な前線による大雨で西日本を中心に甚大な被害が生じた。線状降水帯[①]が発生し，気象庁が「顕著な大雨に関する情報」や「大雨特別警報」を各地に相次いで発表している。

災害発生時に子供の命を守ることはもとより，発災後一日も早く学校を再開し，安定的な教育の場を提供して，被災した児童生徒や保護者の不安を少しでも払拭できるよう，日頃から備えておく意義や方法を確認しておきたい。

⑵ 学校安全推進計画と地域特性

国が定める「学校安全の推進に関する計画」（第1章）では，2022年度からの5年間を第3次計画として策定している。学校防災の視点から計画を読み解くと，以前に増して「地域」という言葉が多用され,「地域の災害リスクを踏まえた実践的な防災教育·訓練」の実施，「地域ごとのリスクを踏まえた危機管理マニュアルの見直し」などが推進方策において強調されている。

---

①次々と発生する発達した雨雲が列をなし，組織化した積乱雲群によって，数時間にわたってほぼ同じ場所を通過または停滞することで作り出される，線状に伸びる長さ50～300km程度，幅20～50km程度の強い局地的な降水をともなう雨域（気象庁）。

実効性の高い学校安全の実現には，学校が立地する地域（学区等）の条件（素因）を平時にしっかりと把握して，対策を検討・実施できるかどうかにかかっている。第3次計画は地域の自然特性に着目し，そこで顕著な災害リスク（ハザード）はどのようなものかを理解し，それに基づいて備える必要性を強調していると読み取れる。

例えば「危機管理マニュアルに基づく取組内容の充実」の項では，マニュアル作成後，関係府省庁や自治体の担当部局，研究者等の専門家の協力を得ながら，「学校で実施した訓練等の検証結果，国内外で発生した事故・災害事例の教訓，先進的な取組事例などを基に，常に実践的なものとなるよう改善を行う必要がある」として主要指標（次ページ）を設定している。

また，「地域の災害リスクを踏まえた実践的な防災教育の充実」の項目では，各自治体においては地域の災害リスクを踏まえ，ハザードマップを適時適切に見直すことが重要とした上で，「学校においては，これらの最新のハザードマップなども活用した事前防災の体制強化及び実践的な防災教育の推進が喫緊の課題」と求めている。そして以下の主要指標を挙げて，地域の関係機関等と連携して，地域の災害リスク／種別を踏まえた教育を重視していることがわかる。

学校保健安全法は，学校の安全を確保するため「当該学校の実情に応じ」た対応を求めている。これは，ひとえに学校といっても全国津々浦々に存在し，多種多様な自然環境や社会環境に立地していることから，画一的な対応を求めるというよりもそれぞれの状況に即した形で万全な体制を構築する必要性を踏まえたものであろう。農村部に立地し人口規模も小さいながら，近隣の住民組織等とは緊密な「顔の見える関係」が存在しているケースもあれば，都市部に立地していて，農村部のそれとは社会的な繋がりが異なるケースがある。海や河川の近くに立地しているのか，裏山を背負っているのか，噴火が懸念される火山が近くに存在しているのかなどの自然条件も加味する必要がある。冒頭述べた災害論の用語で言えば，こうした「災害素因（自然素因と社会素因）」や「災害誘因」との関係性を踏まえた備えが求められるのである。第3次計画では，具体的な検討によって学校安全の実効性を高める取り組みを全国の学校に求めている。

<主要指標>

・危機管理マニュアルの策定状況
・各学校の危機管理マニュアルの見直しに対する学校設置者による定期的な点検・指導の状況
・災害の種類（地震，津波，風水害，土砂災害，雪害，火山災害等）及び学校の立地（浸水想定区域・土砂災害警戒区域・津波災害警戒区域等）に応じた危機管理マニュアルの策定・見直し状況
・地域の事故等のリスクに応じた危機管理マニュアルの策定・見直し状況
・危機管理マニュアルの策定・見直しの際の外部有識者の関与の状況
・事故・災害発生後の教育活動の継続に関する内容の記載状況
・実践的な避難訓練の実施（余震の想定，停電時や悪天候の想定など）
・地域の災害リスクや災害の種類（地震，津波，風水害，土砂災害，雪害，火山災害等）に応じた安全教育の実施
・地域住民との協働による防災教育・避難訓練の実施（消防団との連携，避難所設営訓練など）

（※強調筆者）

4 防災地理情報の活用——GISを用いた地域のハザード理解

前項で述べた「地域特性」を踏まえた学校防災の実現に有効なのが，防災地理情報の活用である。近年，ウェブ上で操作・表示可能なGIS（Geographic Information System，地理情報システム）が普及しており，教育現場で使えるツールも数多くある。防災に関する情報活用力の推進とあわせて，学校の教職員や子供が，こうしたウェブGISの活用技能を習得し，防災地理情報として地図から様々な情報を読み取り，備えに活かす取り組みの広がりに期待したい。本節では，学校防災で活用したい代表的なウェブGISの特徴を概説する。

⑴ 重ねるハザードマップ

国土交通省の「ハザードマップポータルサイト」からアクセスできる「重ねるハザードマップ」は，入手可能な各地のハザードマップを1つの電子地図に集約して拡大・縮小表示できるWeb-GISである。

ハザードマップは,「自然災害による被害の軽減や防災対策に使用する目的で，被災想定区域や避難場所・避難経路などの防災関係施設の位置などを表示した地図」（国土地理院）である。一定の条件の災害誘因が，地形・地盤等の自然条件から素因に作用すると，どの程度被害が及びうるかをシミュレーションした地図に，災害時に頼りになる関連施設を重ねたものと捉えられる。

このサイトでは，異なる災害種を1つの画面（レイヤ）に重ねて表示できる。事前に危険が及びうる範囲や，それを踏まえて避難先や経路等を検討するための導入ツールになる。たとえば，大雨に伴って洪水だけでなく土砂災害が近くで起きる危険性もある。土砂災害は地震による揺れに伴って生じることもある。集約された地図は特定の条件を想定して色塗りされた危険度であり，想定を上回ることもある。ハザードマップ自体がなく，色が表示されない地域もある。情報の限界や課題に注意して活用したい。

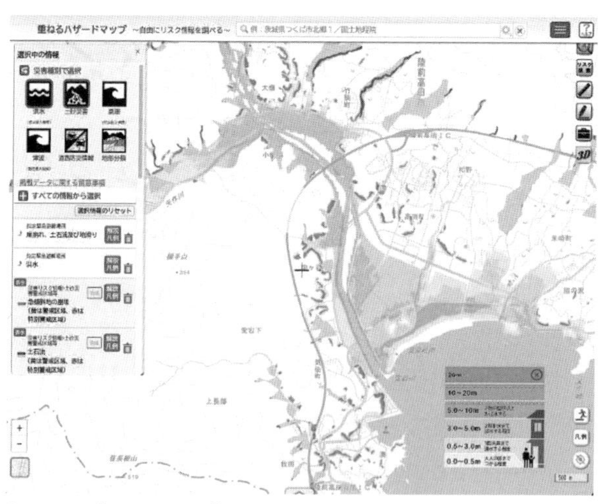

図2 重ねるハザードマップ：洪水と土砂災害の想定を表示（国土地理院）

⑵ 地理院地図

同じく国土地理院が運用している「地理院地図」は，災害の発生リスクや避難先について<地形>から読み取り検討するのに役立つサイトである。「色別標高図」や「陰影起伏図（いんえいきふくず）」を標準地図と合成して表示すると，土地の高低差もリアルに捉えられる。「断面図」というツールを使うと，ある地点から別の地点までのルートの標高を断面で表示できる。津波や浸水からの垂直避難先やその経路を考える際にも有効だ。これらを可能にしているのは，標高データの存在である。国土地理院が測量した1メートルメッシュの標高に関するデータが用いられており，瞬時にその計算結果を土地の凹凸を示す地図や断面図として表示できるようになっている。

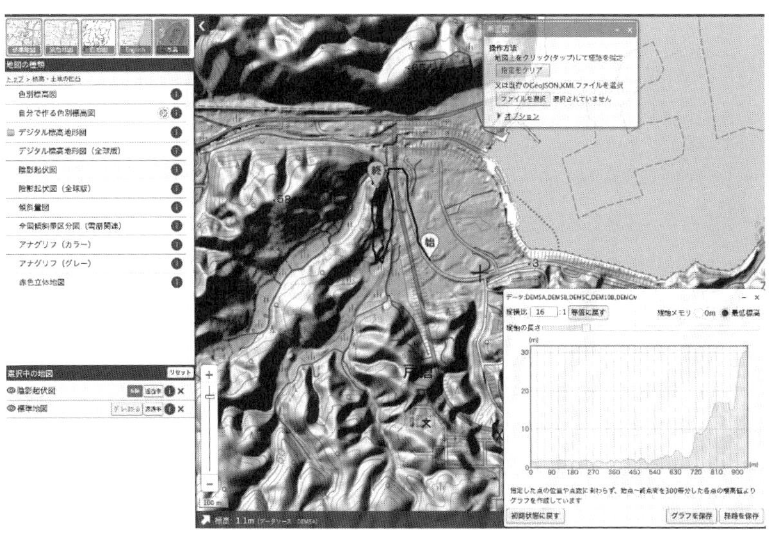

図3 地理院地図：標準地図に陰影起伏図を重ね合成したもの。右下は「断面図」機能で作成した標高グラフ（国土地理院）

また,「地理院地図」で表示できる各種情報のうち,学校関係者に有益なものとして「自然災害伝承碑」を取り上げたい。これは,過去の津波・洪水・火山災害・土砂災害等の災害を伝え継ぐために,先人たちが建立した石碑やモニュメントを指す。これらは被災した場所の付近に建てられていることが多い。記載内容だけでなく立地からも,過去に生じた災害を知ることができる有益な情報となっている。↓図4は,宮城県石巻市の金華山に残る石碑について「地理院地図」で表示したものである。古くに建立された石碑は文字通り風化が進んでいるが,位置・内容がデジタル化され,写真と共にGISで表示できる。学校の防災教育の一環として,街歩きをしてこうした石碑を訪ね,地理院地図の情報と照合してみる取り組みも行われている。なお,地理院地図に登録がない自然災害伝承碑については,各地の地方測量部(国土地理院の出先)に連絡すると登録される。その地域を

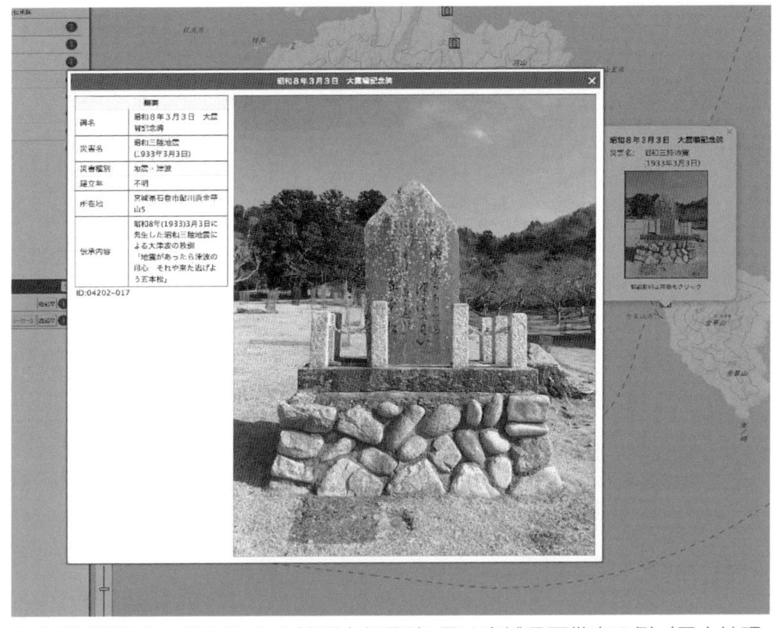

図4 地理院地図で表示した自然災害伝承碑。図は宮城県石巻市の例。(国土地理院)

過去に襲った自然災害史から災害危険性を想像する力を喚起でき，防災教育にも役立つ防災地理情報の一つと言えよう。

⑶ 今昔マップ

過去の地形や土地利用から災害リスクや備えを考えることも重要である。「今昔マップ on the web」（埼玉大・谷謙二研究室）は，過去の地形図を最新の地理院地図と同一範囲で左右に比較表示ができて便利だ。かつてそこが水田だったのか，河道だったのか，切り拓かれた土地だったのかなど，地域の土地利用の変遷を理解することも重要になる。

河道の拡幅や直線化などの治水整備を空間的に捉えられるほか，都市化の進展など，学校周辺の土地利用の変化から地域社会の変容が可視化できる。防災に限らず社会科や総合的な学習の時間における身近な地域の学習にも応用できる。

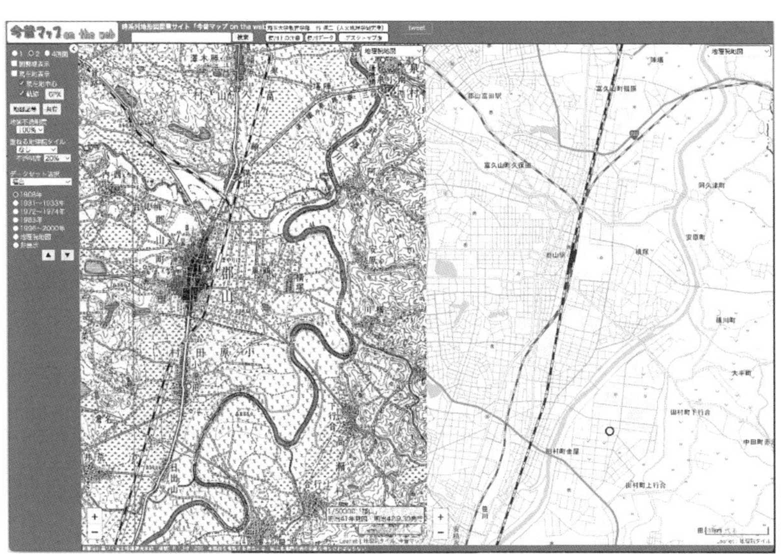

図5 今昔マップ：住宅地のひろがりや阿武隈川の直線化などを対比して理解できる。図は福島県郡山駅付近。（「今昔マップon the web」より）

以上のウェブGISで入手した地図から読み取った様々な情報は，広く学校関係者と共有することで実効性の高い学校防災を実現できる。例えば山形市教育委員会作成の「学校防災マニュアル作成ハンドブック」では，冒頭に「学校と学区の現状等」という項目を設け，学校の校舎・体育館等の施設情報を始め，校地の立地条件，学区の状況や地形，留意すべきハザードの特徴を記載することを求めている（村山・松多，2021）。

学校保健安全法第30条は，学校の安全確保のため地域の関係先との協働を求めている。地図からリスクを把握し適切な備えを講じる際に不明な点や不安があれば，学校内だけで自己完結せず，消防や自主防災組織，大学等の研究者など，自然・社会特性に詳しい人に積極的に相談していくことも重要である。

5 各種災害情報の活用

スマートフォンの普及により，災害が差し迫っていることをプッシュ型で知らせる体制が充実してきている。地震のように，発生から揺れが伝わるまでわずかな時間しかないものや，気象災害のように，数日前から脅威の深刻化を捉え備えることができるものもある。いずれの場合も，手元にもたらされるこれらの情報が，どのような意味をもっていて，どう活かせばよいかを知っておくことが重要である。ここでは，緊急地震速報や防災気象情報について概説しておく。

(1) 緊急地震速報

緊急地震速報は，地震発生後に大きな揺れが到達する前に警報を発する早期警報システムで，2007年10月から本運用が開始されている。理科で学習する通り，地震波には最初に伝わるP（Primary）波と，次に伝わるS（Secondary）波の2種類の波がある。S波はP波より遅く到達するが，P波と比べて揺れの大きさは強く，地震の被害をもたらす波となる。このS波による揺れに備えられるよう，気象庁が全国約690箇所に設置した地震計・震度計と約1,000箇所の観測網をもとに，震源とマグニチュードを推測し，予想される震度とともに警報を発表する仕組みとなっている。近年では，全国の学校に緊急地震速報の受信装置が導入されており，校内の放送設備と接続されて，各教室のスピーカーから警報音や自動音声によるアナウンスが放送される仕組みが構築されるようになった。こうした設備がない学校でも，教職員が保有する携帯電話に緊急地震速報を知らせる機能が実装されているため，多くの学校において緊急地震速報の情報を受け取り易い環境が整いつつある。

これに伴って，防災マニュアルに緊急地震速報を受信した場合の対処要領を具体的に記載している学校も多く，それに基づいた訓練が行われている。警報音が聞こえない聴覚障害のほか，肢体不自由や発達障害のある子供が緊急地震速報の情報を受け取り，自ら身を守る姿勢を取れるように繰り返し訓練を行っている特別支援学校の例もある。永田・木村（2018）による研究で方法や効果の検証がなされているほか，単元構成や学習指導案，学習効果を測定するワークシート等を掲載した「視覚障害版 地震防災教育プログラム」が公開されている（https://bosai-kyoiku.jp/bousai/193/）。

⑵ 緊急警報放送

緊急警報放送は，緊急地震速報よりもずっと古くから運用されている急迫時の情報システムである。緊急地震速報の受信機能があるテレビやラジオを，制御信号を送出することで自動的に立ち上げる放送のことで，1985年に開始された。揺れを感じない遠地で発生した地震による津波が日本の沿岸部に到達するような場合や就寝中に，自動的にテレビやラジオがオンになることで，注意報や警報を知ることができる。

法令に基づいて津波警報・大津波警報が発表された場合や，災害対策基本法第57条に基づく都道府県知事や市町村長（東京特別区の区長を含む）からの要請があった場合に，主にNHKの放送波に乗せて送出される。NHKは毎月1日の午前11:59から試験信号を放送しており，「ピロピロピロ」という信号音を聞いたことがある人も多いだろう。

海岸や河川の河口付近に立地する学校等では，防災行政無線の受信装置（拡声器式や戸別受信機）が設置されているところも多いだろうが，そうし

た設備がないところでも，安価で購入可能な緊急地震速報受信ラジオを設置することで，素早く津波警報等の情報を受信できる。最近ではスマートフォンのプッシュ通知を伴うエリアメール等で同様の情報が得られることから，冗長性を高める手段の一つとなりつつある。

(3) 防災気象情報

1）激化する気象現象

第1節で述べたハザードは，災害を引き起こす誘因となる自然現象と捉えられる。気象災害を生じさせる気象現象は，地球温暖化により激化しており，我が国では大雨や洪水，台風により多数の犠牲が生じている。↓図6は全国約1,300地点に設置されたアメダス[②]のデータに基づくもので，1時間雨量50mm以上という「短時間で滝のように降る」雨の年間発生回数の平均を示しており，過去30年間で約1.4倍に増加していることがわかる。高度経済成長期に整備された防災対策の設備能力（設計外力）を上回る自然現象が生じ，破堤や越水による洪水等の被害が各地にもたらされているのである。

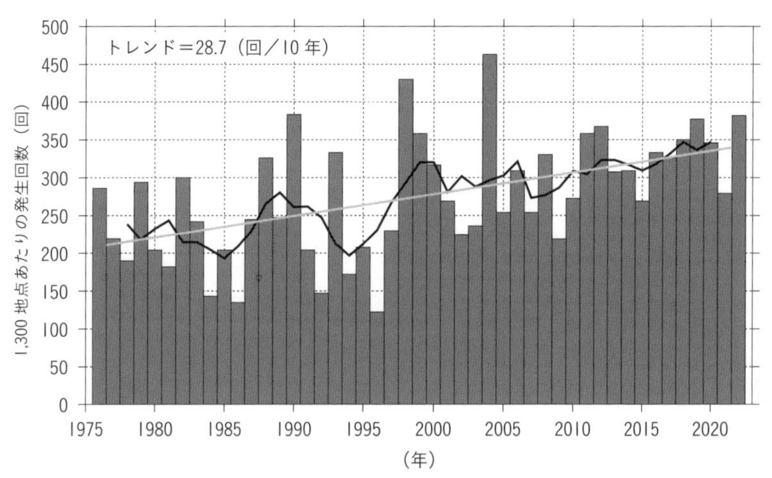

図6 1時間降水量50mm以上の年間発生回数(気象庁)

② 「Automated Meteorological Data Acquisition System」の略。1974年11月1日に運用を開始。

2）防災気象情報

治水対策等の防災インフラの更新は不可欠だが時間を要する。そこで，高度に発達した観測・予報技術を活かし，災害が差し迫った際に適切な判断ができるリテラシー向上の必要性が指摘されるようになった。同時に，防災気象情報の伝え方についても改善や工夫が繰り返されている。

2019年には，5段階の警戒レベルの運用が開始された。その後2021年に災害対策基本法が改正され，警戒レベルの表現が改められた。気象庁等が<発表>する注意報・警報等の情報，各市町村長が<発令>する避難に関する情報，住民等が取るべき対応を，5段階にわけてわかりやすく表現することを目的としたのが，↓図7の防災気象情報と対応する警戒レベルの相当情報である。

国は，これらの5段階の情報／レベルを色別に表現して，気象庁の危険度分布地図「キキクル」（コラム参照）に同じ色を使って表現するなど，情報の統一性とわかりやすさの向上に努めている。

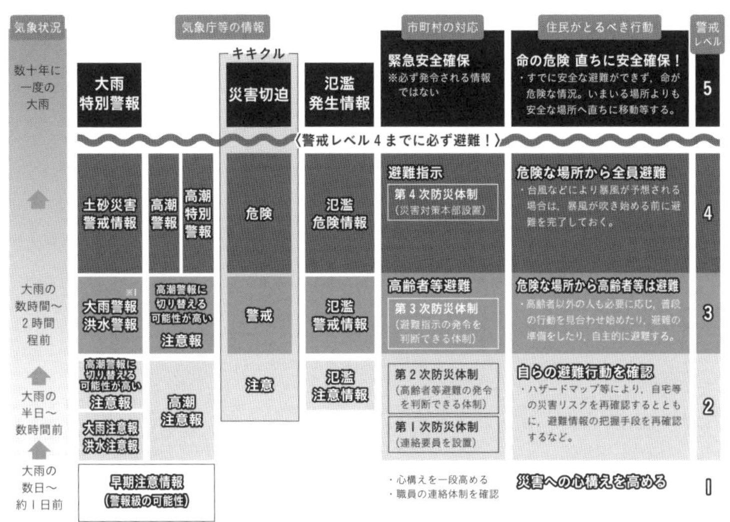

＊1 夜間～翌日早朝に大雨警報（土砂災害）に切り替える可能性が高い注意報は，警戒レベル3に相当する。

図7 5段階の警戒レベルと防災気象情報（気象庁）

3）学校版タイムライン

防災の分野では「タイムライン」という考え方が定着している。タイムラインとは，災害発生を前提にして，「いつ」「誰が」「何をするか」を時系列で計画しておくことであり，国や自治体，事業所のBCP（事業継続計画）でも導入されているほか，一般家庭においても「マイタイムライン」の作成が促進されている。

特に気象災害は，降り続く雨や接近する台風など，実際に災害が発生する前に予報・予測が比較的しやすく，危険が差し迫る前に安全確保できる時間「リードタイム」を有効活用できる。どの段階にどんな行動をすべきかを計画しておくのは，大変重要といえる。学校現場においても，災害が差し迫る状況の中で，子供を下校させたり休校措置を取ったりする決断を，どんな情報に基づき，どの段階で誰がどう判断して実行するかを明確化しておく「学校版タイムライン」の作成は有効である。

その際に必要となるのが，先述した防災地理情報（ハザードマップ）と防災気象情報の理解である。学校の立地や学区全体（子供の通学圏）の災害リスクについて，予めウェブGIS等を用いて把握しておくことが第一歩である。洪水，土砂災害を想定して，内水氾濫，外水氾濫による浸水想定区域や土砂災害警戒区域等を地図で確認し，気付いた点を関係者間で共有しておく。その上で，避難情報（警戒レベル）の発表・発令に応じて学校において取るべき対応を話し合い，学校版のタイムラインを作成して，教職員や保護者等との間で了解しておくとよいだろう。

→表4は，風水害時に学校が警戒レベル等の情報に応じて，児童生徒在校時，夜間，休業時にそれぞれどのような対応を取るかの判断基準を整理した一例である。ハザードマップのリスク範囲の確認をはじめ，差し迫った段階での対応をどうするかの検討などは平時に組織的に行い，関係者間で共有しておくことで実効性を高めることができる。

表4 風水害時の判断基準(『学校安全ポケット必携』東京法令出版より)

警戒レベル	雨の情報【気象庁から発表】	避難の情報【自治体が発令】	学校の対応 活動内容 □在校時	学校の対応 活動内容 ■夜間や休業時
1	台風情報 早期注意情報(警報級の可能性)		□教職員の連絡体制確認	
2	大雨注意報 洪水注意報 キキクル(注意)		□洪水予報等の情報収集	■洪水予報等の情報収集
3	大雨注意報(夜間から翌日早朝に大雨警報(土砂災害)に切り替える可能性が高い注意報) 洪水警報 大雨警報(土砂災害) キキクル(警戒)	高齢者等避難	□気象情報,交通情報等を基に総合的に対応を判断(状況に応じて授業打ち切り,児童生徒等帰宅の是非等) □保護者への対応の事前連絡 □資機材の準備 (□避難誘導)	■登校時に危険であるなど事前の判断が可能で,校長が必要と認めた場合は臨時休業。(公共交通機関が計画運休も同様) ■教職員は自宅待機とし,状況により出勤の連絡。
4	土砂災害警戒情報 キキクル(危険)	避難指示	□情報収集 □避難誘導(各教室)及び待機 □保護者が迎えに来られない場合や,居住地及びその途中が危険な場合は学校待機 □施設·設備等の点検,被害状況を把握	■臨時休業(登校時に危険であるなど事前の判断が可能な場合) ■児童生徒等の居住地における避難情報等を踏まえ,安全確保を最優先した対応。 ■教職員は自宅待機,状況により出勤の連絡。 ■児童生徒等及び教職員の安否確認(電話やメール等)
5	大雨特別警報 キキクル(災害切迫)	緊急安全確保	□避難完了済	■臨時休業

宮城県『改訂版　学校防災マニュアル作成ガイド』より引用・一部改変

【「キキクル」を使おう】
気象庁の危険度分布地図「キキクル」は，大雨警報（土砂災害），大雨警報（浸水害），洪水警報の危険度分布を色分けして表示でき，災害が差し迫った段階で危険がどこまで及び得るのかを示す即時性の高いウェブ GIS である。線状降水帯の発生情報等も表示される。

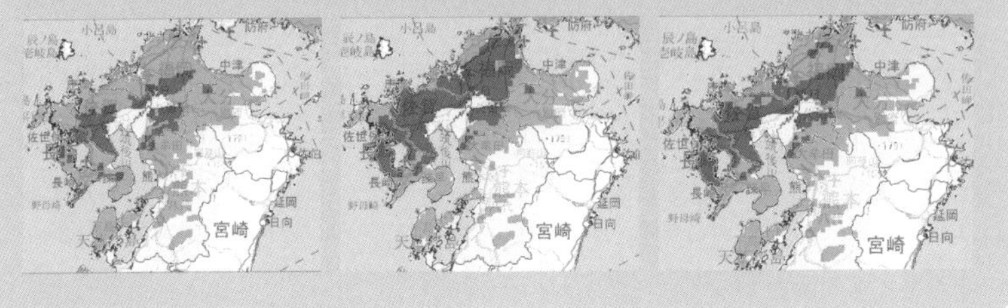

6 おわりに

新型コロナウイルスの世界的な蔓延を経験した社会は，デジタルトランスフォーメーション（DX）が加速し，その環境が整備された。学校現場においても，政府のGIGAスクール構想の進展により，1人1台のデジタル端末と高速インターネット回線が普及した。この変化は，本章で特に強調した，災害リスクを検討するための情報を学校において容易に入手できる環境が格段に整ったことを意味する。

まずは教職員が情報の存在を知り，ツールの操作方法に親しみ，表示される情報の意味を正確に理解できるリテラシーを高めていくことが重要である。本章では，大川小事故等の東日本大震災の実例を交え，学校防災の中でも防災管理に比重を置いて解説した。しかし，ここで取り上げた各種の情報活用や備えの知見は，発達段階に応じて児童生徒に教授することで，有効な防災教育のコンテンツとしても成立する「一石二鳥」の性格を帯びることを指摘しておきたい。

人間が自然とどう関わるかを考えることが防災の基本であるゆえ，それぞれの「地域特性を知る」ことが備えにとって重要なのは繰り返し述べた通りである。2022年度からは高等学校「地理総合」において，GISや防災が学習の柱に据えられ，防災教育の充実が図られている。気象災害の激甚化が懸念される中，将来を担う子供が災害リスクを地図から正しく読み取り，行政等からもたらされる情報も交え，いざという時に適切な判断ができる力を身につけさせる。こうした学校教育を通じた防災教育が，防災・減災に果たす役割は大きい。

（小田隆史）

練習問題

① 平時から，災害リスクを地理的に理解しておく意義と方法を述べなさい。

② 災害が差し迫った時に，どこからどんな情報を入手すればよいか，例を挙げて説明しなさい。

■参考文献

大川小学校事故検証委員会（2014）「大川小学校事故検証報告書」文部科学省HP https://www.mext.go.jp/b_menu/shingi/chukyo/chukyo5/012/gijiroku/__icsFiles/afieldfile/2014/08/07/1350542_01.pdf

小田隆史編（2021）『教師のための防災学習帳』朝倉書店

小田隆史監修・佐々木克敬編著（2023）『学校安全ポケット必携』東京法令出版

酒井多加志（2019）『地図から読み解く自然災害と防災』近代消防社

鈴木康弘編（2015）『防災・減災につなげるハザードマップの活かし方』岩波書店

諏訪清二（2020）『防災教育のテッパン―本気で防災教育を始めよう』明石スクールユニフォームカンパニー

戸田芳雄編（2017）『学校・子供の安全と危機管理』少年写真新聞社

永田俊光・木村玲欧（2018）「視覚障害のある児童生徒の「生きる力」を向上させる防災教育―栃木県立盲学校での地震防災教育・訓練の実践」『地域安全学会論文集』33　pp.115-125

村山良之・松田信尚（2021）「ハザードの種別と地形理解，災害リスク」小田隆史編著『教師のための防災手帳』朝倉書店

矢ケ崎典隆・森島済・横山智編（2018）『サステイナビリティ―地球と人類の課題』朝倉書店

渡邉正樹・佐藤健編（2019）『レジリエントな学校づくり―教育中断のリスクとBCPに基づく教育』大修館書店

渡邉正樹編（2020）『学校安全と危機管理 三訂版』大修館書店

知識と技能は役に立つ！

「ゼロ・グラビティ」(2013年)

もし生死にかかわる危機的状況に陥った時，誰の助けも得られないとしたら。それは恐怖と絶望を生む。「ゼロ・グラビティ」は宇宙空間に一人残され，地球へ帰還するための宇宙船も失った宇宙飛行士を主人公としている。

宇宙空間でハッブル宇宙望遠鏡を修理するためにスペースシャトルの船外で活動していたライアン（サンドラ・ブロック）とマット（ジョージ・クルーニー）であったが，大量のスペースデブリがライアンらを襲ってきた。スペースシャトルは破壊されて他の乗務員達が死亡し，地球へ帰還する術を失った二人は宇宙空間に取り残されてしまう。地球とも連絡がとれなくなった中で，マットとライアンは生き延びる方法を探るが，その過程でマットが命を落とすことになる。

宇宙空間で現実に起きた大事故と知られているのが，アポロ13号で発生した酸素タンクの爆発事故である。この事故により月面着陸のミッションが達成できないどころか，地球への帰還も困難になったが，地上からの指示と乗務員らの的確な判断と行動により，無事地球へ戻ることができた。この事故はトム・ハンクス主演で映画化された（「アポロ13」，1995年）。

もし自分が予期しない大災害に遭遇したらどうするか？まずは自他の身の安全を確保するための行動をとらねばならない。安全教育で学ぶことの多くは一生使うことがないかもしれないが，危機的状況で自分や他者を救ってくれるのは身につけた知識と技能である。すぐに他者からの助けが得られない，たった一人の場面であってはなおさら重要である。「ゼロ・グラビティ」では地球への帰還をあきらめかけたライアンの元へ死んだはずのマットが現れて，ライアンへ指示を与える。もちろんそれは幻覚であったが，その指示に従い（実はライアン自身が訓練で身につけた知識と技能で）地球への帰還を目指す。

宇宙に一人残される設定の他の映画としては，火星に一人置き去りにされた主人公（マット・デイモン）が地球からの救援が到着するまで生き延びようとする「オデッセイ」(2015年）が挙げられる。もちろん地上であっても，たった一人で恐ろしい場面に出遭うことがある。「127時間」(2010年）は，一人でキャニオニングをしている最中に，腕を岩の間に挟まれ身動きできなくなった男の脱出劇である（実話！）。おそらく本書の読者の多くは宇宙に行くことはないと思うが，少なくとも地球での危機に備えて学ぶことは有益である。

- 教員・スポーツ指導者は，スポーツに関わる基礎的・基本的な知識・スキルを持つ必要がある。
- 学校における体育・スポーツ活動は，用具・器具の使用を伴う頻度が高く，それらに起因する負傷・疾病や障害発生の件数も少なくない。
- 体育・スポーツ活動を安全に実施するためには，授業・練習時の「場の設定」にも十分な注意が必要である
- スポーツ現場で最も多く発生するのが脳振盪であり，熱中症などと合わせて対応について確認しておく必要がある。

体育・スポーツ活動と負傷・傷害

キーワード

スポーツ外傷

運動部活動

脳振盪

熱中症

1 教員・スポーツ指導者に求められる安全管理

2017（平成29）年度告示の学習指導要領解説保健体育編においては，生涯にわたる豊かなスポーツライフを実現するための資質・能力の育成に向けて，「運動やスポーツの価値や特性に着目して，児童生徒の特性に応じて『する・みる・支える・知る』の多様な関わり方と関連付ける」[1] ことが示されている。また，学校教育活動の一環として行われる体育部活動においても，競技の「する」ことに留まらずスポーツの価値や文化的意義，科学的知見に触れるなど「みる，支える，知る」などの関わり方も学ぶことの重要性が示されている[2]。

児童生徒がこうした体育・スポーツへの多様な関わり方に参画する上で，その指導を担う教員・スポーツ指導者には，体育・スポーツに関わる基礎的・基本的な知識・スキルを持ち合わせる必要がある。「安全管理」は，その筆頭に位置づいている。

安全な活動環境の構築は，教員・スポーツ指導者の最も重要な責務である。伊藤ら[3] は，スポーツ指導者に求められる「安全なスポーツ環境の構築」として以下の８項目を示している。それは①短期・長期的な障害予防と危険予知などの「安全管理」，②「スポーツ保険への加入」，③活動場所の整備状況や用具の手入れやチェック，体育館の床の滑り具合等「用具・施設の点検」，④雷雨等の天候，最高気温・最低気温，湿度，風速などのチェックに加え，睡眠時間，食事の摂取状況，体温，倦怠感などの「環境とプレイヤーのコンディションチェック」，⑤消防，警察，病院，タクシー会社などの「緊急連絡先とAED設置場所の確認」，⑥道路の広さ，交通量，街灯の有無，地域との連携を含む「行き帰りの安全」，⑦災害発生時の「緊急の避難経路確認」，⑧「安全なプログラムの実施」である。

このように体育・スポーツ活動中の安全管理には対人管理や対物管理を整える必要がある。本章においては近年の体育・スポーツ活動の安全管理の動向を踏まえて①「安全管理」，③「用具・施設の点検」④「環境とプレイヤーのコンディションチェック」，⑧「安全なプログラムの実施」に関連する内容に焦点を当てて論じていく。だが，体育・スポーツ活動における安全管理は，上記に通底する内容に加えて，個別の題材や種目特性に内在するリスクを理解した上で取り組む必要があるため，いずれかに偏ることのないよう留意したい。

2 体育・スポーツ活動による事故

日本スポーツ振興センター[4)]（以下，JSC）が2021（令和3）年に学校の管理下における児童生徒等の負傷・疾病[①]に対して災害共済給付を行った件数は，83万8,886件であった。その内，小学生は29万4,738名（総件数のうち35.1%），中学生が25万1,865名（30.0%），高校生が21万547名（25.0%）であった。負傷・疾病の種類では，挫傷・打撲27.8%（小学校：31.6%，中学校：25.4%，高等学校：24.6%），骨折26.4%（小学校：26.2%，中学校：31.7%，高等学校：26.2%），捻挫19.8%（小学校：18.2%，中学校：23.5%，高等学校：23.2%）が多くの割合を占めている。しかしながら，当該調査は学校の管理下の負傷・疾病に対して災害共済給付が行われた件数であるため，実際の発生は当該調査よりも多く，種類も多岐に渡ることを自覚する必要がある。

体育・スポーツ活動中の負傷・疾病に焦点を当てると，小学校は，授業時の「跳び箱」が他の実施種目と比べて格段に多い。次いで，「バスケット

---

①当該資料作成上，負傷・疾病の種類は次の意味において集計されている。

【負傷の種類】

挫傷：様々な程度の鈍力によって，生体組織が圧迫されて起こる外傷。「打撲」との区別が明確にできないことから，「挫傷・打撲」と並記している。

挫創：鈍器または種々の鈍力が作用して生じた皮膚・皮下組織の損傷で開放創をなすもの。

【負傷に起因する疾病】

学校の管理下において発生した事故で，負傷に起因することが明らかなもの。例えば，体育授業中に起きた捻挫，打撲傷等に起因する関節炎など。

【外部衝撃に起因する疾病】

水（温度・圧力を含む），音，光，その他の外部要因による身体的または精神的な衝撃をいう。例えば号砲用ピストルの爆発音，その他強圧力による耳の疾病など。

ボール」「マット運動」「ドッジボール」での発生が多い。一方，中学校・高等学校は「課外活動」の「体育部活動」に発生が集中している↓表1。中学校では，球技中の怪我が全体の7割を占めており，「バスケットボール」「サッカー・フットサル」の順で多い。高等学校では，全体の怪我の8割以上が球技中であり,「バスケットボール」で最も多く発生している。次いで,「サッカー・フットサル」「バレー」「野球」の順である。そのため，小学校から中学校ではボール操作の主要部位である「手・手指部」の怪我が最も多く，高等学校では,「足関節」「手・手指部」の発生が多い。

さらに，負傷や疾病が治った後に残る「障害」の場合は，その様相が異なる➔P.132表2。2021年においては，中学校・高等学校の「サッカー・フットサル」「ソフトボール」を題材とした体育授業中に発生が集中している。体育部活動においても，後者の同型である「野球」活動時に事故が多数発生しており，その件数は体育授業の数倍に上る。当該種目では，他者のスイングしたバットや，打撃したボールが当たる等によって「歯牙障害」「視力・眼球運動障害」が発生している。

表1 2021年度体育・スポーツ活動中の負傷・疾病[5)]

区分	小学校			
	各教科等	特別活動	学校行事	課外指導
	体育（保健体育）	体育的クラブ活動	競技大会・球技大会	体育的部活動
水泳	769	5	1	8
器械体操	27,883	27	2	32
陸上競技	13,991	146	177	337
球技	23,099	1,808	63	912
武道等	12	1	1	7
その他（スキー・自転車競技等）	2,813	103	5	25
準備運動等	9,474	74	9	65
合計	78,041	2,164	258	1,386

区分	中学校			
	各教科等	特別活動	学校行事	課外指導
	体育 (保健体育)	体育的 クラブ活動	競技大会 ・球技大会	体育的 部活動
水泳	511	0	3	314
器械体操	11,346	0	3	553
陸上競技	11,794	0	208	8,194
球技	46,289	0	1,863	92,049
武道等	1,574	0	36	5,400
その他 (スキー・ 自転車競技 等)	1,738	0	50	314
準備運動等	4,035	0	13	4,931
合計	77,287	0	2,176	111,755

区分	高等学校			
	各教科等	特別活動	学校行事	課外指導
	体育 (保健体育)	体育的 クラブ活動	競技大会 ・球技大会	体育的 部活動
水泳	173	0	0	333
器械体操	1,705	0	1	1,059
陸上競技	4,278	0	139	5,413
球技	41,102	0	5,088	98,906
武道等	692	0	8	7,004
その他 (スキー・ 自転車競技 等)	939	0	37	2,726
準備運動等	1,672	0	18	3,952
合計	50,561	0	5,291	119,393

表2 学校の管理下の発生障害件数（2021年度給付対象事例）筆者抜粋[6]

場合	競技種目	小学校	中学校	高等学校等 高等専門学校
体育（保健体育）	水泳		1	
	跳箱運動	1	2	1
	マット運動	1	4	
	短距離走	1		
	持久走・長距離走	1	2	3
	走り高跳び	1		
	走り幅跳び	1	1	
	ドッジボール	1	2	
	サッカー・フットサル		1	6
	ソフトボール		4	3
	バレーボール			3
	バスケットボール		1	2
	バドミントン		1	1
	球技（その他）	2		
	柔道			1
	剣道			1
	準備・整理運動			1
	スキー	1		
	縄跳び	2		
	筋力トレーニング	1		
	その他	2	1	
	運動なし			1
合計		15	20	25

場合	競技種目	小学校	中学校	高等学校等 高等専門学校
体育的部活動	水泳部		3	
	器械体操・新体操部		1	1
	陸上競技部	1	4	3
	サッカー・フットサル部		5	3
	テニス部(含ソフトテニス)			3
	ソフトボール部	1		2
	野球部(含軟式)		2	38
	ハンドボール部		1	3
	バレーボール部		2	3
	バスケットボール部		9	5
	ラグビー部			5
	卓球部		1	
	バドミントン部		2	3
	ホッケー部			2
	柔道部		3	3
	剣道部		1	
	その他部活動			2
小　計		2	34	76
文化的部活動			1	1
その他		2		1
合計		4	35	78

3 事故事例とその防止のための留意点

(1) 用具や器具の使用の場合

学校における体育・スポーツ活動には，用具・器具の使用を伴う頻度が高い。そのため，用具・器具に起因する負傷・疾病や障害発生の件数も少なくない。先述の通り，障害の発生件数の多い「野球」や「ソフトボール」活動時の用具の使用については，打撃や守備における事故を防止するために，教員・スポーツ指導者による児童生徒の発達の段階や技量に応じた打撃方法やバット･ボール等の仕様，多様な防球ネットの活用，「周囲に人がいないか確認した後にスイングする」などの活動時のルールの設定が必要となる。なお，事故防止の実践例を蓄積する上で，JSCによる2018（平成30）年「学校における体育活動での事故防止対策推進事業」では，野球における事故防止の具体例[7]が発表されている。また，2022年にはJSCにより，運動部活動中の事故の傾向と予防の留意点について，運動のタイプ別に取りまとめたパンフレットが刊行されているため一読を勧める[8]。

次に，大多数の学校に設置されているサッカーゴールやハンドボールゴールに起因する事故について取り上げたい。JSCに設置された事故防止対策ワーキンググループ（以下，WG）によると，2013～2015（平成25～27）年におけるゴール等に起因した事故は，3,791件発生している[9]。その発生件数全体の26.1％（989件）を占めているのが「運搬中落とす，はさむ」であった。なお，運搬中の事故の989件中，739件（74.7％）が中学校で発生している。運搬中にゴールが傾いたり，過って手を離したりすることによって自身の足に落下したりするなどの事故が多い。そのため，WGでは「必ず指導者の立会いのもと，『移動』『設置』を行う」「全員が大きな声で声掛けをする」ことを提唱している。

また，死傷・障害の重大事故に繋がるゴールの転倒は，先の調査期間内に223件，発生している。その内訳は「ぶら下がって倒れた」「風で倒れた」「風以外で倒れた」となっている。2021年にも，中学生が杭等で固定されていなかった「ハンドボール用ゴールのバーにぶら下がったところ，足がネットに引っかかり，ゴールごと転倒した。右前頭部をバーで強打し，右眼を失明した。」[10]と報告されている。重りや杭で固定されていないゴールはぶら下がっただけで転倒の恐れがある[②]ため，当該WGではゴールに「ぶら下がり」「跳びつく」などの行為は命に関わる危険な行為であると警鐘を鳴らしている。これらの人的要因に加えて，強風等の環境要因によってもゴールは転倒する。WGは，強風を受けた際にゴールを倒す力を数値計算によって導き出して，その危険性を示している[11]。体育授業等で強風によって転倒したゴールが生徒に当たるなどの事故も発生しているため，重りや杭などの転倒防止策を講じなければならない。

ここまで，球技の用具・器具に関する事故を中心的に取り上げたが，跳び箱や高跳びなどその他の種目についても，移動や取り扱いに留意が必要であることは言うまでもない。児童生徒が安全に活動するためにも，その用具・器具の取り扱いについて教員・指導者が利用上のルールの取り決めを行う等，事故防止に向けた取り組みが必要である。

⑵ 指導の「環境の設定」

体育・スポーツ活動を安全に実施するためには，授業・練習時の「環境の設定」にも十分な注意が必要である。特に配慮しなければならないのが，活動・競技空間内や外における人・ボール等用具の「侵入」やそれらとの「接触」であろう。これらを防ぐためにも，練習フィールドおよびコートの間隔，人・ボール等を侵入させないための衝立や防球ネット，壁への衝突を防ぐためのクッションマット等の事前の設置が必要となる。その際も，先述のソフトボール・野球の事故防止の取り組みにおいては，フレームにボールが跳ね返らない仕様の防球ネットの使用や，防球ネットを連ねる場合はボールが通過しない様に隙間なく設置すること，イレギュラーバウンドが生じることを減らすために頻繁なグラウンドの整備等が提唱されている。だが，ネット等の設置のみならず，貫通や緩衝時の歪みによる衝突が

---

②WGは，重りや固定をしないサッカーゴールの転倒に要した引っ張る力を計測した結果を素材・仕様に分けて示している。すなわち，標準のアルミ製ゴールでは約24kgf，奥行きが深いアルミ製ゴールで約33kgf，鉄製ゴールの場合は約50kgfであった。なお，中学生男女10人が1人ずつぶら下がって揺らした場合の水平荷重は，平均で29kgf（最大41kgf）であった（kgf＝重量キログラム）。

懸念されるため，ネットから離れて位置取ることも併せて指導したい。これらはソフトボール・野球のみならず体育・スポーツ指導においては共通した対策と言えよう。

その他の事故防止については，人やボール等の移動の「方向性や範囲を限定」することが考えられる。例えば，人であればマット運動や跳び箱，短距離走・ハードル走等々の進行方向，ボール等であればパス，シュート，スパイク，バッティングの移動方向を統一する必要がある。また，守備範囲などの行動範囲を限定することや，仲間との意思確認を行うことも必要である。これらは侵入・衝突を防ぐと共に，効果的なネットの設置や児童生徒の集散にも繋がる。さらに，「実施の順序」や「実施時間」の決定など，教員・指導者と活動する児童生徒が，「誰が，いつ，どこで，何をするか」を明確にすることも安全を確保する上で肝要である。

⑶ 注意義務と安全教育

体育・スポーツ活動には怪我をするリスクが内在している。体育・スポーツ指導者は，それらのリスクから児童生徒を保護するために，事故防止に向けた安全配慮義務（債務不履行責任）がある。教員・スポーツ指導者の過失によって事故を起こしてしまった場合，注意義務違反には事故の発生を予見することが可能であったかという結果予見義務や，事故を回避できたかという結果回避義務に違反があったとして民事責任（不法行為責任）を負う。体育・スポーツ指導における注意義務は様々あるが，ここでは「練習・試合前」「練習・試合中」「事故発生後」の時系列で整理された内容を取り上げたい[12)]。

「練習・試合前」には，①スポーツに伴うリスクや安全な実施方法などを説明する義務，②用具・器具に不備がないかを確認する義務，③施設に不備がないかを確認する義務，④健康状態把握義務，体調管理義務がある。

また「練習・試合中」においては，①技量に応じて段階的に指導を行う義務，②適切な指導を行う義務，③具体的な実技指導において安全に配慮する義務，④危険行為を静止する義務，⑤直接指導をしていない者の安全を確保するための監視体制を構築するなどの監視義務・適切な監視体制を構築する義務がある。

「事故発生後」においては，①事故を早期に発見し，迅速かつ適切に救護する救護義務，②適切な救護体制を構築する義務がある。

これらは一例であるが，過去の事故事案から上記の注意義務が認められているということからも，体育・スポーツ指導者は留意事項として把握する必要がある。また，体育・スポーツ活動においては，教員・スポーツ指導者の安全配慮を前提とした上で，児童生徒が自らの安全を管理しながら活動を行うことができるよう，安全教育にも目を向ける必要がある。近年は思考力・判断力・表現力の育成の観点から，児童生徒が活動を通じて課題発見や解決に取り組む場面が増加している。そのような時にも自ら危険予測・危険回避できるよう，日頃の活動から安全について指導を重ねていくことが求められる。こうした安全な体育・スポーツ活動を児童生徒と共に蓄積していくことが，生涯を見通した際に重要となる。

(4) 活動頻度と合理的な運営

教育課程内の体育授業は学習指導要領によって中学校体育分野は267単位時間，高等学校の科目体育は7～8単位と示されており，各学校で体育は週に2～3回程度実施される。一方，教育課程外の運動部活動では，学習指導要領に活動頻度について記されていないことから，一部の部活動で大会等での勝利にのみ力点を置き，長時間·日程に亘る過度な練習が行われ，スポーツ外傷・障害，バーンアウトの発生リスクを高めるなど生徒の心身の健康・安全上の課題が指摘されていた。

これらの課題に対して，スポーツ庁は，義務教育である中学校を主な対象として「学校部活動及び新たな地域クラブ活動の在り方等に関する総合的なガイドライン」[13)]を示し，スポーツ医·科学の見地から活動時間は1日2時間程度，休業日は3時間程度とする基準を示している。また，学期中は，週当たり2日以上の休養日を設けることを示している（平日は少なくとも1日，土·日曜日の週末は少なくとも1日以上，週末に大会参加等で活動した場合は休養日を他の日に振り替える）。さらに，生徒が十分な休養を取ることができるとともに，学校部活動以外にも多様な活動を行うことができるよう，長期の休養期間（オフシーズン）を設けることも示されている。

また，毎年度「学校の運動部活動に関わる活動方針」を校長が策定することが示されている。その際，運動部顧問は，年間の活動計画（活動日，休養日及び参加予定大会日程等）並びに毎月の活動計画及び活動実績（活動日時・場所，休養日及び大会参加日等）を作成し，校長に提出することとなっている。

このように部活動の在り方が時代に応じて変化しているため，担当する教員・スポーツ指導者にも限られた時間の中で合理的に指導する専門的な知識（技術・戦術・心理・スポーツ科学等）とスキル（コミュニケーションスキル等）が必要になる。そこには，これまでの部活動に対する考え方について更新を迫られることも少なくないだろう。だが，健康・安全で持続可能な部活動の実現を図るためには，教員・スポーツ指導者個人の取り組みのみならず，生徒・保護者・学校・地域社会も考え方を更新し，全体が一丸となって取り組まなければならない。

(5) 児童生徒の身体特性

学校保健安全法施行規則の一部改正により，2016（平成28）年から健康診断において「四肢の状態」が必須項目として追加され，四肢の形態及び発育並びに運動器の機能状態を検査することとなったのは記憶に新しい。この背景には，運動過多や早期の専門化など過剰な運動に関わる問題と，運動不足に関わる問題をチェックすることにある。それほど現在の子供達は，運動過多と運動不足に二極化していることが理解できるだろう。

特に後者の運動不足に起因する立位・座位姿勢の不安定性や，足裏形態の発育・発達の課題は，負傷の頻度を高めたり，重症化を招いたりすることが考えられる。また，運動によって育成される諸能力が育成されないことにより，運動実施において重要な能力とされる分化能力や定位能力[③]不足が懸念される。前者は，自らの身体や用具を正確に操作する能力[14]であるため，かばうなどの回避行動が困難な場合が考えられる。後者は，決められた場所や動いている相手・ボールの状態（位置，方向，距離，速さなど）

---

③あらゆる運動に共通する基本的な能力とされる「動作コーディネーション能力」の5つ（反応能力・バランス能力・リズム化能力・定位能力・分化能力）をHirtzによって定位され，児童期に育成することが必要であることを提唱している。なお，動作コーディネーションをシュナーベル／マイネルは「目標や目的を目指して，動作，そしてその基礎となっている感覚運動過程を組織化すること」と示している。

に対して，予測性を伴いながら素早く正確に時空間を把握する能力[14)]であるため，人やボールとの衝突の予測が困難であることが考えられる。

このような子供たちの現状を鑑み，日本学術会議[15)]は日常生活や体育・運動遊びで出現する基本的な動きが習得されなければ,「安全かつ効果的な運動や遊びの実施の妨げとなり，子供の体力が更に低下する」と警鐘を鳴らし，幼児期から児童期に，適切な動きを獲得できるように，教育行政に対して組織的な取り組みが必要であることを提言している。

4 体育・スポーツ活動において注意すべき外傷・疾病

(1) 頭部外傷（脳振盪）

体育・スポーツにおける頭部外傷は少なくない。その中でも発生頻度の高いのが「脳震盪」である。脳震盪は衝突・転倒等の頭部・顔面・頸部への直接的な打撃や，頭部へ伝達する他の体の部分への衝撃によって間接的にも生じる。脳振盪の症状としては，頭痛，吐気・嘔吐等の症状，意識消失，ふらつき等のバランス障害，転倒時の防衛反応の消失等の身体的兆候，頭を打った前後のことを覚えていない健忘，混乱等の認知障害，睡眠・覚醒障害の自覚症状などが確認される。これらの１つでも確認されれば，脳振盪の疑いがある。脳振盪は多彩な症状に加えて，症状の変化も早いため，時に受傷した児童生徒が活動への復帰を申し出ることがある。しかしながら，脳振盪の症状及びその疑いがあった時点で直ちに活動は中止し，当日の活動参加の中止も伝えなければならない。なぜなら，一度脳振盪を起こすとその後数週間は2度目の脳振盪が起こりやすい状態となっており，繰り返し受傷することによって重症化や慢性化に結びつくことが報告されているためである[16)]。そのため，受傷後は専門の医療機関を受診し，脳振盪と診断された場合は，その後も自覚的・他覚的症状が消失するまで競技復帰は許可されることはなく，復帰も段階的に行われる[17)]。

脳振盪は，部活動の練習・試合時のみならず，体育授業においても受傷する可能性がある。したがって，教員・スポーツ指導者が脳振盪を受傷したことにいち早く気づき，活動・競技をやめさせなければならない。その認識ツールとして国際スポーツ脳振盪会議「スポーツにおける脳振盪に関する共同声明」が非医療従事者向けに示している「脳振盪を疑ったときのツール5：Concussion Recognition Tool 5（CRT5）[④]」が有用である↗図1[18)]。

CRT5にも示されているが脳振盪の可能性のある者は，最初は一人にさせない，生徒は一人で帰宅させない，などの対応に加えて，学校の場合は連絡体制を整えるなど悪化に備えた体制を整えておくことも重要である。ここでは脳振盪を中心に取り上げたが，他にも，体育・スポーツ活動における頭部・頚部や背部等の外傷等が発生した後に，脳脊髄液が漏れ出し減少することによる「脳脊髄液減少（漏出）症」が生じることがある。このように，頭部外傷には多様な疾患があるため，受傷後は早期に専門の医療機関を受診することが望まれる。

(2) 熱中症

熱中症は暑熱環境によって生じる障害の総称であり，熱失神・熱痙攣（けいれん）・熱疲労・熱射病の病型がある。学校の管理下における熱中症の大部分が体育・スポーツ活動において発生している。病型に明確な区分けはなく，脱水，塩分の不足，循環不全，体温上昇などが様々な程度に組み合わさっている。症状は，病型に応じて，めまいや痙攣，全身倦怠（けんたい）感，脱力感，吐気，嘔吐，頭痛などが生じる。運動強度が高いと，脱水が生じなくとも体温が上昇し，発症の危険性が高まる。これまでも学校において熱中症による死亡事例も発生していることからも，教員・スポーツ指導者は予防策と発生時の対応を理解しなければならない。

JSCは熱中症予防として5つの原則を示している[19)]。①環境条件を把握し，それに応じた運動，水分補給を行うこと，②暑さに徐々に慣らしていくこと，③個人の条件を考慮すること，④服装に気を付けること，⑤具合が悪くなった場合には早めに運動を中止し必要な処置をすること，である。

---

④2023年にCRT6が示されている（https://doi.org/10.1136/bjsports-2023-107021）。今後，日本語版の発表が待たれる。

脳振盪を疑ったときのツール(CTR 5©)

こどもから大人まで脳振盪を見逃さないために

脳振盪を疑ったら，速やかにプレーを中止する

頭を打つと，ときに命にかかわるような重い脳の損傷を負うことがあります。このツールは，脳振盪を疑うきっかけになる症状や所見についてご案内するものですが，これだけで脳振盪を正しく診断できるわけではありません。

ステップ1：警告ー救急車を呼びましょう

以下の症状がひとつでもみられる場合には，選手を速やかに，安全に注意しながら場外に出します。その場に医師や専門家がいない際には，ためらわずに救急車を呼びます。

- くびが痛い／押さえると痛む
- ものがだぶって見える
- 手足に力が入らない／しびれる
- 強い頭痛／痛みが増してくる
- 発作やけいれんがある
- 一瞬でも意識を失った
- 反応が悪くなってくる
- 嘔吐する
- 落ち着かず，イライラして攻撃的

注意

- 救急の原則(安全確保＞意識の確認＞気道／呼吸／循環の確保)に従う。
- 脊髄損傷の有無を早期に評価することはとても重要。
- 応急処置の訓練経験がない人は，(気道確保の際を除き)選手を動かさない。
- 応急処置の訓練経験がない人は，ヘルメットなどの防具を外さない。

ステップ1の症状がなければ，次のステップに進みます。

ステップ2：外から見てわかる症状

以下の様子が見られたら，脳振盪の可能性があります。

- フィールドや床の上で倒れて動かない
- 素早く立ち上がれない／動きが遅い
- 見当違いをしている／混乱している／質問に正しく答えられない
- ボーっとしてうつろな様子である
- バランスが保てない／うまく歩けない
- 動きがぎこちない／よろめく／動作が鈍い／重い
- 顔にもけがをしている

ステップ3：自分で気がつく症状

- 頭が痛い
- 頭がしめつけられている感じ
- ふらつく
- 嘔気・嘔吐
- 眠気が強い
- めまいがする
- ぼやけて見える
- 光に過敏
- 音に過敏
- ひどく疲れる／やる気が出ない
- 「何かおかしい」
- いつもより感情的
- いつもよりイライラする
- 理由なく悲しい
- 心配／不安
- 首が痛い
- 集中できない
- 覚えられない／思い出せない
- 動きや考えが遅くなった感じがする
- 「霧の中にいる」ように感じる

ステップ4：記憶の確認

(13歳以上の選手が対象です)

以下の質問(種目により修正が可能です)に全て正しく答えられないときは，脳振盪を疑います。

- 今日はどこの競技場／会場にいますか？
- 今は試合の前半ですか，後半ですか？
- 先週／前回の対戦相手は？
- 前回の試合は勝ちましたか？
- この試合で最後に点を入れたのは誰ですか？

脳振盪が疑われた場合には…

- 少なくとも最初の1～2時間は，ひとりきりにしてはいけません。
- 飲酒は禁止です。
- 処方薬も市販薬も，原則として飲んではいけません。
- ひとりで家に帰してはいけません。責任ある大人が付き添います。
- 医師からの許可があるまで，バイクや自動車を運転してはいけません。

このツールはこのままの形であれば，自由に複写して個人やチーム，団体，組織に配布していただいてかまいません。ただし，改訂や新たな電子化には発行元の許可が必要で，いかなる内容変更も再商標化も販売も禁止です。

脳振盪が疑われた場合には，競技や練習をただちに中止します。たとえすぐに症状が消失したとしても，医師や専門家の適切な評価を受けるまで，プレーに復帰してはいけません。

図1 脳振盪認識ツール5(日本脳神経外傷学会スポーツ脳神経外傷検討委員会2017)

①の環境条件はWBGT（湿球黒球温度）によって評価することが望ましいとされる。熱中症予防運動指針によればWBGT21℃以上から熱中症による死亡事故が発生する可能性のある「注意」の段階となる。なお，WBGT25℃以上で「警戒（積極的に休息）」，WBGT28℃以上では「厳重警戒」となり，強度の高い運動や持久走などの体温上昇を伴う運動は避ける。さらに暑さに慣れていない人は運動中止が示されている。そして，WBGT31℃以上は「運動は原則中止」となる。

また，①の水分補給についても留意が必要である。暑熱環境下の運動による脱水は体重減少を引き起こす。体重の2％までの脱水は著しい体温上昇の危険性はないが，それ以降は1％の脱水につき直腸温の約0.3℃の上昇と，心拍数の約10拍／分の増加が引き起こされる[20)]。このように脱水は，熱中症を引き起こすのみならず活動・競技パフォーマンスにも影響が生じる。そのため，運動前と運動後に体重測定を行い，失われた水分を測る方法が活用されている。その他にも，自己評価として尿の色から確認することが用いられている↗図2。

発汗は水分と共に汗に含まれるミネラルも失うため，水分補給時には塩分を含む飲料やスポーツドリンクが有用である。なお，発汗が多いときに水やお茶などを大量に飲むと，血液や体液が薄まる「低塩分濃度血症」が起き，筋肉が痙攣したり，いわゆる「つったり」する。

体育・スポーツ活動における熱中症は様々な場所で発生することも把握しておきたい。その1つがJSCも対策を講じる「学校の屋外プールにおける熱中症」である[21)]。水温の上昇や水泳の特性である高い運動強度，口渇感を感じにくい等の要因によって生じており，2013年度から2017年度の5年間で発生した179件のうち「体育授業（107件：59.7％）」と「水泳中（92件：51.3％）」に多く発生している。熱中症は命に関わる重大な事故を招く危険性があるため，水泳やその他の授業においても教員・スポーツ指導者が休憩や水分補給を計画的に活動内容に組み込むことが必要である。また，児童生徒間でも体調不良者に気づいた場合はすぐに知らせるなどの連絡・報告体制も確立していき，相互に安全を確保することも考えられよう。なお，熱中症が発生した場合の対処として，JSCより対応フローが発表されているため，教員・スポーツ指導者は必ず確認する必要がある[22) ➜ 図3]。

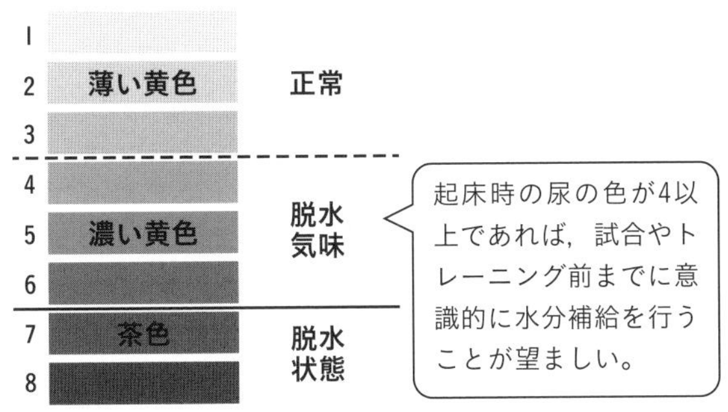

図2 脱水による尿の色の変化（国立科学スポーツセンター　2017）

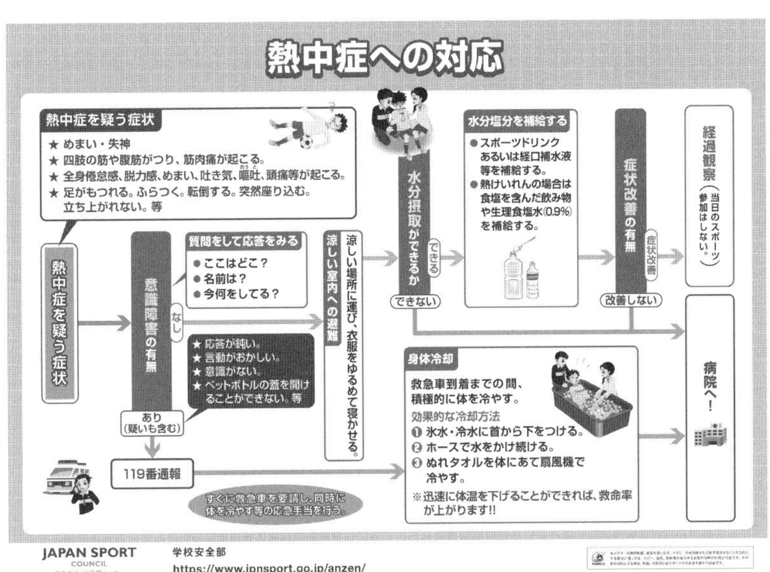

図3 熱中症対応フロー
（独立行政法人日本スポーツ振興センター学校安全部　2019）

練習問題

① 用具・器具に起因する負傷・疾病，障害が発生した体育・スポーツ活動を取り上げ，事故防止にむけた具体的な対策を示しなさい。

② 体育・スポーツ活動を取り上げ，熱中症防止に向けた具体的な対策を示しなさい。

（伊佐野龍司）

●引用文献

1）文部科学省（2017）『中学校学習指導要領解説保健体育編』25 東山書房
2）上掲　pp.246-247
3）伊藤雅充・菊幸一・菅原哲朗・大橋卓生・多賀啓（2019）コーチに求められる役割・『リファレンスブック』26-29 公益財団法人日本スポーツ協会
4）独立行政法人日本スポーツ振興センター（2022）『学校管理下の災害［令和4年版］』pp.98
5）上掲　pp.212-215
6）上掲　pp.28
7）田名部和裕（2019）「これで防げる野球練習中の事故」独立行政法人日本スポーツ振興センター学校安全部『平成30年度スポーツ庁委託事業成果報告書』pp.39-43
8）独立行政法人日本スポーツ振興センター（2022）『なくそう！運動部活動の事故』 https://warp.ndl.go.jp/info:ndljp/pid/12848785/www.jpnsport.go.jp/anzen/Portals/0/anzen/kenko/jyouhou/pdf/R3_undoubukatudou/nakusou_undoubukatsudounojiko.pdf
9）独立行政法人日本スポーツ振興センター（2018）『ゴール等の転倒による事故防止対策について』 https://www.jpnsport.go.jp/anzen/Portals/0/anzen/anzen_school/H29goalpost/H29goalpost.pdf
10）独立行政法人日本スポーツ振興センター（2023）『学校等事故事例検索データベース　障害見舞金（令和5年10月20日時点）』 https://www.jpnsport.go.jp/anzen/anzen_school/anzen_school/tabid/822/Default.aspx　2023年12月1日閲覧
11）前掲9）
12）前掲3）pp.115-117
13）スポーツ庁（2022）『学校部活動及び新たな地域クラブ活動の在り方等に関する総合的なガイドライン』 https://www.mext.go.jp/sports/content/20221227-spt_oripara-000026750_2.pdf
14）加納裕久・久我アレキサンデル・玉腰和典・丸山真司（2016）「幼児期における定位能力・分化能力の発達的特性：投・跳動作に着目して」『発育発達研究』70　pp.36-47　日本発育発達学会
15）日本学術会議健康・生活科学委員会健康・生活科学委員会（2017）『提言　子どもの動きの健全な育成をめざして―基本的動作が危ない―』 http://www.scj.go.jp/ja/info/kohyo/pdf/kohyo-23-t245-1.pdf
16）荻野雅宏・川本俊樹・新郷哲郎・金彪（2017）「スポーツ頭部外傷の管理と問題点」『脳神経外科ジャーナル』26（3）pp.195-199 日本脳神経外科コングレス
17）日本臨床スポーツ医学会学術委員会脳神経外科部会（2015）『頭部外傷10か条の提言 第2版』 http://sumihosp.or.jp/guide/schedule/documents/Protect_Your_Brain_2.pdf
18）荻野雅宏・中山晴雄・重森裕・溝渕佳史・荒木尚・McCrory Paul, 永廣信治（2019）「スポーツにおける脳振盪に関する共同声明―第5回スポーツ脳振盪会議（ベルリン，2016）―解説と翻訳」『神経外傷』42（1）pp.1-34
19）独立行政法人日本スポーツ振興センター学校安全部（2019）『熱中症を予防しよう―知って防ごう熱中症―』 https://www.jpnsport.go.jp/anzen/Portals/0/anzen/anzen_school/H30nettyuusyouPamphlet/h30nettyuusyou_all.pdf
20）国立科学スポーツセンター（2017）『競技者のための暑熱対策ガイドブック』24　https://www.jpnsport.go.jp/jiss/portals/0/jigyou/pdf/shonetsu.pdf
21）独立行政法人日本スポーツ振興センター（2019）『学校屋外プールにおける熱中症対策』 https://www.jpnsport.go.jp/anzen/Portals/0/anzen/anzen_school/H30nettyuusyouPoolPamphlet/h30nettyuusyou_pool.pdf
22）独立行政法人日本スポーツ振興センター（2021）『熱中症への対応』 https://www.jpnsport.go.jp/anzen/Portals/0/anzen/anzen_school/R3poster/B2_poster_nettyusyou.pdf

事後対応は果てしなく

「大怪獣のあとしまつ」(2022年)

筆者が編著者となっている書籍『レジリエントな学校づくり』(大修館書店，2019年）の中に，小学校で発生した火災の事例が載っている。校舎の理科準備室で発生した火災は1時間ほどで消火され，小学校児童，隣接する幼稚園児，中学校生徒はもちろん，教職員らにも一人も負傷者は出なかった。これで一安心と思いきや，そこからが大変であった。消防・警察による現場検証，煙が回った教室の環境衛生検査と清掃，時差登校による体育館での授業，ストレスチェックと心のケアなどに，長い時間と労力が費やされたのである。これが人的被害を伴う大災害であれば，事後対応は膨大な予算と人員，そして何十年もの時間を要することになる。

「大怪獣のあとしまつ」はこの事後対応を取り上げるという画期的な内容となっている。日本ではこれまで数多くの怪獣映画が作られてきたが，怪獣たちはビル，工場，鉄道，ダムなどを次々に破壊し，最後には人間や人間側に立つスーパーヒーローによって倒されていった。しかしその後の都市の復旧復興や倒された怪獣の処理が映画で取り上げられることはほとんどなかった。この映画は怪獣の処理のみに目を向けた怪作・珍作（？）である。

東京を破壊した大怪獣がなぜか突然絶命し，巨大な死がいをどうやって後始末すればよいのかが国の大問題となった。国務大臣たちは互いに処理の責任を押し付けあう。ところが怪獣の死体が観光資源として活用できると判断されると，怪獣に「希望」という名称までつけてしまう。その裏で政治家たちは自分が手柄をあげようと暗躍する。結局，怪獣の処理は首相直轄の特務隊が担当することになったのだが，なかなかうまく処理が進まない。時間が過ぎるにつれて死体の腐敗が進み，徐々に危険な状態となっていく。

本作の怪獣は「シン・ゴジラ」(2016年）を意識していると思われるが，「シン・ゴジラ」では東京を破壊する怪獣をどのように倒すかをテーマにした映画であり，いわば発生時の危機管理を取り上げていた。それに対して「大怪獣のあとしまつ」は事後の危機管理に当てはまる。前者が限りなくシリアスな表現に徹した映画であるのに対して，後者はシリアスなテーマをコミカルに表現した作品である。しかし，あまり笑えないようなギャグの数々は果たして必要であったかどうか。

学校安全管理の実際

- 学校安全管理は，対人管理と対物管理に分けられる。
- 対人管理は子供たちの心身の状態や行動についての安全管理である。
- 対物管理は環境の安全管理であり，学校保健安全法によって規定されている。
- 学校の管理下で子供たちが傷害等を負った場合には，災害共済給付制度を利用することができる。
- 学校の安全点検は，校舎内外の点検箇所ごとに定期的，日常的に実施する必要がある。
- 防犯に関する安全管理では，ハード面，ソフト面の両面から行う必要がある。

キーワード

対人管理
対物管理
災害共済給付
安全点検
防災
防犯

1 安全管理の意義と法的根拠

第Ⅰ章で述べたように，学校安全には安全教育と安全管理という二つの柱がある。学校における安全管理は，児童生徒等はもちろん教職員の安全を図るためにも不可欠な活動である。学校保健安全法によると，「学校の設置者は，その設置する学校の児童生徒等及び職員の心身の健康の保持増進を図るため，当該学校の施設及び設備並びに管理運営体制の整備充実その他の必要な措置を講ずるよう努めるものとする。」（第4条）とある。この記載は主に環境の安全に焦点を当てたものであるが，学校における安全管理は環境だけが対象となるわけではない。学校における安全管理とは，一般に↓図1に示したように対人管理と対物管理からなる。

特に対物管理では，学校環境の安全を図るための安全点検や環境改善が活動の中心となる。学校保健安全法施行規則においては安全点検に関して次のように定められている。

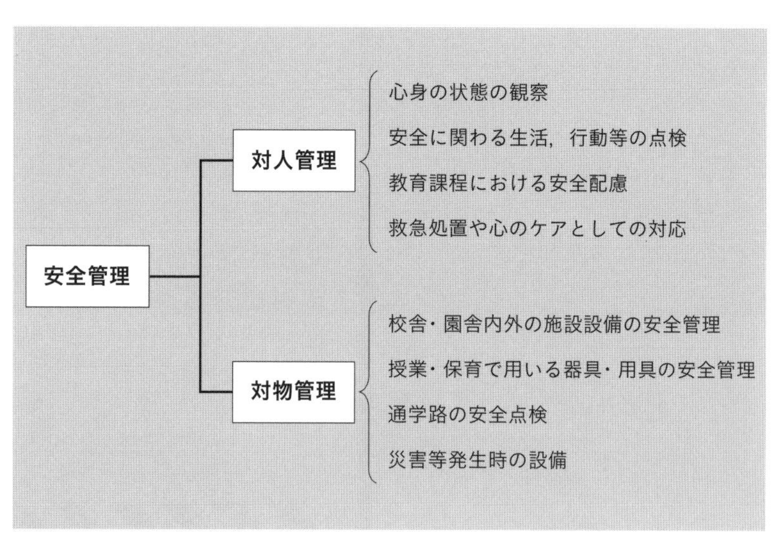

図1 安全管理の内容

学校保健安全法施行規則　第28条

「安全点検は，他の法令に基づくもののほか，毎学期一回以上，児童生徒等が通常使用する施設及び設備の異常の有無について系統的に行わなければならない。

2　学校においては，必要があるときは，臨時に，安全点検を行うものとする。」

さらに日常の環境の安全については次の通りである。

第29条

「学校においては，前条の安全点検のほか設備等について日常的な点検を行い，環境の安全の確保を図らなければならない。」

これらに基づき，安全点検は↓表1に示すように，「定期の安全点検」「臨時の安全点検」「日常の安全点検」に区分される。これらは計画的かつ確実に実施されなければならない。

表1 安全点検の根拠とその内容

安全点検の種類	時期や対象	対象
定期の安全点検	毎学期1回以上 (規則第28条第1項)	児童生徒等が使用する施設設備及び防火に関する設備など。
	毎月1回 (規則28条第1項に準じる)	運動場，教室，特別教室，廊下，昇降口，階段，便所，手洗い場，その他。
臨時の安全点検	必要に応じて ・学校行事前後 ・自然災害が予想される時 ・近隣で犯罪が発生した時 (規則28条　第2項)	それぞれの課題に応じて，点検項目を設定する。
日常の安全点検	施設設備の点検，危険物の除去を日常的に実施 (規則29条)	教育活動に関わる様々な場所や設備備品等。

2 対人管理の進め方

(1) 対人管理の内容

対人管理では学校における様々な活動を対象として，子供たちの心身状態の把握が必要となる。事故・災害の原因となる背景として，疲労や注意散漫，抑うつ気分，気持ちの高揚などが存在することが少なくない。学校行事などでは特に,子供たちの心身の状態をよく観察し，場合によっては行事への参加を見合わせたり，十分な休憩をとらせたりする必要がある。

また子供の生活や行動の点検も必要である。ライフスタイルの乱れなどに注意を向けることは，健康のみならず事故・災害防止に欠くことはできない。また暴力行為や自傷行為なども，安全管理の側面からも重要な課題である。

さらに教科における危険な行為，例えば体育科におけるルールを無視した行為，家庭科，技術科，あるいは理科における用具の不適切な使用法などは，本人はもちろん他者へ危害が及ぶ可能性が高い。教育課程におけるすべての学習行動の内容に対して，安全面からのチェックは不可欠である。また通学時の交通ルールの遵守の確認も重要である。これらの内容は安全指導と関連をもたせて実施することによって高い効果が期待できる。

教職員は常に災害の防止に努めなければならないが，もし学校の管理下において災害が発生した場合には，傷害等の状況に応じて医療費等が受けられる災害共済給付制度が利用できる。もちろん応急手当や心のケアについての理解を深め，スキルを高めておくことも大切である。

(2) 災害共済給付

学校の管理下で発生した災害に対し，我が国では共済給付制度が利用されている。この制度は1960（昭和35）年に日本学校安全会の発足とともに始められ，災害に応じた医療費･障害見舞金･死亡見舞金等の給付を行っている[2)]。現在は独立行政法人日本スポーツ振興センター(以下センター)が行っている。

この制度は，学校の設置者とセンターとの契約によって，共済掛金を保護者と学校の設置者が負担する。2023年現在，義務教育諸学校の掛金の年額は920円（沖縄は460円）となっている。給付の対象となる災害の範囲は巻末資料に示す（p.274参照）。なお負傷だけではなく，一部の疾病も対象となっている。

この災害共済給付の業務は，2005年3月よりオンライン化された（「災害共済給付オンライン請求システム」）。これは，給付金請求事務等の効率化及び迅速化を図ることと，学校災害に関する統計情報の充実を目指すためであり，従来手書きで行っていた災害報告書作成について，インターネット（災害共済給付システム）に接続されたパソコン上でデータを入力することが可能となった。

3 対物管理の進め方

(1) 対物管理の対象

前述したように「対物管理」とは，主に学校環境が原因となって生じる事故・災害を防止することを目的としている。この場合の環境とは，学校敷地内の環境すなわち校舎とその内外の施設設備全体と，通学路等を含む学校の管理下にあるすべての環境と考えることができる。対物管理の対象となる主な場所・箇所は➔P.158 表2に示す通りである。

校舎内，特に教室及び特別教室においては，倒壊・転倒・落下の視点から，備品等が固定されているかを確認する必要がある。もし問題があれば，確実に固定する，位置を変える（例えば落下の危険がある場合は下へ移動するなど）という対処を行う。廊下や昇降口は，災害発生時に避難する際の障害物がないか，滑りやすくないかという点検の視点も必要である。

校舎外では，運動場，校庭そして固定施設等が対象となる（➔P.159 表3）。例えば，小学校校庭の国旗掲揚ポールが倒壊して死亡事故が発生したことがあり，日頃から注意を払う箇所である。またサッカーゴール，防球ネットも強風などで転倒したり，破損したりしないかについて十分注意を払う。

表2 校舎内の主な安全管理箇所

場所	箇所	点検の視点
教室	・床，壁，出入り口，窓等 ・机，いす，テレビ，暖房器具等 ・戸棚，ロッカー等 ・黒板，額，鉢植え，水槽等	☑破損箇所はないか。 ☑金具等の摩耗はないか。 ☑倒壊，落下するおそれのある備品は固定してあるか。 ☑扉や窓は問題なく可動するか。
特別教室及び準備室	・薬品棚，ロッカー，実験用具 ・電源，ガス，水道 ・ピアノ，オルガン等 ・模型，木材，工具等	☑棚等は固定しているか。 ☑薬品等が転倒，落下しないか。 ☑ガス，電源等に危険はないか。 ☑教科の用具が安全に管理されているか。
ベランダ	・手すり，フェンス等	☑破損箇所はないか。 ☑不要物，危険物はないか。
廊下，階段，昇降口	・廊下，階段，踏み板 ・下駄箱，傘入れ，棚等	☑破損箇所はないか。 ☑滑りやすくないか。 ☑不要物，危険物はないか。
体育館	・床，壁，窓，出入り口等 ・体育施設・設備，用具等	☑床，壁等に破損箇所はないか。 ☑体育施設の固定箇所が破損していないか。 ☑体育用具や椅子が正しく保管されているか。
給食室	・調理台，レンジ等 ・刃物，食器等 ・ガス，電気，水道等	☑安全に機器が作動するか。 ☑調理器具等の保管は安全か。 ☑危険物，不要物はないか。 ☑床は滑りやすくないか。
便所，手洗い等	・便所，手洗い場，水飲み場	☑破損箇所がないか。 ☑滑りやすくないか。
防災設備	・消化器，消火栓，救助袋，ロープ等	☑適切に保管されているか。 ☑破損箇所はないか。
校舎の外壁	・壁，屋根等	☑亀裂，剥離等がないか。

表3 校舎外の主な安全管理箇所

場所	箇所	点検の視点
運動場 校庭 園庭	・地面，ポール，朝礼台等	☑地面に危険物がないか。 ☑ポールに腐食，亀裂がないか。 ☑朝礼台に破損箇所等がないか。
体育施設・設備，遊具	・固定鉄棒，ブランコ，雲てい等 ・サッカーゴール，防球ネット	☑破損，腐食箇所がないか。 ☑サッカーゴール，防球ネットが確実に固定されているか。
プール	・出入り口，更衣室 ・プールサイド，プール内 ・排(環)水口	☑破損，腐食箇所がないか。 ☑危険物がないか。 ☑排(環)水口に蓋をしてあるか。
倉庫	・扉，用具等	☑扉の鍵が壊れていないか。 ☑内部が整頓されているか。
自転車置き場，駐輪場	・自動車，自転車等	☑危険物，不要物がないか。 ☑正しい位置に駐輪，駐車しているか。
校門 通用門等	・門扉，塀(特にブロック塀)等	☑門扉が安全に作動するか。 ☑門扉の鍵が壊れていないか。 ☑インターホン，防犯カメラを設置している場合は確実に作動するか。 ☑塀，フェンスに破損箇所はないか。 ☑地震で倒壊する危険性はないか。
その他校庭	・植栽，花壇，外灯等	☑危険物がないか。 ☑枯れ木，割れた鉢などが放置されていないか。 ☑ローラー等が放置されていないか。 ☑外灯が点灯するか。

プールでは，遊泳中に排（環）水口に体の一部が吸い込まれ，児童が溺死するという事故が過去に発生している。特に排水口に蓋を確実に設置するという対処が必要である。またプールは使用期間中だけではなく，出入り口の管理など一年を通じて点検することも大事である（第５章参照）。

学外であるが通学路も安全管理の対象となる。通学路の安全管理では，交通安全，防犯，防災のそれぞれの視点で点検を行う。交通安全では学校や地域の交通状況を踏まえ，徒歩，自転車，バス・電車等の交通機関，二輪車・自動車それぞれの利用について，危険箇所の周知やより安全な通学路の確保などの対策を講じる。もちろん教職員だけではなく，警察やバス・鉄道会社関係者の協力を求める。防犯については安全マップ等を活用して，通学時の危険箇所や予想される犯罪などを児童生徒等と保護者に周知し，安全教育へつなげていく。「子ども緊急通報装置[①]」がある地域では，その場所の確認と利用についての指導を行う。防災では通学時に地震が発生した場合，塀の倒壊やビル・屋根からの落下物の危険性，通学時における非常時の避難場所等について確認を行う。また気象災害では，通学路近くで増水や氾濫の危険性のある河川，落雷の危険性がある場合の避難場所等について確認を行っておく。

環境の安全管理では，火災や地震等の災害発生時での学内の安全設備の作動についても注意を払う必要がある。例えば，非常ベル，防火シャッター，防火扉が正しく動作するかを，専門家の協力を得ながら点検を行う必要がある。特に防火シャッターは誤作動による事故の可能性があるため，十分な配慮が必要である。体育館も地震が発生した場合には身を守るものが少ないことから，災害発生時を想定した安全管理が必要であろう。

---

①「子ども緊急通報装置」は，子供が通学路や公園で犯罪に遭うことを防ぐために，各地の通学路や公園等に設置されている。事故・事件発生時に直接警察に通報できるシステムであり，犯罪等の早期解決に役立つことが期待されている。

⑵ 安全点検の方法

安全点検は学校安全計画に基づき，実施計画と点検表を作成する。点検表は自校他校の過去の事故実態も参考にしながら，場所や対象別に一覧を作成するとよい。日常の安全点検は教職員によって進められるが，専門家による点検が必要になる場合もある。例えば前述の防火シャッター等は，専門業者による点検が欠かせない。学校設備の腐食や亀裂なども専門家による定期点検を行う必要があるだろう。

安全点検は目視だけではなく，施設・設備の構造や材料によっては負荷に耐えられるかどうかなど，実際に接触し，作動させるなどによって確認する必要がある。そのためには，点検表に各施設・設備ごとに点検の観点・方法も記載しておくとよいだろう。

また定期点検にPTA・保護者が参加することも効果的である。教職員が日頃見慣れた環境では，意外と危険箇所を見落とす可能性もある。PTA・保護者による点検は，そのような見落としをできるだけなくす上で重要である。また教師立ち会いの下，児童会・生徒会の活動として，子供たち自身が日頃使用する備品などの安全点検に参加することも，自ら安全に行動する上で効果的な教育活動といえるであろう。

ところで第3次学校安全の推進に関する計画には「学校における施設・設備の定期点検に関する標準的な手法について検討が行われることが必要」とある。そこで2023年度には文部科学省による「学校安全の推進に関する有識者会議」において，学校における施設・設備の定期の安全点検等に関する標準的な手法の開発や専門的な知見を取り入れた外部人材等の活用について検討が行われ，安全点検要領が作られた[3)]。

⑶ 安全点検の事後措置

安全点検によって改善点が発見された場合は，できるだけ迅速・適切に修理修繕する必要がある。修理等の遅れは，事故の発生に直接つながる。

点検表の記載内容に基づき，危険箇所を特定し，修理修繕の計画を立てる。危険性の高いもの，使用頻度の高いものによって優先順位を決め，専門業者等に対処を依頼する。もし速やかに対処ができない場合は，施設・設備を使用禁止とし，場合によっては周辺立ち入り禁止とする。

修理修繕した施設・設備についての記録を確実に保管し，安全点検表にも記載しておくとよいであろう。事後措置はそこで終わりというのではなく，新たな安全管理のスタートととらえるべきである。

4 防災に関する安全管理

(1) 自然災害，火災に対する安全管理

自然災害，火災に対する安全管理は前述の対物管理の方法に準じて行うが，ここでは自然災害，火災独自の管理の視点をまとめておきたい。

まず校舎内外の点検箇所は次の通りである（←P.152 表2，←P.153 表3参照）。

- ☑地震による天井材，照明器具，その他の備品等の落下・破損・倒壊防止。
- ☑廊下，昇降口等の避難経路の確保状況。
- ☑防災設備の点検。
- ☑応急手当に用いる薬品等の点検。
- ☑固定遊具や塀（特にブロック塀）・門柱等の破損・倒壊の危険性を点検。

さらに，気象災害や津波で注意報，警報が発令された場合には，活動を中止する，保護者・関係者へ迅速に連絡できるように連絡網を確立しておく，という体制づくりも必要である。またできるだけ学内に複数の連絡回線を準備して，学外との連絡に支障がないようにしておくことが望ましい。もちろん防災においても災害の種類に応じた危機管理マニュアルを策定する。なお防災については第７章（p.105）を参照のこと。

(2) 原子力災害への対応

学校の周辺に原子力関連施設がある場合には，原子力災害が発生した場合を想定した対策を立てておく必要がある。放射性物質が排出された場合には，自分がどの程度の被爆被害があったかを知覚することは困難である。そのため緊急時には国や地方自治体等から早急に情報を得る必要がある。それに基づき屋内へ待避する，事故発生地域から避難するなどの対応をとる。また放射性物質を含む外気が室内に入らないようにする，身体につい

たと考えられる場合には早急に洗い落とすといった方法も効果的である。

5 防犯に関する安全管理

(1) 防犯対策のハード面

防犯は通常の安全管理に加え，不審者侵入に備えた危機管理が必要である。危機管理の考え方は第1章で詳述したが，ここでは防犯，特に不審者侵入に対する危機管理について具体的な説明を加えたい。

まず施設・設備面からの対応，すなわち「ハード面」からの対応がある。特に施設・設備面の防犯対策では，「視認性・領域性の確保」「接近・侵入の制御」という原則が挙げられる[4)]。すなわち見通しをよくして死角をなくすこと，そして犯罪を意図する者に対して学校の敷地内や建物内等への接近・侵入を防ぐことである。そのためには防犯カメラの使用，インターホンの設置と門のオートロック化，非常時の通報システムの導入，赤外線センサーの設置など，積極的な防犯設備の導入が考えられる。

もちろんこのようなハード面の強化は，後述のソフト面での危機管理抜きでは高い効果は期待できない。防犯カメラを設置しても意識的に見るという体制ができていなかったり，通報システムや赤外線センサーを解除したりしていては，不審者の侵入を容易に許してしまうことになる。ソフト面の強化があってこそ，ハード面も生きてくることを忘れてはならない。

不審者侵入時の危機管理では近年，登下校以外は原則として門は施錠するなど，管理が強化される方向にある。また「さすまた」のような防御具を備えている学校も増えつつある。しかし何よりも地域や関係機関・団体と連携しながら，地域全体の安全を図る努力をしなければならない。

(2) 防犯対策のソフト面

防犯対策のソフト面では特に重要なことは，危機管理体制を確立し，それに基づき実効性ある対策，とりわけ危機管理マニュアルを策定・運用することである。そのための要点は以下に示す通りである[5)]。

①校長，教頭及び安全担当等を中心にして，危機管理体制づくりを進める。

②家庭や地域の関係機関・団体と連携しながら，学校周辺等における不審者等の情報を把握する。
③様々な状況に応じて，実行可能で効果的な対策を講じる。
④地域の関係機関・団体と連携を図り，保護者や地域住民へ協力を求める。
⑤学校，地域等の状況に応じた危機管理マニュアルを作成する。
⑥その際，事件・事故発生時における対応の優先順位を明確にする。
⑦危機管理マニュアルを効果的に運用するために，適宜訓練を実施する。
⑧訓練によって得られた課題をもとに，危機管理マニュアルをより機能するものに改善していく。
⑨教職員に対して，危機管理に関する研修を積極的に行い，教職員の危機管理意識の向上，維持に努める。

不審者侵入時の危機管理マニュアルで取り上げるべき項目を，時系列に示したのが↗表4である。また巻末資料3に示したフローチャート(p.266)はチェックリストとしても使える。正当な来校理由をもたない来校者を校地内に入れないようにし，相手に退去を求めるとともに，すぐに警察へ通報する。なお教育委員会や周辺の他校へもできるだけ早く，事の次第を連絡することを忘れないようにする。

(3) 開かれた学校と防犯

学校の情報提供や施設開放などを含めた「地域に開かれた学校づくり」がこれまで推進されてきた。それに対して上記の学校の防犯対策は決して相反することではない。両者は同時に進めていくことが可能であり，むしろ地域の人々が学校へ集まることによって，多くの人の目による安全確保が図られることになる。学校の施設開放を行う場合には，来校者はあらかじめ学校へ来校理由などを伝えておく，開放部分ではない場所には立ち入らないなどのルールを守り，それによって安全で安心な「地域に開かれた学校づくり」が推進されることになる。

表4 不審者侵入時の危機管理の流れ

項目	対応
不審者の早期発見と確認	☑原則として校地内へ入れずに要件を確認する。 ☑校地内で不審者を発見した場合は声がけを行う。 ☑正当な来校理由がない場合には退去を求める。 ☑正当な来校理由であった場合には受付へ案内する。
人的な被害を防止する	☑対応した教職員が危険を察知したら，早急にほかの教職員に連絡すると同時に，警察へ通報する。 ☑暴力行為を働こうとした場合には，適切な防御を行うと同時に，速やかに児童生徒等を避難誘導する。 ☑負傷者が出た場合には応急手当を行うとともに，全員の安否を早急に確認する。
適切に事後対応する	☑事後対処のための組織を速やかに発動する。 ☑事件の状況を把握し，情報を整理する。 ☑保護者 ☑PTAと連絡をとる。 ☑再発防止に向けた対策を講じる ☑「心のケア」を行うための体制づくりをする。
全体を通じた共通事項	☑一箇所（例えば校長）に情報を集約し，正確に記録する。 ☑危機的状況に適切に対応できたか，見落としがないかを逐一確認する。 ☑すべてにおいて人命を最優先する。

練習問題

① 身近な学校を例にして，校舎内，校舎外の安全点検表を作成しなさい。

② 通学路の安全管理の項目を考えなさい。

（渡邉正樹）

●引用文献

1）文部科学省（2019）『学校安全資料「生きる力」をはぐくむ学校での安全教育』
2）独立行政法人日本スポーツ振興センター（2023）『令和5年度学校安全·災害共済給付ガイド』
3）文部科学省（2024）『学校における安全点検要領』https://anzenkyouiku.mext.go.jp/anzentenken/index.html
4）学校施設の安全管理に関する調査研究協力者会議（2002）『学校施設の防犯対策について』文部科学省
5）文部科学省（2018）『学校の危機管理マニュアル作成の手引』

子供たちによる過酷な避難

「みえない雲」（2006年）

2011年の東北地方太平洋沖地震によって福島第一原子力発電所ではメルトダウンが発生し，水素爆発により施設が大破し，大量の放射性物質が大気中や海へ放出された。この事故は世界中の人々を震撼させた。そしてこの大惨事を予想するかのように制作されたのがドイツ映画「みえない雲」である。主人公の高校生ハンナと弟ウリーは，母親の留守中に近くで発生した原発事故のため，二人だけで避難を余儀なくされる。町中が大混乱に見舞われ，逃げ惑う人々が暴徒化している中，自転車で避難する二人。しかし不幸にも弟ウリーは避難途中で交通事故により命を落としてしまう。絶望したハンナは放射性物質を含む雨に打たれて，一人崩れ落ちていく。

この映画の原作はチェルノブイリ原発事故の翌年である1987年に書かれている。映画化は2006年であるが，ドイツでは映画化されたおかげで人々の原子力災害に対する関心が高まったという話もある。しかし日本ではあまり注目されることはなかった。ところが福島第一原発事故後は，日本でもこの映画への関心が高まり，映画だけではなく原作（1987年には翻訳が発刊されている）やそれに基づくコミックも発刊され，舞台化もされている。

映画では原子力災害の恐ろしさだけではなく，実際の住民の状況を詳細に伝えている。実は一度も原子力発電所は登場しない。それどころか，どのような事故であったかも明らかにされていない。ときどきラジオやテレビの放送が入るものの，ほとんどハンナとその周囲の人々を通して語られるのみである。このように住民の視点で原発事故をとらえている点が，特に重要であると言えるであろう。

映画の後半では病院で治療を受けるハンナや友人が放射線障害で苦しむ姿が描かれる。このような状況になるのは決して空想の世界ではない。フィクションとして見るのではなく，これからの日本の在り方を考える道標ともなりうる映画である。原発事故を風化させないためにも，この映画や原作に関心を持ってほしい。

- ☑学校安全は，教師が行う安全管理だけではなく，児童生徒の発達段階に応じた安全教育の役割が重大であり，この2つが両輪となって推進される。
- ☑安全教育は教科課程全体で行われるため，カリキュラム・マネジメントが重要になる。
- ☑安全教育は，これまでの「ルールや約束」中心の学習から「危険予測・回避」の学習へ重心を移していく。
- ☑性犯罪・性暴力を防止するための「生命（いのち）の安全教育」が推進されている。

10 安全教育の進め方

キーワード

危険予測・回避能力

教育課程

カリキュラム・マネジメント

1 安全教育の目標

(1) 安全教育で育成する資質・能力

第1章で述べたように，学校安全は安全管理と安全教育の取組で構成され，これらが学校安全の両輪となって推進される。学校の施設設備の安全点検などを含む安全管理は確実に実施しなければならない。しかし教職員による安全管理だけではなく，児童生徒等が自分自身で身を守り，進んで安全な環境を作っていくためには安全教育の役割が重大である。

小学校学習指導要領（2017年告示）解説総則編（以下「総則」）において，「健やかな体」（第１章第１の２の(3)）の中に安全に関して次の記述がある。

「安全に関する指導においては，様々な自然災害の発生や，情報化やグローバル化等の社会の変化に伴い児童を取り巻く安全に関する環境も変化していることから，身の回りの生活の安全，交通安全，防災に関する指導や，情報技術の進展に伴う新たな事件・事故防止，国民保護等の非常時の対応等の新たな安全上の課題に関する指導を一層重視し，安全に関する情報を正しく判断し，安全のための行動に結び付けるようにすることが重要である。」

安全教育の推進は，自他の安全を確保するための基礎を培い，さらに安全な社会づくりに参加・貢献することにつながる。

2017年3月に，「第2次学校安全の推進に関する計画」（以下「第2次計画」）が閣議決定され，今後の学校安全が目指すべき姿の一つとして「全ての児童生徒等が，安全に関する資質・能力を身に付けることを目指す」が挙がっている。また安全に関する教育の充実方策の中で，安全教育で育成する資質・能力とは囲みのように示されている。

また2019年版「学校安全資料「生きる力」をはぐくむ学校での安全教育」には，この資質・能力に基づいて校種別に安全教育の目標が示されている↗表1。このように発達段階に応じた安全教育が必要とされる。

【安全教育で育成する資質・能力】

（知識・技能）

様々な自然災害や事件・事故等の危険性，安全で安心な社会づくりの意義を理解し，安全な生活を実現するために必要な知識や技能を身に付けていること。

（思考力・判断力・表現力等）

自らの安全の状況を適切に評価するとともに，必要な情報を収集し，安全な生活を実現するために何が必要かを考え，適切に意思決定し，行動するために必要な力を身に付けていること。

（学びに向かう力・人間性等）

安全に関する様々な課題に関心を持ち，主体的に自他の安全な生活を実現しようとしたり，安全で安心な社会づくりに貢献しようとしたりする態度を身に付けていること。

表1 校種別における安全教育の目標[1)]

(1) 幼稚園
日常生活の場面で，危険な場所，危険な遊び方などが分かり，安全な生活に必要な習慣や態度を身に付けることができるようにする。また，災害時などの行動の仕方については，教職員や保護者の指示に従い行動できるようにするとともに，危険な状態を発見したときには教職員や保護者など近くの大人に伝えることができるようにする。
(2) 小学校
安全に行動することの大切さや，「生活安全」「交通安全」「災害安全」に関する様々な危険の要因や事故等の防止について理解し，日常生活における安全の状況を判断し進んで安全な行動ができるようにするとともに，周りの人の安全にも配慮できるようにする。また，簡単な応急手当ができるようにする。
(3) 中学校
地域の安全上の課題を踏まえ，交通事故や犯罪等の実情，災害発生のメカニズムの基礎や様々な地域の災害事例，日常の備えや災害時の助け合いの大切さを理解し，日常生活における危険を予測し自他の安全のために主体的に行動できるようにするとともに，地域の安全にも貢献できるようにする。また，心肺蘇生等の応急手当ができるようにする。
(4) 高等学校
安全で安心な社会づくりの意義や，地域の自然環境の特色と自然災害の種類，過去に生じた規模や頻度等，我が国の様々な安全上の課題を理解し，自他の安全状況を適切に評価し安全な生活を実現するために適切に意思決定し行動できるようにするとともに，地域社会の一員として自らの責任ある行動や地域の安全活動への積極的な参加等，安全で安心な社会づくりに貢献できるようにする。
(5) 特別支援学校及び特別支援学級
児童生徒等の障害の状態や特性及び発達の程度等，さらに地域の実態等に応じて，安全に関する資質・能力を育成することを目指す。

さらに学習指導要領の各教科等においても，安全に関わる内容についての資質・能力がみられる。たとえば小学校体育科保健領域では，思考力・判断力・表現力等について次のように示されている。

○小学校体育科保健領域・けがの防止

けがを防止するために，危険の予測や回避の方法を考え，それらを表現すること。

○同解説

けがの防止に関わる事象から課題を見付け，危険の予測や回避をしたり，けがを手当したりする方法を考え，それらを伝えることができるようにする。

また小学校特別活動では，学級活動の「日常の生活や学習への適応と自己の成長及び健康安全」や学校行事の「健康安全・体育的行事」に安全教育の内容が位置づいている。もちろん特別活動で育成すべき資質・能力は教科とは異なるが，教科と特別活動との関係について次の記述がある。

「特別活動では，各教科等で育成した資質･能力を，集団や自己の課題の解決に向けた実践の中で活用することにより，実生活で活用できるものにする役割を果たすものである。例えば『防災』に関しては，社会科で地域の地形の特徴や過去の自然災害について学び，理科で自然災害につながる自然の事物・現象の働きや規則性などを学んだりしたことを生かしながら，災害に対してどのように身を守ったらよいのか，実際に訓練しながら学ぶ。こうしたことを通して，各教科等で学んだ知識や技能などの資質・能力が，実生活において活用可能なものとなっていく」（小学校学習指導要領解説特別活動編）。

各教科等で育成すべき資質・能力があり，また同時に安全教育の資質・能力を育成していくことを目指すことになる。

⑵ 危険予測･回避能力とは

東日本大震災が発災した2011年には東日本大震災後に文部科学省による「東日本大震災を受けた防災教育･防災管理等に関する有識者会議」（以下「有識者会議」）の中間とりまとめにおいて，防災教育のあり方について次のように示されている。

「災害発生時に，自ら危険を予測し，回避するためには，自然災害に関する知識を身に付けるとともに，習得した知識に基づいて的確に判断し，迅速な行動を取ることが必要である。」

「想定を超えた自然災害から児童生徒等が主体性を持って自らの命を守り抜く，そのために行動するという『主体的に行動する態度』を身に付けることが極めて重要である。」

ここで「自ら危険を予測し，回避する」力は，それ以前より危険予測・回避能力として交通安全や防犯においてその重要性が論じられてきた。また「主体的に行動する態度」はそれ以降の安全教育において重視されるようになった。では危険予測・回避能力とはどのような能力であるか。危険予測能力とは「危険が存在する場面において，行動する前に危険を知覚し，それが身にせまる危険であるかどうか，重大な結果を招くかどうかを評価する能力」といえる。また危険回避能力とは，「危険予測に基づき迅速かつ的確に，より安全な行動を選択する能力」ととらえることができるであろう[2)]。特に心身に大きな被害をもたらすことが明らかであり，時には命を落とすような危険が存在する場合には，より安全な行動を選択することによって，確実に危険を回避することが必要となる。

もちろん実際にはほぼ同時に危険予測と回避を行わなければならないものであり，２つの能力を明確に区別することは困難である。しかし，防災を含む安全教育では両者を区別することで，学習内容を明確にすることが可能である。

危険予測と危険回避を，前述の有識者会議中間報告で述べている「知識の習得」「的確な判断」のそれぞれの段階で整理すると，↓表2のようになる[2)]。

表2 危険予測と危険回避の内容[2)]

	危険予測	危険回避
知識の習得	危険な場所, 危険な行動, 危険な状況変化に関する知識	危険の回避方法に関する知識
的確な判断	危険なもの(こと)は何か, なぜ危険なのか	最も適切な危険回避の方法は何か

危険予測に関する知識の習得では，危険そのものの基礎･基本を学ぶ。ここでは「場所・時間（季節）」と「行動」の視点が重要である。「場所・時間（季節）」とは，事件･事故が起こりやすい場所と時間（あるいは季節）があるということである。たとえば土砂災害では，それが発生しやすい場所がある。気象災害には「起こりやすい季節」がある。また「行動」の視点では，災害の発生場所へ戻るという「行動」，好奇心で災害の発生した場所へ行くという「行動」が挙げられる。なお危険回避に関する知識の習得は，災害発生時にとるべき安全な行動はもちろん，災害発生に対して備えるべき事柄も含まれる。的確な判断の段階では，自分の周囲で発生する可能性のある災害を取り上げ，習得した知識を当てはめる学習を行う。すなわち，習得した知識を活用して，思考・判断することであり，応用力を高めることである。

また有識者会議中間報告では「日常生活においても状況を判断し，最善を尽くそうとする『主体的に行動する態度』を育成する必要がある。」と述べられている。「主体的に行動する態度」とは，身につけた知識や判断力を避難行動のような迅速な行動につなげるための態度の育成が必要であることを示す➡図1[2)]。災害発生のメカニズムや適切な避難方法について理解していることはもちろん重要であるが，それがいざという時に行動へ移せるとは限らない。たとえば正常性バイアスや同調性バイアスが避難行動を妨げることがある。そのために「主体的に行動する態度の育成が必要なのである。

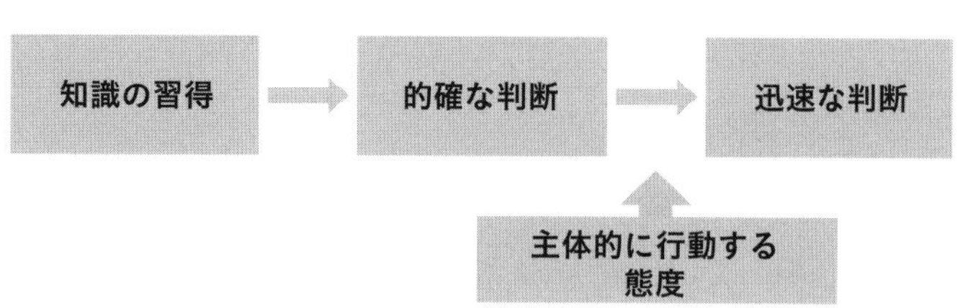

図1「主体的に行動する態度」の位置づけ[2)]

2 教育課程における安全教育

(1) 安全教育のカリキュラム・マネジメント

安全教育は特定の教科ではないため，各教科，特別活動，総合的な学習の時間・総合的な探求の時間，個別指導など教育課程全体に関わって行うことになる。中央教育審議会による「幼稚園，小学校，中学校，高等学校及び特別支援学校の学習指導要領等の改善及び必要な方策等について（答申）」（2016年12月，以下「答申」）において，「安全で安心な社会づくりのために必要な力」を「現代的な諸課題に対応できるようになるために必要な力」の1つとして挙げ，「資質・能力と教科等の関係を明確にし，どの教科等におけるどのような内容に関する学びが資質・能力の育成につながるのかを可視化し，教育課程全体を見渡して確実に育んでいくこと」を課題としている。カリキュラム・マネジメントは教育課程における教育活動全般に関わることであり，独立した教科ではない安全教育では，カリキュラム・マネジメントは特に重要と言える。

「答申」では➚P.175 図2のように，特別活動，社会，理科，体育・保健体育等に含まれる安全の内容とそれらの関連について示しているが，内容を学年や教科等で示しただけでは十分とは言えない。各教科等で目指す資質・能力はもちろん，発達段階と教科等横断型な視点を踏まえて，前述した安全教育による資質・能力の育成とどのようにつなげていくかを検討しなければならない。「総則」解説には，カリキュラム・マネジメントの参考となる小学校と中学校の詳細な資料「防災を含む安全に関する教育（現代的な諸課題に関する教科等横断的な教育内容）」が示されている。生活安全，交通安全，災害安全の中でも，特に災害安全（防災）に関する学習内容は各教科等に広く取り上げられており，自然災害の発生機序に関する知識は主に理科に，共助・公助の内容は主に社会，自助は主に保健体育に位置づいているととらえることができる。

以上のように教科横断型の教育課程編成を行うが，資質・能力の具体的内容や見方・考え方は教科等によって異なり，安全教育における資質・能力との整合性を図ることは決して簡単ではない。

⑵ 各校種，各教科等での内容

↗**図2**で示された各校種，主な教科等で扱っている内容は次の通りである。

1) 幼稚園

幼稚園教育要領の領域「健康」において，「危険な場所，危険な遊び方，災害時などの行動の仕方が分かり，安全に気を付けて行動する」が位置づいている。また解説においては「幼稚園生活の中で，危険な遊び方や場所，遊具などについてその場で具体的に知らせたり，気付かせたりし，状況に応じて安全な行動がとれるようにすることが重要である。さらに，交通安全の指導や避難訓練などについては，長期的な見通しをもち，計画的に指導すると同時に，日常的な指導を積み重ねることによって，安全な交通の習慣や災害などの際の行動の仕方などについて理解させていくことも重要である」とされている。さらに「幼児にとって，交通安全の習慣を身に付けること，災害時の行動の仕方や様々な犯罪から身を守る対処の仕方を身に付けることは，安全な生活を送る上で是非とも必要なことである。安全な交通の習慣や災害，あるいは不審者との遭遇などの際の行動の仕方などについては，幼稚園のある地域の特徴を理解し，それに対応した内容を計画的に指導するとともに，幼稚園全体の教職員の協力体制や家庭との連携の下，幼児の発達の特性を十分に理解し，日常的な指導を積み重ねていくことが重要である」ことが示されている。

単に決まりを守ることや習慣化を図ることだけにとどまらず，発達に伴って幼児自身が危険へ気づき，状況に応じた安全な行動を取ることが求められている。

2) 体育科，保健体育科

体育科，保健体育科では前述したように自助を中心とした内容が取り上げられている。

【小学校体育科保健領域】 第５学年の「けがの防止」の中で「交通事故や身の回りの生活の危険が原因となって起こるけがの防止」「けがの手当」が取り上げられている。「身の回りの生活の危険」には，学校生活の事故，水の事故，犯罪被害に関する知識が含まれ，「けがの手当」には「自らできる

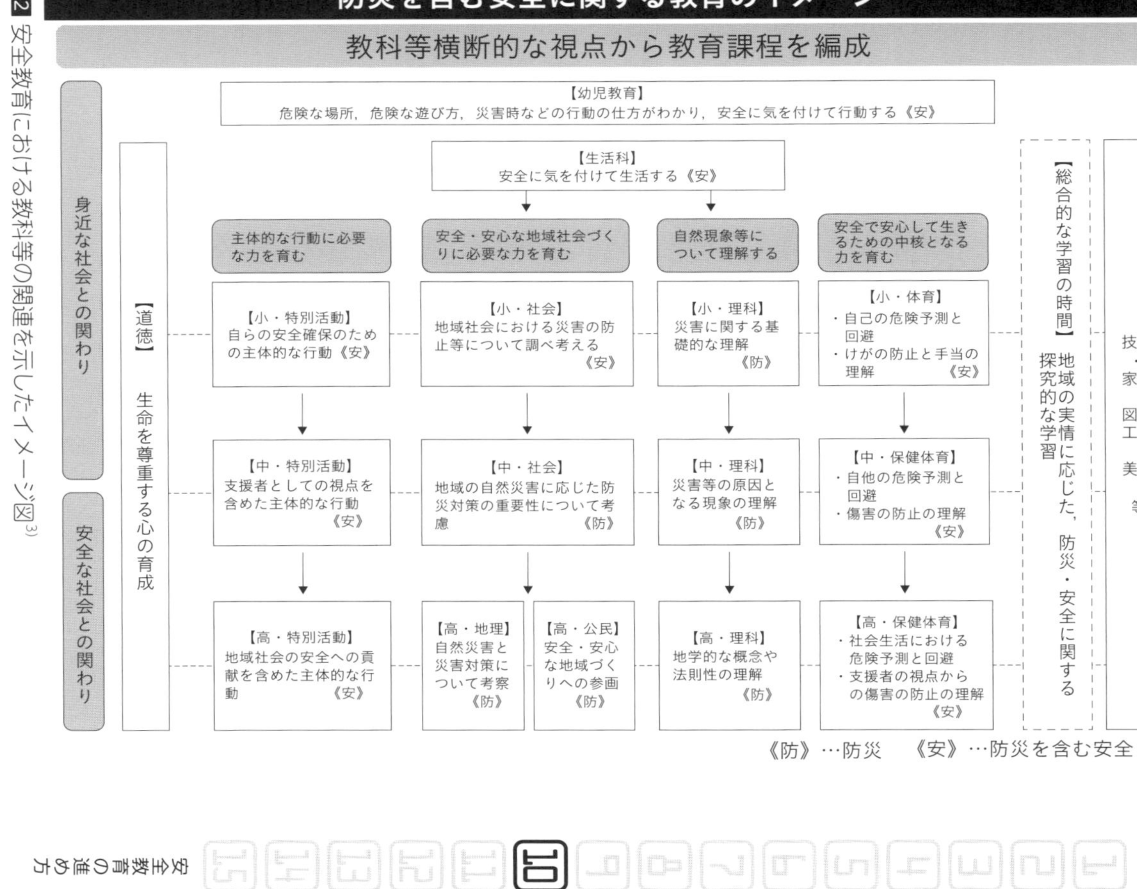

図2 安全教育における教科等の関連を示したイメージ図[3)]

簡単な手当ができるようにする」という技能が含まれている。思考力，判断力，表現力等としては「けがを防止するために，危険の予測や回避の方法を考え，それらを表現すること」とあり，前述の危険予測・回避能力の育成につながる学習を行うことになる。

【中学校保健体育科保健分野】第2学年の「傷害の防止」で「交通事故や自然災害などによる傷害の発生要因」「交通事故などによる傷害の防止」「自然災害による傷害防止」「応急手当の意義と実際」を学習する。「交通事故などによる傷害の防止」では「通学路を含む地域社会で発生する犯罪が原因となる傷害とその防止」を取り上げることに配慮することとなっている。「自然災害による傷害防止」では地震・津波災害に加え，気象災害や火山災害などにも触れることとなっている。「応急手当の意義と実際」では止血法や心肺蘇生法が取り上げられ，AEDの使用も含めて心肺蘇生法の実習を行う。思考力，判断力，表現力等では小学校同様に，危険予測・回避の学習が挙げられている。

【高等学校保健体育科科目「保健」】「安全な社会生活」として，「安全な社会づくり」「応急手当」を学習する。ここでは交通安全，防災，防犯が含まれる。

なお中学校，高等学校では，交通事故の被害者になることだけではなく，加害者になりうることも内容として取り上げられている。

3）社会科

【小学校社会科】第3学年の「地域の安全を守る働き」，第4学年の「人々の健康や生活環境を支える事業」「自然災害から人々を守る活動」，第5学年の「我が国の国土の自然環境と国民生活との関連」，第6学年の「国や地方公共団体の政治」等で安全に関わる内容を扱う。主として防災について地域の関係機関の役割など公助に関する内容が取り上げられている。

【中学校社会科】地理的分野で「日本の地形や気候の特色，海洋に囲まれた日本の国土の特色，自然災害と防災への取組などを基に，日本の自然環境に関する特色を理解すること」が，公民的分野で「防災情報の発信・活用などの具体的事例を取り上げること」が挙がっている。さらに地理的分野の内容の取扱いにおいて「特別活動における地域と連携した防災訓練と関連付けて，生徒が実際に避難する経路や，経路上の地形や危険な箇所，避難に適した場所を地図に表したりすること」が示されており，自助につながる学習も示されている。

【高等学校地理歴史科】「地理総合」における「自然環境と防災」に，「自然災害の規模や頻度，地域性を踏まえた備えや対応の重要性などについて理解すること」や「様々な自然災害に対応したハザードマップや新旧地形図をはじめとする各種の地理情報について，その情報を収集し，読み取り，まとめる地理的技能を身に付けること」が取り上げられている。また思考力，判断力，表現力等では「自然災害への備えや対応などを多面的・多角的に考察し，表現すること」とされ，地理情報に基づいて防災意識を高めることにつなげている。

【高等学校公民科】「政治・経済」における「現代日本における政治・経済の諸課題の探究」に「防災と安全・安心な社会の実現」が取り上げられ，ここでは「安全・安心な社会を実現するためには，安全・安心を脅かす要因から生命と財産を守るため政策の立案，実行が求められる。例えば，防災，減災の観点から既存の施設，設備を検証し，限られた財源の中で改修・改築，新たな構築に取り組むことが求められる」とし，「生徒自らが居住している地域の自然環境と防災，減災のための施設，設備や取組などについてその現状を調べる」活動が挙がっている。また「公共」でも内容の取扱いにおいて「防災情報の受信，発信などにも触れること」が示されている。

4）理科

【小学校理科】第４学年の「雨水の行方と地面の様子」「天気の様子」，第５学年の「流れる水の働きと土地の変化」「天気の変化」，第６学年の「土地のつくりと変化」等で，防災に関連する内容が扱われる。特に５，６年生の内容については「自然災害との関連を図りながら学習内容の理解を深めたりすること」が示されている。第５学年の「流れる水の働きと土地の変化」と「天気の変化」については，内容の取扱いで「自然災害についても触れること」となっている。第６学年の「土地のつくりと変化」では「土地は，火山の噴火や地震によって変化すること」が取り上げられ，内容の取扱いで「自然災害についても触れること」となっている。さらに「内容

の取扱いについての配慮事項」として，自然災害との関連として「天気，川，土地などの指導に当たっては，災害に関する基礎的な理解が図られるようにすること」が示されている。

【中学校理科第２分野】 全学年で自然災害に関する内容を扱い，「大地の成り立ちと変化」で「火山と地震」「自然の恵みと火山災害・地震災害」を，「気象とその変化」で「自然の恵みと気象災害」を学習する。

「大地の成り立ちと変化」では，地層や火山，地震について理解させ，特に「火山と地震」では「地震の体験や記録を基に，その揺れの大きさや伝わり方の規則性に気付くとともに，地震の原因を地球内部の働きと関連付けて理解し，地震に伴う土地の変化の様子を理解すること」となっている。その際，緊急地震速報との関連に触れることや，津波や液状化について触れることも示されており，発災時の対応につなげている。また「自然の恵みと火山災害・地震災害」では，「資料などを基に，火山活動や地震による災害について調べさせ，火山活動や地震発生の仕組みと関連付けて理解させる」ことが解説に示されている。

「気象とその変化」では，「自然の恵みと気象災害」で「気象現象がもたらす恵みと気象災害について調べ，これらを天気の変化や日本の気象と関連付けて理解すること」を学び，具体的には台風や洪水などが取り上げられる。

【高等学校理科科目「地学基礎」】「地球のすがた」で，「日本の自然環境を理解し，それらがもたらす恩恵や災害など自然環境と人間生活との関わりについて認識すること」を学び，特に「恩恵や災害については，日本に見られる気象現象，地震や火山活動など特徴的な現象を扱うこと。また，自然災害の予測や防災にも触れること」となっている。その際「自然災害の予測や防災については，例えば，地域の自然災害の予測や防災の必要性に気付かせ，地域の自然災害の実例や防災に関する資料，ハザードマップなどに基づいて，地域の自然災害の特徴を理解させたり，予測された被害を低減させる取組を立案させたりすることが考えられる。その際，他の地域や世界で起きた自然災害や災害対策と比較しながら考察させること」とし，防災につながる具体的な学習が位置付けられている。

【高等学校理科科目「地学」】同様に，防災の内容が位置付いている。しかし近年「地学」の履修者が減り，高校によっては履修できない場合も少なくない。自然災害や防災を学ぶ機会が減少することが危惧される。

なお理科では様々な観察や実験を行うが，保護眼鏡の着用による安全性の確保や着衣への引火に注意するなど，安全に配慮することが少なくない。実験器具の適切な使用と操作についての指導を徹底し，事故防止を図る。

5）特別活動

特別活動では学級活動・ホームルーム活動，学校行事に安全教育が位置づいている。

【学級活動】小学校を例にすると，「心身共に健康で安全な生活態度の形成」で「現在及び生涯にわたって心身の健康を保持増進することや，事件や事故，災害等から身を守り安全に行動すること」が取り上げられ，「安全に関する指導としては，防犯を含めた身の回りの安全，交通安全，防災など，自分や他の生命を尊重し，危険を予測し，事前に備えるなど日常生活を安全に保つために必要な事柄を理解する内容が挙げられる」とされている。さらに「防犯や交通安全，防災の指導を行うに当たっては，保護者や地域と連携するなどして作成した地域安全マップを活用するなど，日常生活で具体的に実践できるよう工夫することが大切である」とし，実践へつなげる重要性が示されている。

【学校行事】「健康安全・体育的行事」では「事件や事故，災害等から身を守る安全な行動や規律ある集団行動の体得」が取り上げられ，具体的には「避難訓練や交通安全，防犯等の安全に関する行事」が挙げられている。また実施上の留意点として，「避難訓練など安全や防災に関する行事については，表面的，形式的な指導に終わることなく，具体的な場面を想定するなど適切に行うことが必要である。（中略）さらに，遠足・集団宿泊的行事における宿泊施設等からの避難の仕方や地理的条件を考慮した安全の確保などについて適宜指導しておくことも大切である」と示されている。「健康安全・体育的行事」以外の学校行事においても，活動の中に避難訓練を位置付けたり，安全に関する指導を行ったりすることで，安全教育の効果が高まることが期待できる。

6）特別支援学校

特別支援学校に在籍する児童生徒等の安全を確保するためには，個々の障害の状態を適切に把握し，各教科並びに学級（ホームルーム）活動，自立活動においてはもちろん，学校全体として組織的・計画的な指導が必要とされる。特別支援学校教育要領・学習指導要領解説総則編（幼稚部・小学部・中学部）においては，幼稚部では「交通安全を含む安全に関する指導については，日常的な指導を積み重ねることによって，自ら行動できるようにしていくことが重要である」ことが記され，それが小学部以降の安全な登下校につながると指摘されている。また安全上の配慮として「友達の行動の危険性は指摘できても，自分の行動の危険性を予測できないということもあるので，友達や周囲の人々の安全にも関心を向けながら，次第に幼児が自ら安全な行動をとることができるように，障害の状態や特性及び発達の程度等に応じて指導を行う必要がある」とされている。

教科，特に知的障害者を教育する特別支援学校の小学部生活科では，安全に関わる「危険防止」「交通安全」「避難訓練」「防災」について３段階で内容が示されている。１段階では「身の回りの安全に気付き，教師と一緒に安全な生活に取り組もうとすること」「安全に関わる初歩的な知識や技能を身に付けること」，２段階では「身近な生活の安全に関心をもち，教師の援助を求めながら，安全な生活に取り組もうとすること」「安全や防災に関わる基礎的な知識や技能を身に付けること」，３段階では「日常生活の安全や防災に関心をもち，安全な生活をするよう心掛けること」「安全や防災に関わる知識や技能を身に付けること」が示されている。具体的には「危険防止」「交通安全」「避難訓練」「防災」が取り上げられているが，たとえば「危険防止」の第１段階では「危険な場所について知るとともに，身の回りにある小さな玩具や硬貨などを決して口に入れないこと，階段や段差などに注意して歩くことの指導内容がある。自分の身を守る適切な行動に気付くことが大切である」，第２段階では「安全な遊び方や遊具・器具の使い方を知ることなど，身近な生活の安全に関心をもつことが大切である」，第３段階では「自分で気を付けながら，安全に器具等を扱う，危険な場所や状況を知らせ自分から回避するなど，適切な対応ができることが大切である」などが学習内容として示されている。

これらは一部の内容であるが，児童生徒等の実態に即して安全な学習環境を整え，児童生徒自身が安全な行動をとることを可能にするために，関連教科，道徳，特別活動，自立活動において適宜指導を行っていくことになる。

7) 日常の学校生活における安全に関する指導

安全教育は,「朝の会」「帰りの会」「ショートホームルーム」等を利用した日常の学校生活における安全に関する指導として実施することが可能であり，効果的に活用することが期待できる。短い時間での指導となるが，最近メディアで取り上げられた事故や災害，あるいは教員が学校生活の中で気づいた危険等，児童生徒にとって身近で関心を持ちやすいテーマを取り上げることができる。また各教科や特別活動での内容を補完する機会ともなりうる。

3 安全教育の実際

(1) どのような学びが求められているか

安全教育についてはこれまでも数多くの実践が積み重ねられてきた。従来の安全教育の長所でもあり，短所でもある指導は,「約束やルールを守る」というものである。教員による適切な指示とそれを守ることは危機発生時では大変重要であるが，いつも教員や大人が子供たちの側にいるわけではない。子供たちの成長につれて，自分自身で危険を予測して，自分が判断して危険を回避しなければならない場面の方が多くなると考えるべきである。つまり「ルールや約束」中心の学習から「危険予測・回避」の学習へ，重心を移していくことになる。

また学習指導要領ではカリキュラム・マネジメントとともに「主体的・対話的で深い学び（アクティブ·ラーニング）」の視点からの指導の改善が求められている。単に教えられたことを守ることでは，主体的な学びとしては不十分であり，様々な状況で自分の身を守ることが困難である。

近年の安全教育では，前述したような自ら危険を予測し，回避する学習が増えてきたわけだが，例えば交通安全では交差点に差しかかる場面で出遭う危険をいち早く予測し，事前にその危険を回避する学習が行われることが一般的になった。地震災害を想定した避難訓練では，教室に児童生徒がそろっている時に限定せず，校庭にいる時，体育館にいる時など，あらゆる場合に発生する可能性を想定し，地震の際に物が「落ちてくる・倒れてくる・移動してくる」場所から離れるという学習が行われるようになった。予告なしの避難訓練も増えてきている。

このように自分自身の力で確実に自分の命を守ることを学習することが重要とされる。もちろん，安全教育では自助のみならず，共助はもちろん公助の学習へも広げていくことが必要である。そのためにカリキュラム・マネジメントにより教育課程の様々な場面で学ぶ機会を作って連携を図り，主体的な学びを中心とした学習を導入して，安全教育における資質・能力の育成を目指したい。

⑵ 安全教育方法の工夫

安全教育には多様は手法があるが，活動の目的ごとに1）～5）にまとめた。

1）身のまわりにある危険に気づく

事件・事故災害の原因と結果，環境と行動との関係について学ぶ。例えば具体的な事故事例を元に，第1章で取り上げたハドンのマトリックスを応用して，何が事故の主な原因であるのか，どのような改善が可能なのかについて学ぶ。また学校内や通学路の安全マップを作成して，交通事故や犯罪被害等が予想される場所を知り，危険回避の学習へつなげる。

2）身のまわりにある危険を回避する

子供たちを取り巻く危険に気づくとともに，それぞれの危険から身を守る手段を学ぶ。たとえば前述の安全マップで危険箇所を確認したならば，「危険な場所へは近づかない」「十分に注意を払う」「人通りの少ない時間帯での行動は避ける」等の対処が考えられるだろう。学校や地域の状況に合わせて，内容を工夫する。1）と2）を合わせて課題学習として展開することも可能であろう。

それ以外の工夫としては，雨の日の交通安全，授業時間以外での地震発生を想定した学習，校外学習での安全な行動など様々な設定での教育が可能であり，かつ必要である。

3) 危機的状況から身を守る

十分に注意を払っていても危機的状況に出遭ってしまうことも予想される。例えば通学中に不審者から声をかけられたり，車に連れ込まれそうになったりした場合を想定して，身を守る方法をロールプレイングによって学ぶという方法が考えられる。また自分自身だけではなく，友人や年少者が被害にあった場合を想定して，迅速かつ的確に警察や消防署へ通報する練習も効果的である。

4) 被害を少なくする

実際に傷害を負った場合を想定して，様々な応急手当を経験しておく。応急手当はその手技はもちろんのこと，周囲への連絡や二次被害の防止も含め，災害全体をシミュレーションして学習しておくのが望ましい。また心のケアについて学んでおくことも，自分自身だけではなく友人や家族への配慮を含め重要な学習内容である。

5) 安全なまちづくりについて学ぶ

学校や自分だけの問題ではなく，まち全体の安全を考える学習を取り入れる。例えば安全に関わる条例やボランティア活動の実態を調査することなどが考えられる。インターネットを活用して，海外情報を収集することもできるであろう。

安全教育の効果を上げるためには，子供たちだけではなく，様々な機会を通じて保護者に対しても，安全教育への理解と協力を求めていくことも大切である。家庭内での生活や下校後の外出では，学校の管理下以上に多くの危険が子供たちを取り巻いている。日頃の行動を振り返り，危険にいち早く気づき，それを回避することを家庭で学ぶことが大切である。またけがの経験を活かすことはもちろん，事故のヒヤリ・ハット体験を無視せず，次の事故の発生を防ぐという視点でヒヤリ・ハット体験を教材として活用することも安全教育の効果を高めることに役立つ。

4 「生命（いのち）の安全教育」の推進

第４章で取り上げたように，子供たちが被害者となる性犯罪の対策が喫緊の課題となっており，対策の一つとして「生命（いのち）の安全教育」が文部科学省を中心にして進められている。「生命（いのち）の安全教育」の目標は「性暴力の加害者，被害者，傍観者にならないようにするために，生命の尊さを学び，性暴力の根底にある誤った認識や行動，また，性暴力が及ぼす影響などを正しく理解した上で，生命を大切にする考えや，自分や相手，一人一人を尊重する態度等を，発達段階に応じて身に付ける。」[4] とされ，発達段階におけるねらいは↓表3に示す通りである。

表3 各段階における「生命（いのち）の安全教育」のねらい

発達段階		ねらい（概要）
幼児期		幼児の発達段階に応じて自分と相手の体を大切にできるようになっていく。
小学校	低・中学年	自分と相手の体を大切にする態度を身に付けることができるようにする。また，性暴力の被害に遭ったとき等に，適切に対応する力を身に付けることができるようにする。
	高学年	自分と相手の心と体を大切にすることを理解し，よりよい人間関係を構築する態度を身に付けることができるようにする。また，性暴力の被害に遭ったとき等に，適切に対応する力を身に付ける ことができるようにする。
中学校		性暴力に関する正しい知識を持ち，性暴力が起きないようにするための考え方・態度を身に付けることができるようにする。また，性暴力が起きたとき等に適切に対応する力を身に付けることが できるようにする。
高校		性暴力に関する現状を理解し，正しい知識を持つことができるようにする。また，性暴力が起きないようにするために自ら考え行動しようとする態度や，性暴力が起きたとき等に適切に対応する力を身に付けることができるようにする。
特別支援教育		障害の状態や特性及び発達の状態等に応じて，個別指導を受けた被害・加害児童生徒等が，性暴力について正しく理解し，適切に対応する力を身に付けることができるようにする。

各発達段階で取り上げる主な内容は↓図3で示すが，低年齢では「水着で隠れる部分」を守ることに重点が置かれ，発達とともにSNS使用上の注意や他者との距離感について取り上げられている。教材はパワーポイントで作成されている他，動画も使用可能である。なお性を扱う教材ではあるが，あくまでも性犯罪・性暴力防止のための内容であり，性教育と関連はあるものの性教育の教材そのものではない。

【幼児期】
- 「水着で隠れる部分」は自分だけの大切なところ
- 相手の大切なところを，見たり，触ったりしてはいけない
- いやな触られ方をした場合の対応　等

【小学校】
- 「水着で隠れる部分」は自分だけの大切なところ
- 相手の大切なところを，見たり，触ったりしない
- いやな触られ方をした場合の対応
- SNSを使うときに気を付けること（高学年）　等

【中学校】
- 自分と相手を守る「距離感」について
- 性暴力とは何か（デートDV，SNSを通じた被害の例示）
- 性暴力被害に遭った場合の対応　等

【高校】
- 自分と相手を守る「距離感」について
- 性暴力とは何か（デートDV，SNSを通じた被害，セクシュアルハラスメントの例示）
- 二次被害について　・性暴力被害に遭った場合の対応　等

【高校卒業前，大学，一般（啓発資料）】
- 性暴力の例　・身近な被害実態
- 性暴力が起きないようにするためのポイント
- 性暴力被害に遭った場合の対応・相談先　等

【特別支援教育】
- 小・中学校向け教材を活用しつつ，児童生徒等の障害の状態や特性及び発達の状態等に応じた個別指導を実施。

図3 「生命（いのち）の安全教育」の主な指導内容[4)]

練習問題

① 小学校における防犯を例としたカリキュラム・マネジメントを考えなさい。

② 防災を例として，中学生の危険予測・回避能力を高める学習内容を考えなさい。

（渡邉正樹）

●引用文献

1）文部科学省（2019）『学校安全資料「生きる力」をはぐくむ学校での安全教育』

2）渡邉正樹（2013）『今，はじめよう！新しい防災教育　子どもと教師の危険予測・回避能力を育てる』光文書院

3）中央教育審議会（2016）『幼稚園，小学校，中学校，高等学校及び特別支援学校の学習指導要領等の改善及び必要な方策等について（答申）』
http://www.mext.go.jp/b_menu/shingi/chukyo/chukyo0/toushin/1380731.htm

4）文部科学省『生命（いのち）の安全教育』
https://www.mext.go.jp/a_menu/danjo/anzen/index2.html

- ☑事故がなぜ発生したのかを明らかにすることは，同様な事故の発生リスクを軽減し，再発防止につながる。
- ☑事故が発生した場合，迅速な対応はもちろん，児童生徒に対する心のケアや保護者への十分な説明が必要である。
- ☑初期対応における，学校の保護者に対する姿勢は，その後の両者の関係に大きく影響する。
- ☑事故発生後の基本調査やその後の詳細調査は，責任追及や処罰等を目的としたものではない。

学校事故対応指針と事故調査

キーワード

学校事故対応指針
保護者対応
心のケア
初期対応
基本調査

1 事故発生後の対応に関する課題と対応

学校安全の取組としては，まず事件事故および災害の未然防止が求められるが，学校の管理下で発生する事故等を完全に防止することは，現実には極めて困難である。しかし発生後の対応が，被害を軽減したり二次被害を防止したりすることは言うまでもない。さらに，事故等がなぜ発生したのかを明らかにすることは，以後の同様な事故等の発生リスクを軽減し，再発防止につながる。したがって不幸にして事故等が発生した場合には，詳細に事故状況と原因を解明していくことは大変重要である。

2016年3月，文部科学省は「学校事故対応に関する指針」（以下，指針と略す）を取りまとめ，公表した。この指針は2014年度より「学校事故対応に関する調査研究」有識者会議が2年間かけて検討を重ねた成果である。この指針以前には，2010年に文部科学省より「子どもの自殺が起きたときの緊急対応の手引き」が発刊されており，この中では児童生徒の自殺が発生した際に行うべき事実の把握と遺族への対応を中心にした対応について示されている。「学校事故対応に関する指針」も同様の方向性をもちつつ，学校の管理下で発生する重大な事故に対応した指針となっている。

前述の有識者会議設置要綱には次のような記述がある。

「学校管理下において，事件・事故災害が発生した際，学校及び学校の設置者は迅速かつ適切な対応が必要である。具体的には発生原因の究明やこれまでの安全対策の検証はもとより，児童生徒に対する心のケアや保護者への十分な説明など各種の対応が含まれるが，十分でないと指摘される場合がある。」（下線は筆者による）

この有識者会議は学校安全や危機管理に関わる研究者や教育関係者だけではなく，過去に発生した事故や事件により家族を失ったご遺族も委員として加わった。それは前述の原因究明や保護者への説明等に関する内容について，被害児童生徒等の保護者（遺族を含む）の立場での検討を必要とするためである。本指針は特に「調査の実施」「被害児童生徒等の保護者への支援」がこの指針の特徴と言えるものである。

なお，この指針は2023年度に文部科学省による「学校安全の推進に関する有識者会議」によって改訂が行われた[1)]。改訂された指針では，目標が次のように新たに設定された。

「本指針は，学校の管理下における事故の未然防止を図るとともに，事故が発生した際，
・児童生徒等の生命と健康を最優先に迅速かつ適切な対応を行うこと
・これまでの安全対策の検証や発生原因の究明を行うこと
・児童生徒等に対する心のケアや保護者への十分な説明を行うこと
・再発防止などの取組を行うこと
により事故の被害を最小限にとどめることを目的に作成している。」

また，改訂指針の構成は次の通りである。

1　本指針の目的・対象・構成
2　事故発生の未然防止
3　事故発生に備えた事前の取組等
4　事故発生後の対応の流れ
　4－1　事故発生直後の取組
　4－2　初期対応時（事故発生直後～事故後１週間程度）の取組
　4－3　再発防止に向けた中長期的な取組（事故後１週間程度経過以降）：詳細調査の実施
5　調査の実施（基本調査・詳細調査）
　5－1　調査の目的・概要及び目標
　5－2　基本調査の実施（原則として，学校が実施）
　5－3　詳細調査への移行の判断
　5－4　詳細調査の実施
6　再発防止策の策定・実施
7　被害児童生徒等の保護者への支援

なお事故発生の未然防止や事故発生への備えについては，本書のほかの章で取り上げているため，本章では「4　事故発生後の対応の流れ」以降の内容について説明する。

2 事故発生直後の取組

事故発生時に最優先することは，傷病者の救命処置である。第一発見者は，被害児童生徒等の症状を確認し，近くにいる教職員，児童生徒等に応援の要請を行うとともに，被害児童生徒等の症状に応じて，速やかに止血や心肺蘇生などの処置を行う。傷病者の意識がない場合はAEDを至急用意する。「救急蘇生法の指針2020」[2]に基づくと，呼吸があるかわからない場合は躊躇せずAEDを使用することになっている。

食物アレルギーなどによるアナフィラキシーショックが想定される場合は至急エピペン®を使用する。エピペン®は本人もしくは保護者が自ら注射するのが原則であるが，アナフィラキシーショックにより児童生徒自身が自己注射できない場合には教職員が代わりに注射しても医師法違反にならないとされる[3]。指針においては「被害児童生徒等の生命に関わる緊急事案については，管理職への報告よりも救命処置を優先させ迅速に対応する」としている。

ところで学校の管理下における事故では，他の児童生徒が関わっていたり，事故を直接目撃したりしている場合が少なくない。そのため，被害児童生徒等以外の児童生徒等も傷つき，相当の心的負担がかかっている場合もあるので，心のケアについて十分配慮する。

さらに事故発生後には，被害児童生徒等の保護者に対して可能な限り早く連絡する。学校側は常に被害児童生徒等の保護者へ対して，学校側が知り得た事実を正確に伝える等，責任のある対応を行う必要がある。

3 初期対応

初期対応時（事故発生直後～事故後1週間程度）には，至急校内の体制整備を行うことになる。被害児童生徒等が複数ならばもちろん，たとえ1名であっても事故発生時には多くのことを同時に行う必要がある。そのた

表1 校内役割分担の例[1)]

役割	主な内容	担当者		
		順位1	順位2	順位3
本部（指揮命令者）	全体の状況把握と必要な指示，掌握			
聴き取り担当	教職員，児童生徒等への聴き取り			
個別担当	被害児童生徒等の保護者など個別の窓口			
保護者担当	保護者会の開催やPTA役員との連携			
報道担当	報道への窓口			
学校安全担当	校長や副校長・教頭の補佐，学校安全対策，警察との連携など			
庶務担当	事務を統括			
情報担当	情報を集約			
総務担当	学校再開を統括			
学年担当	各学年を統括			
救護担当	負傷者の実態把握，応急手当，心のケア			

め役割分担に従ってチームで対応することになるが，事故発生後から役割を考えていたのでは対応が遅れてしまうことになる。日頃より危機発生時の役割分担について話し合い，それぞれの担当者が不在の場合でも対応できるように，順位が2位，3位の者も決めておく↑表1。

なお，すべての「登下校中を含めた学校の管理下において発生した死亡事故」または「治療に要する期間が30日以上の負傷や疾病を伴う場合等重篤な事故（ただし意識不明や身体の欠損を伴うような重篤な事故で，治療に要する期間が30日以上でなくても）」の場合は，学校の設置者に速やかに報告を行うことになっている。また学校だけで対応が困難な場合などでは，学校の設置者に必要な人員の派遣や助言等の支援を要請する。

初期対応で行うべき内容としては，前述の「被害児童生徒等の保護者への対応」があるわけだが，初期対応における学校の被害児童生徒等の保護者に対する姿勢がその後の両者の関係に大きく影響する。指針には事故が発生した学校へのヒアリングから次の事例が挙げられている[1)]。

○校長が,「学校は,預かったお子さんは絶対に,預かった時のままで返さなければならない」という強い信念を持っていたため,事故が起きたときも,「何も隠さない」「とにかく誠実に対応するしかない」という,毅然とした保護者対応を,事故当初から行った。

○事故が起こった場合,その事故をなかったことにできれば一番よいが,それができない以上,「何が起こったのか」という経緯を保護者に正確に伝えるということが,せめて学校にできることだという信念の基,決して学校側の都合で事実をねじ曲げたりせず,正直にありのままを伝えた。

このような学校による誠意のある対応が,両者の良好な関係を築く鍵となる。同様に,その他の保護者へ対してもできるだけ早く保護者説明会を開くようにする。それは保護者間に臆測に基づく誤った情報が広がることを防ぐことと,マスコミの報道が先行することで「学校は何も説明してくれない」という学校への不信感が生じることを防ぐ意味もある。事故ではなく事件が発生し,警察の捜査が始まっている場合は,たとえ学校であっても捜査内容を知ることは困難である。そのためどうしても情報が不足する場合もある。しかし,それであっても知りうる情報を基に,早急に最初の説明会を開くことが重要となる。その際,あらかじめ被害児童生徒等の保護者の意向,また事故発生後にはマスコミ関係者へ情報の公開が必要になる場合もある。誤った情報の拡大を防止するため,また保護者や児童生徒に対する不要な取材を防ぐためにも,マスコミへの窓口を一本化し,可能なかぎり早く記者会見を行う。その際にも,あらかじめ被害児童生徒等の保護者の意向を確認し,記者会見の説明の内容について承諾を得た上で行う。ちなみに過去に学校事故が発生した学校において,マスコミ対応で苦労した点として,「マスコミのマナーをわきまえない取材があった」「事件事故対応に追われる中,体制が整っていない中で数多い取材を受けた」「児童生徒に対して取材されることがあった」「事件性や,学校の責任を追及された」などが挙がっている[4)]。

4 事故調査について

事故発生直後から事故後1週間程度に行うべき対応としては，基本調査がある。学校は原則として3日以内を目途に，関係する全ての教職員から聴き取りを実施すると共に，必要に応じて，事故現場に居合わせた児童生徒等への聴き取りを実施する。調査の目的は，以下の通りである。

・日頃の安全管理の在り方等，事故の原因と考えられることを広く集めて検証し，今後の事故防止に生かすため

・被害児童生徒等の保護者や児童生徒等及びその保護者の事実に向き合いたいなどの希望に応えるため

このように調査は，学校や教職員に対する民事・刑事上の責任追及などを目的としているわけではない。

基本調査は原則として学校が実施するが，必要に応じて学校設置者が支援する。基本調査の進め方としては，事故後速やかに関係する全ての教職員に記録用紙を配布し，事故に関する事実を記録してもらい，その記録をもとに調査担当者が聴き取りを行う。事故現場に居合わせた児童生徒等への聴き取り調査を行う場合は，保護者の理解・協力，心のケア体制が整っていることが前提となる。たとえばスクールカウンセラーが同席するなどの対応も必要であろう。記録用紙（メモを含む）や事故報告等の連絡に用いたメール等は，すぐに廃棄することなく一定期間保存するようにする。なお調査で用いる記録用紙は統一し，調査者によって異なることがないように項目を決めておく。記録用紙の例を➔P.197 表2に示す。また調査では以下の点を相手に伝える[1)]。

・記憶していることをできるだけ正確に思い出して話してほしいこと。

・人の記憶はあいまいなので，正確な事実だけを覚えているわけではないこと（記憶違いのこともあること。）。

・一人の記憶に頼るのではなく，他の人の話などから総合的に判断してまとめていくこと。

・「誰が何を言った」ということが，そのまま外部に出ることはないこと。
・できるだけ正確に話の内容を記録するため，録音することもあるが，録音データは，調査報告としての記録作成のみに使用すること。

取りまとめた基本調査の経過及び整理した情報等について，適切に被害児童生徒等の保護者に説明する。事故によっては，校外学習，修学旅行先（海外を含め）などで重大な事故が発生していることもある。そのため調査に時間を要する場合もあるが，被害児童生徒等の保護者に対して適時経過説明があることが望ましい。もちろん早急に調査を行い，結果をまとめるべきことは言うまでもない。

基本調査に対して詳細調査は，外部専門家が参画した調査委員会（第三者委員会と呼ばれる場合もある）において行われる詳細な調査であり，事実関係の確認にとどまらず，事故が発生した原因を解明し，再発防止につなげるものである。詳細調査は基本調査と同様に，責任追及や処罰等を目的としたものではない。したがって調査の公平性・中立性を確保しなければならない。

詳細調査への移行の判断は学校の設置者が行うが，事故の原因が教育活動自体にあると考えられる場合や，被害児童生徒等の保護者の要望がある場合に実施することになる。調査の実施主体は，特別な理由がない限り学校設置者となるが，私立学校及び株式会社立学校では都道府県等担当課が行うことができる。また事務局を外部委託（シンクタンクなど）することもある。詳細調査では，基本調査の確認，必要な対象者への聴き取り，事故発生場における実地調査などを行う。

なお指針では，詳細調査において以下の情報が必要とされている[1)]。

・事故当日の健康状態など，児童生徒等の状況
・死亡事故に至った経緯，事故発生直後の対応状況（AEDの使用状況，救急車の出動情報，救急搬送した医療機関の情報等）

表2 記録用紙の例[1)]

《個人の記録用紙の例》

1. 被害児童生徒等について，既往症や事故数日前からの本人の状況，当該事故に関連があるかもしれない事件・事故等，知っていることについて記載してください。

（例：○日前から頭が痛いと言っていた，○日前の体育の授業で頭をぶつけた等）

2. 事故の瞬間及びその前後に，自分がいた場所と，当該事故に対して，自分がしたこと，（他の職員の対応等の）見たこと，聞いたことを，覚えている限り，全て記載してください。　　　　氏名（　　　　　　）

時系列（覚えていれば時刻を記入）	自分がいた場所	したこと	見たこと	聞いたこと
00：00				

《時系列での記録用紙の例》

事故発生日　：　　　年　　月　　日（　）

被災児童生徒名：　　年　　組　　氏名

記録者（　　　　　　）

※時系列で逐次記録する。

月・日	時刻	主な状況（関係機関等の支援含む）	学校・教職員の対応	その他特記事項
	00：00	被害児童生徒等の状況や救急車の到着等の学校・教職員以外の対応を記載する。	学校・教職員が行った対応を記載する。（対応者の氏名も記載する。）	情報源や事実か推察かの区分け等を記載する。

〔記録に当たっての配慮事項〕

○時系列で記録

○正確な内容（事実と推察は区別しておく。不明なものには「？」を記入。）

○箇条書きで簡潔な文

○重要な箇所にはアンダーライン

○情報源を「その他特記事項」に明記

・教育活動の内容，危機管理マニュアルの整備，研修の実施，職員配置等に関すること（ソフト面）
・設備状況に関すること（ハード面）
・教育活動が行われていた状況（環境面）
・担当教諭（担任，部活動顧問等）の状況（人的面）
・事故が発生した場所の見取図，写真，ビデオ等

委員会では事故の原因の分析とともに，再発防止のための提言を行い，報告書としてまとめる。報告書では内容が誤解されることがないように，できるだけ正確に記載するために，表現の統一を図るのが望ましい。さらに調査委員会は，調査結果を調査の実施主体に報告し，実施主体は被害児童生徒等の保護者に説明するとともに，報告書を公開して状況に応じて報道機関に説明を行う。公開に際しては，被害児童生徒等の保護者への配慮のみならず，児童生徒等への配慮も必要であり，例えば個人が特定できないような措置をとるなどプライバシー保護の下，公表する範囲についても留意することが重要である。

5 被害児童生徒等の保護者への対応

指針で重視されたもう一つの柱が，被害児童生徒等の保護者への支援に当たり被害児童生徒等の保護者の心情に配慮した対応を行うことである。学校や設置者は，常に保護者に寄り添い，責任ある対応を行うようにする。具体的には，対応窓口を一本化して説明が矛盾することなく，事実を正確に伝えるようにすること，人事異動があっても，継続的な支援が行えるように情報共有と引き継ぎの体制を構築すること，事故にあった児童生徒等の兄弟姉妹へのサポートを継続的に行うことなどである。たとえば被害児童生徒等の保護者へのヒアリングからは次のような声もある[1)]。
○当該生徒が亡くなった後も，「卒業まで学校に通ってもらう」「全て他の

生徒と同じように扱う」という校長の方針が，学校内に徹底されていたため，遺族がいつ学校に電話をしてどの先生が電話に出られても，すぐに誰だか分かってもらえた。また，進級しクラス替えをしても，当時の担任の先生のクラスの生徒として，クラス名簿にも名前を入れてもらっていた。

○部活動中の事故で重度障害を負い，長期入院となったが，回復し復学となった際には，部活動の顧問であった先生が担任を引き受ける等，学校側が復学にあたっての良い環境・体制をしっかりと構築してくれたため，当該生徒も学校に居場所を感じて，その後の学校生活を送ることができた。

また学校側へのヒアリングからは以下のような声がある。

○被害者遺族との関わりでは，事故後の丁寧な対応も大事だが，普段（事故以前）から信頼関係を築けていたことも重要であった。事故後は，何度も御自宅に足を運んで御遺族とコミュニケーションを取ることを心がけ，誰かが必ず訪問して，御遺族の様子を共有する等チームで対応した。

○部活動中の事故であったため，部活動の緊急保護者会を開催して監督から状況報告を行った後，部活動の保護者会と連携し，保護者会の役員を通じて御遺族とのやりとりやサポートなども行われた。また，部活動のOBや指導者等がお参りに伺う等，御遺族への支援，交流が続いている。

このように被害児童生徒等の保護者への支援について，学校及び学校の設置者が組織的に対応していく。さらに被害児童生徒の兄弟姉妹が当該学校や他の学校に在籍している場合は，兄弟姉妹への配慮も必要である。

練習問題

① 学校事故の基本調査の進め方について説明しなさい。

② 学校事故の被害児童生徒等の保護者に対応する際の留意点を説明しなさい。

（渡邉正樹）

●引用文献

1）文部科学省（2024）『学校事故対応に関する指針【改訂版】』https://anzenkyouiku.mext.go.jp/guideline-jikotaiou/index.html

2）日本救急医療財団心肺蘇生法委員会（2021）『改訂6版救急蘇生法の指針2020 市民用・解説編』へるす出版

3）文部科学省『学校のアレルギー疾患に対する取り組みガイドライン〈令和元年度改訂〉』日本学校保健会 pp.36-37　2020

4）国立大学法人大阪教育大学（2015）『文部科学省委託事業　学校事故対応に関する調査研究調査報告書』

- ☑最高裁判所の判例によれば，教員を始め学校側には，「生徒を指導監督し事故の発生を未然に防止すべき一般的な注意義務」がある。
- ☑国公立学校における学校事故については，教員に「故意または過失」があれば，国家賠償法1条1項に基づき学校設置者が法的責任（民事損害賠償責任）を負う。
- ☑過失とは，標準的な教員の知見を基準にした客観的な注意義務違反のことであり，その内容は損害発生についての予見可能性と結果回避可能性から導かれ，裁判所による判決において事件ごとに判断される。
- ☑過失の前提となる注意義務の具体的な内容は，被害児童生徒の学齢，教科や課外活動などの活動内容，正課と課外活動や放課後などの諸要素の組み合わせにより，事件ごとに異なる。

12 事件・事故に対する責任と法的対処

キーワード

学校事故

法的責任

国家賠償法

過失

注意義務

1 学校の事件・事故と法的責任

学校教育活動に伴い事件・事故が発生した場合，学校側の法的責任が追及されることがある。この法的責任には多様なものがあるが（この点については，以下2で説明する），学校事故責任法理の形成においては，国家賠償法（以下，国賠法という）1条1項に基づく損害賠償請求訴訟（以下，国賠訴訟という）が最も重要な役割を果たしている。そこで，本章では，国賠法の適用上の諸問題について説明したのち，同法の「過失」要件を通して，教員に課せられる注意義務について具体的に説明する。

なお，本章が念頭におく学校事故には，教員による教育活動から直接的に起因する事故のほか，生徒間での事故など学校教育において生徒に被害が生じる多様な態様の事故が含まれる。また，この類型において，最近では，いじめや教員の叱責による自殺の問題，体罰問題，熱中症や組体操による事故の裁判などについて，社会的な注目が集まっている。

2 民事上，刑事上，行政上の責任

我が国の法体系は，憲法を中心に，民事法，刑事法，行政法の3つの法領域から構成されている。学校事故についても，他の事件･事故と同様，民事法からは民事責任，刑事法からは刑事責任，行政法からは行政責任がそれぞれ発生する。

(1) 民事上の責任

学校事故にかかる民事責任の追及は，通常，事故の被害者やその遺族が裁判の原告となり，学校設置者等を被告として民事訴訟を提起し，損害賠償を請求する方法で行われる。

被害者や遺族が裁判を起こしてまで法的責任を追及する理由の第1は，事故により被（こうむ）った損害を金銭で賠償してもらう点にあるが，それだけにとどまらず，裁判の場での事故の真相解明や，再発防止のための教育現場の改善も目的とすることがある。

次に，学校事故の民事責任の追及においては，私立学校と国公立学校では，法的構成や適用法条が大きく異なる点が特徴である。

私立学校に対しては，学校設置者たる学校法人に対する責任追及として，大きく分けて不法行為・使用者責任と債務不履行責任の2つがある。前者については，理論的には学校法人自体に対する不法行為責任（民法709条）の追及もあり得るところであるが，一般的には教員個人の不法行為を前提にした使用者責任（民法715条）が争われる。この際の被用者たる教職員にかかる不法行為法上の注意義務は，一般抽象的なもの（例えば,「教諭を始め学校側に生徒を監督し事故の発生を防止する一般的な注意義務」や「学校における教育活動により生ずるおそれのある危険から生徒を保護すべき義務」など）と，具体個別的なもの（すわなち，個別具体的な場面での教員等の具体的注意義務）に分けて論じられる。後者の債務不履行については，私学関係が契約関係であることから，契約上の義務として安全配慮義務（一般抽象的安全配慮義務）が認められ，教員等の履行補助者によるこの「義務の懈怠（個別具体的安全配慮義務違反）」が債務不履行（民法415条）として争われる。

また，私立学校における教員個人の民事責任は，教員個人が民事裁判で被告とされることで，教員個人の不法行為責任（民法709条）が直接対外的に追及される場合（対外的賠償責任）のほか，前述の学校法人を被告にした民事裁判において，法人の法的責任の前提として，被用者の注意義務違反ないし履行補助者の義務懈怠という形で論じられる。

他方で，国公立学校における学校事故の場合については，原則として不法行為の問題であると考えられ，学校設置者である国や地方公共団体を被告とした民事裁判では，民法不法行為法の特別法にあたる国賠法（1条）を適用して不法行為責任（すなわち，担当公務員である教員個人の過失を前提にした国又は公共団体の責任）が追及される。

以下，関連する条文を掲げる。

●民法709条（不法行為による損害賠償）「故意又は過失によって他人の権利又は法律上保護される利益を侵害した者は，これによって生じた損害

を賠償する責任を負う。」

●民法715条1項（使用者等の責任）「ある事業のために他人を使用する者は，被用者がその事業の執行について第三者に加えた損害を賠償する責任を負う。ただし，使用者が被用者の選任及びその事業の監督について相当の注意をしたとき，又は相当の注意をしても損害が生ずべきであったときは，この限りでない。」

●民法415条1項（債務不履行による損害賠償）「債務者がその債務の本旨に従った履行をしないとき又は債務の履行が不能であるときは，債権者は，これによって生じた損害の賠償を請求することができる。ただし，その債務の不履行が契約その他の債務の発生原因及び取引上の社会通念に照らして債務者の責めに帰することができない事由によるものであるときは，この限りでない。」

●国賠法1条1項（公権力行使責任）「国又は公共団体の公権力の行使に当る公務員が，その職務を行うについて，故意又は過失によつて違法に他人に損害を加えたときは，国又は公共団体が，これを賠償する責に任ずる。」

このように，学校事故において教員や学校側の民事責任を追及するにあたっては，国公立学校か私立学校か，被告が学校設置者であるか教員個人であるか，法的構成が不法行為であるか債務不履行（安全配慮義務違反）かにより多様な形態が考えられるのであるが，どのような争い方であっても，法的責任の成否にかかる教員等学校側の注意義務（安全確保義務や安全保持義務といわれることもある）や安全配慮義務の具体的内容や範囲，ないし両者の義務違反の認定基準については，結局のところ基本的には異なるものではなく，これらは事案の性質ごとに共通であると考えられている。

このほか，学校事故が，学校施設の欠陥等に起因する場合には，私立学校であれば民法717条，国公立学校であれば国賠法2条に基づき損害賠償責任が追及されることになる。以下，関係する条文を掲げる。

●民法717条1項（土地の工作物責任）「土地の工作物の設置又は保存に瑕疵があることによって他人に損害を生じたときは，その工作物の占有者は，被害者に対してその損害を賠償する責任を負う。ただし，占有者が損害の発生を防止するのに必要な注意をしたときは，所有者がその損害を賠償しなければならない。」

●**国賠法２条１項（公の営造物の管理責任）**「道路，河川その他の公の営造物の設置又は管理に瑕疵があつたために他人に損害を生じたときは，国又は公共団体は，これを賠償する責に任ずる。」

⑵ 刑事上の責任

学校事故においては比較的稀ではあるが，不適切な指導や体罰による事故などの事案において，教員等の刑事責任が問われる場合がある。刑事責任は，下記の刑法などが定めるところによる。なお，体罰については，暴行罪（刑法208条）や傷害罪（刑法204条）が適用されることもある。

●**刑法209条１項（過失傷害）**「過失により人を傷害した者は，三十万円以下の罰金又は科料に処する。」

●**刑法210条（過失致死）**「過失により人を死亡させた者は，五十万円以下の罰金に処する。」

●**刑法211条（業務上過失致死傷等）**「業務上必要な注意を怠り，よって人を死傷させた者は，五年以下の懲役若しくは禁錮又は百万円以下の罰金に処する。重大な過失により人を死傷させた者も，同様とする。」

＊なお，上記の懲役刑は2025年6月より拘禁刑に変わる。

刑事責任は，刑事訴訟法に定められた手続きに基づき，警察が捜査し（場合によっては，当該教員を逮捕することもある），警察から送検を受けた検察が刑事事件として起訴し，裁判所（刑事法廷等）が有罪判決において，罰金や懲役などの刑罰を科す。

⑶ 行政上の責任

国公立学校の教員は，事故等が発生した場合に公務員法上の懲戒罰を受けることがある。例えば，公立学校の教職員に対しては，地方公務員法が以下のように定めている。

●**地方公務員法29条１項（懲戒）**「職員が次の各号の一に該当する場合においては，これに対し懲戒処分として戒告，減給，停職又は免職の処分をすることができる。

一　この法律若しくは第57条に規定する特例を定めた法律又はこれに基く条例，地方公共団体の規則若しくは地方公共団体の機関の定める規程に違反した場合

二　職務上の義務に違反し，又は職務を怠つた場合

三　全体の奉仕者たるにふさわしくない非行のあつた場合」

ただ，この懲戒規定は非常に抽象的であり，かつ裁判所は，処分庁がどのようなケースにおいてどのような懲戒処分を選択するのかについて，処分庁の判断を尊重すべき（いわゆる効果裁量，とりわけ選択裁量）と解している。それゆえ，ほぼすべての地方公共団体は，「公務員の懲戒処分に関する指針」といった懲戒処分にかかる内部的な目安を定めている。そして，一般的に，教育公務員に対しては，その他の公務員よりも高い倫理意識が求められていること等を踏まえ，特別に「学校教育公務員の懲戒処分に関する指針」を策定している地方公共団体も多い。これらの指針は各地方公共団体のWEBページ上で公表されている。これらの指針には，例えば「児童･生徒に対して，不適切な指導を行った職員は，停職，減給又は戒告とする」「児童･生徒に体罰を行い負傷させた（精神的な後遺症を与えた場合も含む）職員は，停職，減給又は戒告とする。この場合において過去に処分歴が有る職員は，免職又は停職とする」といった具体的な規定が置かれている。

自らに下された懲戒処分が違法であると考える教員は，審査請求を経た上で，行政事件訴訟法に基づき，当該懲戒処分の取消訴訟（同法3条2項）を裁判所に提起して，当該処分の違法を争うことができる。ちなみに，教育職員免許法10条の規定により，免職処分を受けた教員の教員免許は失効する。

なお，私立学校の教職員は公務員ではないので，上記公務員法の規定は適用されないが，各学校法人が定める就業規則により解雇などの処分が下されることがある。

3 国賠訴訟の「公権力の行使」要件

学校事故に民法不法行為法を適用せず，特別法である国賠法を適用することは，本来的にみれば非権力的な作用である教育活動が，同法1条1項の「公権力の行使」要件に該当するか否かにより決まる。同要件の解釈については広義説（原則的に国または公共団体のすべての作用が「公権力の行使」にあたると解する説）と狭義説（公権力を命令，強制等の伝統的な権力作用に限定して解する説）の両説があり，通説・判例とも広義説を支持しているが，両説の主要な差異の1つが学校事故に関して存在する。たしかに，国賠法に，同法制定当初念頭におかれていた役割を超えて，行政活動にかかる一般的な救済法としての機能を持たすため，広義説を採用することには一定の合理性がある。しかし，非権力的な行政活動については，一般に同要件から外れても即救済の途が閉ざされることはなく，民法不法行為法の適用による救済が広く予定されていると解され，その意味で，無理をしてまで同要件の解釈を緩（ゆる）める必要はないとの指摘もなされているところである。

学校事故など非権力的な行政活動に国賠法を適用するメリットとして，かつては民法不法行為法と比較して，

①使用者免責規定（民法715条1項ただし書）が存在しない点，

②求償権行使に関して制限的な規定（国賠法1条2項）をおいている点

③行為者個人に対する直接請求（公務員個人の対外的賠償責任）が排除される点

があげられていた。しかし，現在では一般に，①および②については民法との関係においてその差異は著しく相対化し，専ら③についてのみ区別の実益があるとされている。そして，③の公務員個人責任の否定については，これを定めた明文の規定はなく，公務員個人の萎縮や公務の適正な執行の阻害を根拠に主張されているが，公務員教師個人が被害者から賠償請求されない（仮に，教員個人を被告として損害賠償請求訴訟が提起されたとしても請求は棄却される。）ことは，教師の身分保障という教育法原理（教育

基本法9条2項等）にかなっている。このように学校事故に国賠法を用いる最大のメリットは③の点にあるが，ただこれは被害者救済上のものではないことにも注意が必要である。

他方，学校事故に国賠法を用いるデメリットとしては，行為規範が存在しない場合が多い学校事故を国賠法に取り込むことによって，後述するように違法・過失の概念が多元化し，その統一性が損なわれ，その結果，国賠法の構造についての全体的な見通しを悪くする点があげられている。また，外国人被害者救済に関して，相互主義[①]が定められている点も指摘されている。

法律学の研究者の中には，以上の点を検討した上で，教員個人に対する請求について何らかの手当がなされるならば，学校事故を民法不法行為法の処理に委ねることも十分考えられよう，と主張する者もいる。ちなみに，なぜ学校事故を国賠法で処理するのかについて，最高裁判所は特に説明をしていない。とりわけ，裁判例の多くは，国公立病院等の医療事故については，国賠1条の「公権力の行使」には該当しないとして，民法不法行為法を適用しており，必ずしも広義説が厳格に貫かれているわけではないといえる。

ところで，前述のように国賠法の適用範囲は「公権力の行使」要件により画されるので，同法1条1項の「国又は公共団体」の概念はあまり重要な意味を有しないと一般に考えられている。しかし，学校事故については，事故の態様に関し私立学校におけるものと国公立学校におけるものに差異がないため，当該行為の性質だけからは公権力の行使かどうか判断できない。したがって，実際に学校事故に国賠法を適用するか否かは，学校設置者が誰かが重要になる。このように国公立学校における学校事故に国賠法の適用があることで，同法1条1項の「国又は公共団体」の概念が，通常の場合とは異なり，公権力の概念に依存しない独自の意義を有し，逆に公

---

①日本人が外国でその国の政府に賠償請求できる場合は，その国の外国人も国賠法上の請求ができること。

権力概念を従属させる機能を果たすことになり，この点においても，学校事故への国賠法の適用は同法の見通しを悪くしているといわれている。

なお，この問題は，国立大学が国立大学法人化されたことにより，同法人が「公共団体」に当たるか，すなわち国立大学における教育活動等について国賠法の適用があるかというさらなる難問も惹起（じゃっき）している。学説上は，学生との関係が契約関係になったことを重視して，これを否定する見解も有力であるが，裁判例においては肯定するものも多い（ただし，学校事故に関する事案は見当たらない）。

4 国賠訴訟の「違法性」要件

学校事故の国賠訴訟においては，国賠法1条1項の違法性の要件が前面に出ないという特徴がある。すなわち，行政法規・根拠法令という行為規範が存在する一般の行政処分に起因する損害については，違法性の要件と故意過失の要件が二元的に判断できるのに対して，学校事故については，原則的に損害の認定につき過失のみが一元的に判断されている。ここでは，過失があることから違法性の存在も同時に認定されるという構造か，過失が認定されるだけで賠償責任が認められる構造がとられている。

その理由としては，次の二点が指摘されている。まず，教育活動においては行為規範があらかじめ具体的に特定しがたい点があげられる。次に，教育の特殊性，すなわち，生徒と教師の信頼関係を重視する教育領域において違法を問題とすることがためらわれるという教育独自の理由がある。なお，体罰については，教員による積極的な加害行為が問題になり，さらに，体罰を禁止した学校教育法11条という行為規範が存在することから，加害行為の違法性が認定される点に特徴があり，他の類型とは異なる特別の取り扱いがなされる（例えば，最高裁判所2009（平成21）年4月28日判決）。

5 教員の注意義務の内容

⑴ 国賠法1条の「過失」要件

学校事故に関する国賠法判例は相当数蓄積しており，教育法判例の主要な部分を占めているだけでなく，現在においては国家賠償の主要類型の一つを形成している。そして，そこでの主な関心は過失の認定方法である。一般的に過失は，損害発生についての予見可能性と結果回避可能性から導かれる客観的な注意義務違反であるが，それは学校事故について言えば，教育活動に常に内在的に存在している危険から児童生徒を守ること（安全確保・保持）が中心になり，判例によれば，「教諭を始め学校側に，生徒を指導監督し事故の発生を未然に防止すべき一般的な注意義務」(最高裁判所1983（昭和58）年2月28日判決）に違反することである。

⑵ 過失の多様性

学校事故の事例は多様であるので，過失の内容（および過失の前提となる注意義務の種類・程度）も一律ではなく，個別具体的に事件ごとに判断が行われる。しかし，過失の前提となる注意義務の水準は，いくつかの要素によってある程度類型化することができる。そしてその要素としては，

①在校生の年齢，発育段階及び教育段階

②事故発生の場所及び時間（特に学校行事，放課後及び課外クラブ活動等が限界事例としてクローズアップされる。また，学外での事故についても学校教育活動と密接にかかわるものについては学校事故の枠組みで論じられる）

③教育内容の性質（理科の実験や体育実技等危険の程度が高い活動，さらには危険の伴う運動クラブの活動）

④教育活動に内在する危険による事故か，いじめやけんか等の生徒間事故か

等があり，それらの相関的な関係によって教員の注意義務の内容・程度が左右されることになる。

したがって，例えば，現場教育担当者に対する具体的な注意義務の程度

は，「高度な注意義務」（大分地裁1985（昭和60）年2月20日判決。事案は小学校の正課水泳授業中の事故）や「万全を期すべき注意義務」（熊本地裁1970（昭和45）年7月20日判決。中学校柔道部活動中の事故につき立会義務を求めた事案）を前提とするものから，常時の立会・監視義務までは必要としないもの（前記最高裁判所1983年判決。事案は中学のクラブ活動における生徒間事故）や，学生に対して事前に「助言・指導し，注意を喚起する程度」で足りるとするもの（安全配慮義務に関するものであるが，東京地判1980（昭和55）年3月25日判決。事案は大学寮内の飲酒事故）まで，高低様々である。

(3) 過失判断基準の困難性とプログラム責任の重要性

学校事故においては，被害者救済の観点を重視すれば担当教員の過失が抽象的に認定されることになり，他方で，担当教員に対して現実性のない高すぎる注意義務は課すべきでないと考えれば，生命・健康に重大な被害を受けることの多い被害生徒が救済されない（損害賠償金がもらえない），というジレンマが指摘されている。そして判例において下級審裁判例は前者の立場をとる傾向があるのに対して，最高裁判所は具体的過失を要求することで被害者救済を重視した認定に歯止めをかけようとしている，と言

- 「学校教育活動は，…多くの場合，一定の危険が予見されても活動を停止することが許されないものでもある。したがって，判例も，授業内容が危険性の高いものであっても，それが生徒の成長・発達にとって有用なもの（教育効果の高いもの）であれば，正課授業として実施することが許されるが，そのような危険性の高い授業を実施する場合には，教師等には危険回避のため高度な注意義務が課されることになるとしている。ただ，高度の注意義務といっても，教師等の注意義務にも一定の限界があることを承認し，生徒の安全のために適切な措置をとっていた場合には，たとえ事故が生じても過失を否定しており，教師等に決して不可能を強いているのではない。いいかえれば，判例は，危険性の高い授業を実施する際には，教育専門職者としての教師に高度の注意義務を課するが，その反面で教師等の注意義務にも一定の限界のあることを認め，両者の相関関係において過失を判断しているといえよう。」
- 「教師等が教育の専門職者として高度の注意義務を負うとはいっても，…その注意義務の内容は正課授業に際して事故が生じれば直ちに過失が肯定されることを意味するものではなく，教師等が教育の専門職者として当時の教育指導水準に従った指導を行っていたか否かにより過失が判断されることを意味するのである。そして，教師は教育の専門職者であるから，その注意義務の程度は，一般人を基準とするのではなく当時における標準的教師の知見を基準に判断されることになるのはいうまでもない。」

われている。この点に関して，学説上では囲み（前ページ）の見解が主張されているところである。

しかし，近年の最高裁判例においても，落雷事故に関して教員の予見可能性を前提に過失を認めたものがあり（最高裁判所2006（平成18）年3月13日判決），上記の被害者救済と教員の義務違反にかかるジレンマに対する教育現場からの不満は根強い。

この点につき，被害者救済を考慮しつつも教育現場を萎縮させない解釈として，特に危険内在的教育活動に関し，過失の概念には類型として二様のものがある，とみる見解が注目される 。すなわち，具体的危険についての具体的予見可能性がある場合には，現場のレベルで具体的注意義務が発生するが，具体的な危険が抽象的に予見されるに過ぎない段階においても抽象的注意義務がある。そして，後者の義務の一つにあらかじめ危険に対処する方法を習得するためのプログラムを作り，児童・生徒に実行させる責任（プログラム責任）があるとする。この考え方は，現場教師だけでなく，学校長や教育委員会などの過失をも視野に入れるものであり，さらには組織過失の考え方ともつながりやすいものである。

6 時系列でみる具体的注意義務の所在

以下では，先にみた具体的注意義務が，事故の前後に多様な形で存在することを時系列に沿って紹介する。

(1) 教育活動（授業・課外活動等）実施前

1）授業計画と教員の過失

まず，教員には，適切な授業計画（課外クラブ活動の場合には練習計画）を策定する義務がある。基本的に，学習指導要領に従ったもの，指導書などの記載に基づくものであれば，授業計画が無謀であり過失があると評価されることはない。一方で，例えばグラウンドを100周走らせたり，武道の授業でいきなり試合形式の練習をさせたりすることは，そのような計画を策定したこと自体に過失が認められる。以下，いくつかの裁判例を抜粋する。

- **柔道**「初心者にとっては受け身が必ずしも容易ではなく，受け身をしっかりと行わなければ頭部を打つ危険性を内在する大内刈りを掛けさせるのは適切ではなく，これを選択したこと自体に誤りがある」（松山地判1993（平成5）年12月8日判決）
- **高校の体育大会の組体操**「8段ピラミッドの構築に伴う崩落による事故発生について何らかの有効な防止対策を講ずることができるまでに充分な技術，指導力，経験を有していたとは到底認められない以上，8段ピラミッドを目標とした練習計画の策定を敢えてした同教諭らの措置は無謀のそしりを免れることができない」（福岡高裁1994（平成6）年12月22日判決）。
- **小学校の体育の授業**「サッカーについて基礎的技能を養いゲームができるように指導すべき旨」が学習指導要領に定められていたことを論拠に，過失が否定されている（神戸地裁1978（昭和53）年6月19日判決）。
- **中学1年生での体育**2,000メートルを超える持久走（東京地裁1981（昭和56）年6月29日判決）や中学2年生の体育での前方倒立回転跳び（静岡地裁富士支部1990（平成2）年3月6日判決）において，そのような授業計画を策定したこと自体については，過失が否定されている。

2) 生徒の身体状況把握義務

体育や課外活動・特別活動などにおいては，担当教員には，保健室等と連携をとり，病弱者・特異体質者を事前に把握しておく義務があると解される。

3) 監視監督計画策定義務

水泳や校外持久走等を実施するにあたっては，事前に監視監督役や救護にかかる人員配置体制等を整備しておかなければならないと解される。

(2) 教育活動中

1) 危険除去のための指示義務

教員は安全性につき誤った指示を出してはならないし，生徒が危険な行為をしている場合には注意してやめさせる義務がある。以下裁判例を示す。

- **高校野球部でのハーフバッティング練習**「A監督の過失の有無について判

断するに，A監督は，野球部監督として練習方法を指示するに際して，ハーフバッティング練習の投手と打者との位置について，生徒の身体に対する危険性を有した距離を指示して，右練習を行わせたか，少なくとも，投手と打者との間に安全な距離が採られないままハーフバッティング練習が行われていたにもかかわらず，その現場に立会いながら何ら的確な指示を出さず，危険な練習方法を続行させたものであって，いずれにしても，高校教諭（被告の公務員）としての指導上の過失があったと言わざるを得ない」と述べて，過失を肯定している（宇都宮地裁1992（平成4）年12月16日判決)。

●**小学校６年生の体育の水泳**「パイクスタート（えび飛び込み)」により事故が発生した事案において,「えび飛び込みは危険なため禁じられていたのである。しかも原告は，もともとえび飛び込みが危険で禁じられていることも熟知していた。小学生とはいえ，当時，原告は六年生で，是非を弁別し，これに従って行動する能力に欠けるところはなかった。（中略）本件事故による原告の受傷は，原告自身の責めに帰すべきもので，被告にその責めを問うべきものではない」と述べて，生徒が指示に従わなかった場合には教員の過失が否定されるとする（大阪地裁1986年（昭和61）年6月20日判決)。

2）段階を経て修得させる義務

●**中学校２年生の体育の器械体操**「跳び箱の前方倒立回転跳びは，できる子とできない子の個人差がはっきりした運動であるうえ，着手点が着地点より高く，また倒立姿勢をとるため，技法的にも難しく，心理的不安も生じ，危険性の高い種目であるから，その指導にあたっては，生徒の能力に応じて，台上からの前方倒立回転おりなどの一般的な導入練習をとり入れたり，まず低めの跳び箱で高さと回転の感覚をしっかり身につけさせてから高い跳び箱に移らせるなど，個別的，段階的指導をすべきである…ところ，A教諭は，２クラス38人の男子生徒全員につき，一律に，高さ2段の跳び箱で助走なしの跳び方を1回，2，3歩助走する跳び方を２回位させたのみで，いきなり高さ4段の跳び箱での練習に移らせ，しかも器械運動能力の劣っている生徒に対してそれまでに台上からの前方倒立回転おりなどの一般的導入練習をさせることもなかったのであって，生徒の能力に応じた十分な個別的，段階的指導が行われたとは到底言い難く，…A教諭には前記注意義務を尽くさなかった過失があるというべきである」と述べている（鹿児島地裁1989（平成元）年1月23日判決）。

本件において，教員は具体的な指導を一切行わなかったわけではないが，裁判所はより丁寧な指導を求めているといえよう。このように危険性の高い種目を教える場合には，段階的に指導することが求められるのであるが，格闘技の技，ラグビーのタックル，水泳の飛び込み，体操の技など，正課授業よりも危険性がさらに高い技を指導することもある部活動においては，この注意義務がより重要視されると思われる。

⑶ 事故発生後

事後措置義務には「被害生徒の状態を十分に観察すること，生徒の状態によっては養護教諭の判断を仰いだり医師にみせたりすること，被害生徒の障害等につき適切な手当をすることなど被害生徒にかかわる処置をとるべき義務と，被害生徒の親への事故報告義務がある」とされ，場合によっては，ただちに救急車で病院へ搬送する義務も課される

●**高校部活動（剣道）における熱中症**「教員Aには，竹刀を落としたのにそれに気が付かず竹刀を構える仕草を続けるという生徒Bの行動を認識した時点で，Bについて，直ちに練習を中止させ，救急車の出動を要請するなどして医療機関へ搬送し，それまでの応急措置として適切な冷却措置を取るべき注意義務があったと認められる。（中略）そうであるにもかかわらず，Aはこれを怠り，Bに意識障害が生じた後も，打ち込み稽古を続けさせようとした。その後にBがふらふらと歩いて壁に額を打ち付けて倒れた際にも，それがBによる『演技』であるとして，何らの処置も取らなかった。結局，Bに意識障害が生じた後の午前11時55分頃から実際に救急車の出動を要請した午後0時19分頃まで，救急車の出動を要請するなどして医療機関へ搬送するという措置を怠ったものであり，この点において，Aには過失があったと認められる。（中略）Bは，実際に剣道部の練習中に熱射病を発症したものであり，Aには，熱射病を発症した際に，直ちに練習を中止し，救急車の出動を要請するなどして医

療機関へ搬送し，それまでの応急措置として適切な冷却措置を取るべき注意義務を怠ったという過失が認められるのであるから，Aが，事前に種々の熱中症対策を実践していたとしても，その過失を免れることはできない」（大分地裁2013（平成25）年3月21日判決）と述べて過失を肯定している。

⑷ 注意義務違反が認められない場合

教員等が以上の安全義務をすべての段階で遵守している場合には，過失は認められず，国賠1条の損害賠償責任は成立しない。

●小学校の体育授業中の失明「前示のとおり，A教諭は，体育の授業としてミニバスケットボールを実施するについては，その学習目標，指導計画，学習活動の内容，指導上の留意点を定めた学習指導案を作成し，これに従って，まず春期の授業において，ミニバスケットボールのルール，特に相手方選手との身体接触によるファウルについて，一般的に，あるいはその都度指導，学習を行なっていたのであるから，原告ら小学4年生の児童としても身体接触によるファウルについて，相当程度の理解を有していたものと認めるのが相当であり，本件事故当日の体育授業において，同教諭がしたチーム編成，コートの使用方法，同教諭が審判をしてボールを追って競技中の児童の動きについて自らも移動していた授業運営などについて，それ自体として特に相当でない部分は，見出し難く，そのような授業中，通常の方法で行っていた競技の最中に生じた本件事故について，A教諭が体育の授業でミニバスケットボールを実施するに際し，競技中に生ずるおそれのある事故の発生を未然に防止すべき注意義務を，原告が主張するような趣旨で怠っていたと認めるべき証拠はない」（鳥取地裁米子支部1988（昭和63）年2月18日判決）と述べて，注意義務違反を認めず過失を否定している（ただし，本件は私立学校での事故であった）。

そして，事故に直接加害者がいない場合には，誰の過失によるものではなく，事故は不可抗力によるものと評価されることになる。それゆえ，学校事故に対する被害者救済の観点からは，保険制度のさらなる充実などが求められる。

7 裁判例情報へのアクセス

本章が紹介した裁判例は，これまでに蓄積された膨大な国賠裁判例のごく一部に過ぎない。教育活動の態様は様々であるし，児童生徒の年齢も幼稚園から大学まで様々である。それゆえ，具体的状況の下での具体的な注意義務の内容を参照するには，判例のデータベースで検索することが有益である。判例のデータベースには，裁判所（http://www.courts.go.jp/）による無料のものから，民間の業者による有料のデータベースなど様々なものがある。

また，学校事故の裁判例を幅広く掲載した市販の判例集（書籍）として，伊藤進・織田博子（1992）『解説学校事故：実務判例』や坂東司朗・羽成守編（2015）『判例ハンドブック 学校事故＝SCHOOL ACCIDENT』があり，前者は正課授業中，学校行事中，課外クラブ活動中といった教育活動形式別に，後者は，小学校における事故，中学校における事故といった学齢・教育段階別に数多くの裁判例が整理されており，具体的場面での注意義務の内容を知るためには便利である。

なお，判例集（雑誌）には，公式の判例集から，民間の業者によるもの（『判例時報』『判例タイムズ』『判例地方自治』等）まで様々あるが，これらは主に裁判官や弁護士などの実務家や法律学の研究者が利用する媒体である。

教員が学校事故の裁判例を知ることには，以下の意義がある。まず，裁判例は「事故例」でもあることから，どのような状況のもとで，どのような事故が起きているのかを知ることができ，児童生徒の安全の確保に資する。次に，裁判例は，教訓にもなりうる。つまり，教員がどのような注意を払っていれば，事故は防げたのかについて知ることができる。また，体罰，熱中症，組体操など近年クローズアップされたような裁判例を知ることで，変化する社会通念（常識）を確認することもでき，事故防止に関する科学的知見も知ることもできる。さらに，裁判例を知ることで，教員がどのような注意を払っていれば法的な責任を問われないのかについて知ることができるという観点からは，自分自身を守るためにも必要であるといえよう。

なお，学校事故裁判例において示された注意義務は，それに違反すれば法的責任が発生するという意味において，あくまで事故防止のために最低限なすべきことを示しているに過ぎない。児童生徒の安全を確保するという観点からは，本章で示した注意義務の履行だけでなく，本書の他の章で示された安全確保のための様々な知見を実践することが重要である。

練習問題

① 国公立学校と私立学校とでは学校事故にかかる損害賠償の請求について，どのような違いがあるか。

② 教員の過失の前提となる注意義務の内容について，時系列に沿って説明しなさい。

（南川和宣）

●引用文献

1）兼子仁（1978）『教育法［新版］』p.518　有斐閣
2）阿部泰隆（1988）『国家補償法』p.78　有斐閣
3）宇賀克也（1997）『国家補償法』p.28　有斐閣
4）宇賀・前掲書3）p.45
5）塩野宏（2013）『行政法Ⅱ［第6版］』p.302　有斐閣
6）宇賀・前掲書3）p.34
7）塩野・前掲書5）p.320
8）芝池義一（1993）『行政救済法講義［第3版］』pp.250-251
9）芝池義一（1995）「国家賠償法における過失の二重性」『民商法雑誌』112（3）p.365　有斐閣
10）阿部・前掲書2）p.159
11）伊藤進・織田博子（1992）『解説学校事故：実務判例』p.62　三省堂
12）伊藤・前掲書11）p.63
13）芝池・前掲書8）p.368
14）伊藤・織田・前掲書11）p.52

■参考文献

角松生史（2019）「学校事故」宇賀克也・小幡純子編『条解国家賠償法』pp.324-343　弘文堂
伊藤・織田 前掲書

- ☑児童生徒，教職員などの健康状態を観察・把握し，個々の異常発見に努める。
- ☑応急手当はけがや病気をした時に，命を守り事態の悪化を防ぎ，苦痛を軽減する。
- ☑応急手当の基準を明確にした応急手当計画（マニュアル）を作成する。
- ☑過去の情報や資料からけがや病気の発生を未然に防ぐ。
- ☑応急手当は記録が大切である。

13 応急手当の実際

キーワード

命

応急手当

繋ぐ　救命の連鎖

使命感

記録

覚悟

1 応急手当の意義

もし自分の目の前で児童生徒が重大な外傷を負ったり，意識を失ったり，呼吸をしていなかったりした場合，どうするべきだろうか？

命に関わるような重篤な傷病者が目の前に現れた場合，その場に居合わせた人（バイスタンダー）は，医師や救急隊員に引き渡すまでの間に適切な手当てを行う必要がある。被害児童生徒の状況に応じて，止血や心肺蘇生など速やかな応急手当を行うことで傷病の悪化を防ぐことは勿論のこと，肉体的苦痛や精神的不安を和らげることができる。教員は，児童生徒の生命を預かる者として，日頃から応急手当に対する興味・関心をもち，正確な知識と技術を身に付け，応急手当ができるようにしておく必要がある。

また学校は，子どもたちの健やかな成長と自己実現を目指して教育活動を行うところであり，その基盤として安全で安心な環境が保たれなければならない。

そのため日ごろから，問題事案を想定し，応急手当と共に組織的な対応を行うことが今後ますます求められる。↗図1は事故等が発生した場合の対処，救急及び緊急連絡体制の例であるが，すべての教職員がこのような体制を十分に理解しておかねばならない。

2 応急手当の心構え

児童生徒らの生命および心身の安全を確保し，予測できる事件事故を防ぎ，万が一の場合には被害を最小限に抑える義務を学校は負う（詳細は第12章参照)。目の前で外傷を負った児童生徒がいた場合，教員は速やかに適切な処置を行うべきであり，「自分には無理」で済ますことはできない。

また，何とかしたい，救いたい気持ちはあるが，「誤った応急手当をしたら責任が問われそうだから」と考える人もいるだろう。1994年3月に総務庁（現総務省）が出した交通事故に関する報告書では「悪意または重い過

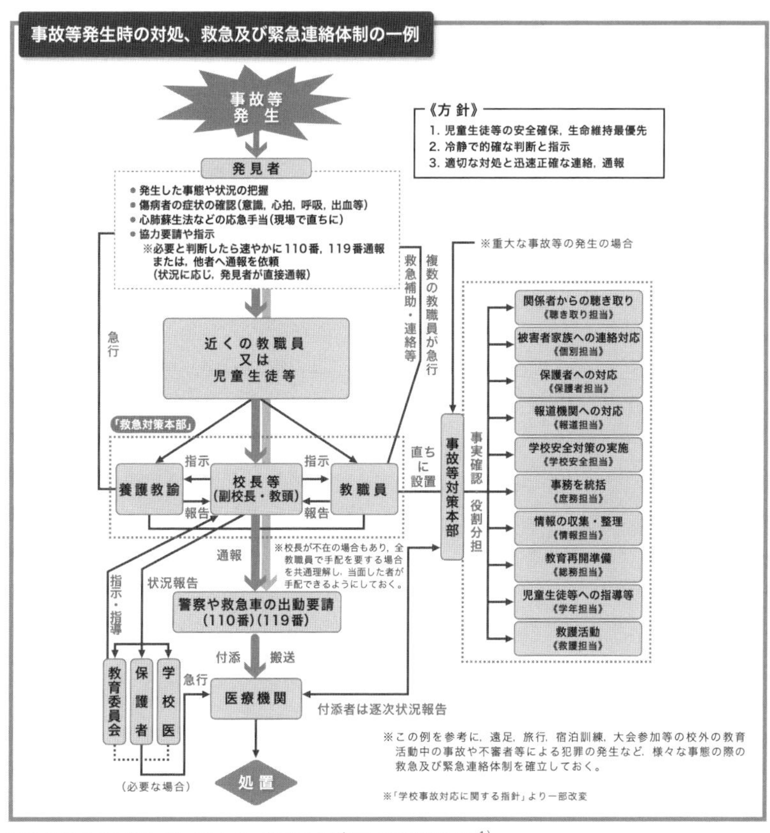

図1 事故等発生時の対処，救急及び緊急連絡体制[1)]

失がない限り，善意で実施した応急手当の結果に実施者が傷病者などから責任を問われることはない」としている。応急手当は知識さえあればできるものでもない。メンタル面の「覚悟」も必要になる。

応急手当の構えの基本は，「目の前にいる子どもは自分の家族と思え」である。教育活動に携わる者は，どの子どもも，他人事と思うのではなく，自身のことと思い取り組む。この心構えがあれば，緊急時の迅速な応急手当につながるだろう。

3 迅速かつ的確な応急手当

応急手当は命をつなぐことである。

意識がない，呼吸がない（通常の呼吸ではない），心停止（心室細動）を起こしている人を救うために必要な一連の流れを「救命の連鎖」という➡図2。救命の連鎖は4つの要素によって構成され，それが早くつながることによって救命の効果が高まる。1つ目の要素は「心停止の予防」，2つ目の要素は「心停止の早期認識と通報」，3つ目の要素は「一次救命処置（心肺蘇生とAED）」，4つ目の要素は救急救命士や医師による高度な救命治療を意味する「二次救命処置と心拍再開後の集中治療」となり，最初の3つの要素は救助の場所に居合わせた人（バイスタンダー）によって行われることが期待されている。教員がその役割を確実に担えるように，日ごろから訓練することが望ましい。

ところで心臓と呼吸が停止すると急激に蘇生の可能性が低下するが，救急車が到着するまで救命処置を行うことで蘇生の可能性を高めることが可能となる↗図3。日本では119番通報をしてから救急車が現場に到着するまでにかかる時間は10.3分（2022年，全国平均）とされるが[2]，救急隊へ傷病者を引き継ぐまで心肺蘇生を続けることが重要となる。

図2 救命の連鎖[3]

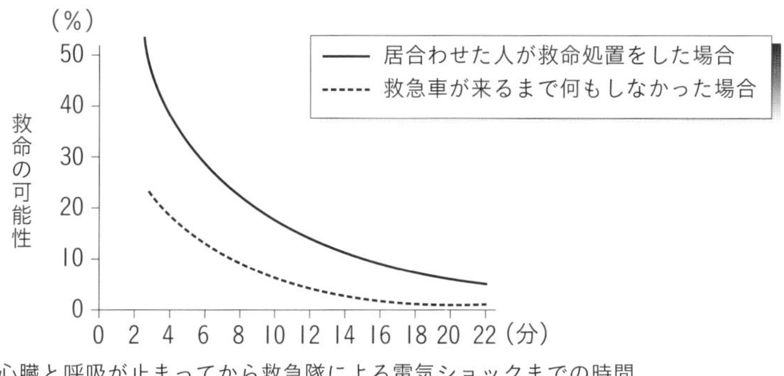

図3 救命の可能性と時間経過

4 傷病別応急手当

教育活動の中で起こりうる可能性の高い応急手当を紹介する。なお，発生からすべての手当が終了するまで，あるいは救急隊に引き継ぐまで，「いつ，何処で，何を，どのように行ったか」時系列で記録しておく。この記録はその後の保護者への説明や，救急隊また医療機関への申し送りなどに不可欠なものになる。

(1) 擦り傷・刺し傷・切り傷

擦り傷は，地面などに皮膚がこすれて生じる傷。刺し傷は，とげや木片，またシャープペンシルの芯や針などの細いものが突き刺さってできる傷。切り傷は，ガラスや刃物，金属など鋭いもので皮膚が切れる傷で，傷口に痛みがあり，多量の出血がみられる。

どの傷も軽度であれば，流水で洗い流し，消毒し，傷口にガーゼなどを当て押さえて止血をする。しかし，傷が深かったり，出血が止まらず縫合が必要だったり，傷口に砂や土，異物が付着していたりすると感染症や破傷風を発症することもあるので，医療機関を受診する必要がある。

出血を伴う傷は直接血液に触れないようにする。ゴム手袋を使用するか，なければ買い物袋（レジ袋）などを使用する。

⑵ 鼻血

鼻血は，鼻の内部の粘膜が弱っている状態や，鼻の血管が傷ついて出血が起こることをいう。注意すべきは出血の量と時間と頻度である。応急手当のポイントは，まず子どもは血が出て驚いているので，慌てず落ち着かせること。興奮すると血圧が上がり，出血が止まらなくなる。深呼吸をさせ，座った姿勢をとらせる。次に親指と人差し指で小鼻（鼻の柔らかい部分）を5分〜10分つまんで押さえる。顔は上に向けずにやや下向きにする。多量の出血や，血が止まらない場合は動脈からの出血も考えられるため，医療機関の受診が必要となる。

⑶ 頭頸部外傷

頭頸部外傷（頭部外傷および頸部外傷）は重大な結果をまねきやすい。頭部外傷とは「脳挫傷」「急性硬膜下血腫」などを，頸部外傷とは「頸椎損傷」「頸髄損傷」「頸椎脱臼骨折」などを指す。学校の管理下における頭頸部外傷は，転落や転倒が原因で発生しているが，死亡例も少なくない。過去には柔道，ラグビー，水泳などの運動部活動によっても発生している(第8章参照)。

もし事故が発生したら，なるべく頭を動かさないようにする。意識がはっきりしている場合は，しばらく水平に寝かせ経過を観察する。出血が見られる場合は，清潔なガーゼなどで押さえ，包帯を巻いて圧迫止血する。嘔吐する場合は，首を曲げないように注意しながら体を横向けにする。意識不明の場合は，心拍･呼吸を確認，反応がなければ心肺蘇生を行い，119番通報する。たとえ意識があっても，嘔吐，左右の瞳孔の違い，口・鼻・目･耳からの出血，手足の麻痺があった場合はただちに救急車を要請し，医療機関を受診する。たとえ事故直後は大丈夫のように見えても，帰宅後に具体が悪くなる場合もあるので，保護者へ連絡し，家庭での観察を行う。

⑷ ねんざ，打撲

Rest（安静）･Ice（冷却）･Compression（圧迫）･Elevation（挙上）という4つの手当を，頭文字をとって「RICE法」と呼ぶ↗図4。

ねんざや打撲の場合，まずは安静にし，患部を冷やす。その後内出血や腫脹を抑えるため，軽く押さえ，圧迫する。この時強く押すと循環器に支

❶安静にする(Rest)
動かすといたんだり，内出血やはれがひどくなる。

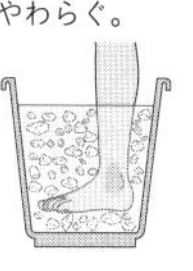

❷冷やす(Ice)
血管がちぢまり，内出血やはれがおさえられると，いたみがやわらぐ。

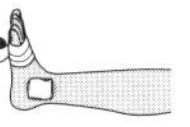

❸圧迫する(Compression)
内出血やはれがおさえられるとともに，いたみを感じにくくする。ただし，頭部，顔面，頚部をいためた場合には，圧迫してはいけない。

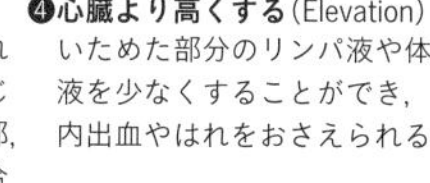

❹心臓より高くする(Elevation)
いためた部分のリンパ液や体液を少なくすることができ，内出血やはれをおさえられる。

図4 RICE法[5)]

障をきたす恐れがあるため注意する。その後，患部をできるだけ高く（心臓より高い位置）に挙げ，腫脹の軽減と早期消退を図る。

⑸ 骨折

骨折は患部が変形してわかる場合と，患部の痛みだけで折れているかどうかわからない場合がある。骨折している場合は痛みがひどく，顔面も蒼白になることが多いため顔色も確認する。

患部が動かないように，脚や腕，指などは添え木などで固定する。肩，肘，腕の場合は三角巾でつるし，支えるようにする。以上の手当をしたのち医療機関を受診する。

⑹ 熱中症

人間は汗をかいて体温を調節するが，高温多湿な環境や，激しい運動などによって体温が上がり熱を放出し切れなくなると，体の中に熱が閉じ込められてしまう。体温の上昇によって起こる様々な障害を総称して「熱中症」と呼ぶ。症状は軽度から重度まであり，いくつかの症状が重なり合って起きる。主に「熱失神」「熱痙攣」「熱疲労」「熱射病」などの病型がある。学校現場ではその対策が様々に講じられているが，公益財団法人日本スポーツ協会では，熱中症予防のための運動指針を示し，気温がWBGTで31℃以上，乾球温度計で35℃以上となった場合，運動は原則中止としている。

手当としては，日陰や風通しの良い場所，クーラーの効いた部屋などに移動し，衣服を緩め安静を保つ。意識があれば薄い食塩水かスポーツドリンクを飲ませ，頭を下げ，脚を高くする。また氷などで首，脇，鼠径部などを冷やす。自分で水が飲めなかったり，意識がもうろうとしたりしている場合は，ホースで水をかけるなど全身を冷やし，すぐに救急車を呼ぶ。軽度でも必ず医療機関を受診する。なお第8章も参照のこと。

⑺ 虫刺され

刺された箇所を流水でよく洗い流す。蜂や毛虫に刺され針が残っている場合は，毛抜きで取るか，絆創膏で取り除く。腫れや熱感，痛みが続く場合には，医療機関を受診する。また刺されて1時間以内に呼吸困難，冷や汗が出現した場合や，けいれん・意識障害等の重篤なショック症状，またはその兆候が出現した場合，救急車を要請し，医療機関を受診する。また，短時間に複数箇所刺された場合も同様である。

なお野外活動などで野山に入ると，マダニに咬まれる危険性が高まる。マダニにかまれると重症熱性血小板減少症候群（SFTS）を引き起こすことがあり，死に至ることもある。長袖を着たり，足を完全に覆う靴を履いたりして，肌を出さないようにすることが重要である。もしマダニにかまれたら，無理に引き抜こうとせず，医療機関（皮膚科など）で処置してもらう。

⑻ アナフィラキシー

アナフィラキシーとは重度のアレルギー反応である。特定の物質の混じった食品を食べたり，特定の薬を飲んだり，蜂などの虫に刺された時に生じる。軽度の反応だとかゆみやくしゃみ，じんましんなどが現れるが，重度になると血圧低下，意識障害，呼吸困難など命にかかわる状態になるためすぐに救急車を呼ぶ。アナフィラキシーの経験を持つ子どもはエピペン®（アドレナリン自己注射器）を処方されていることもあるので，すぐに使用させる➚図5。本人が使用できない場合，教師が使用しても医師法違反には問われない。エピペン®については保管や扱いについて事前に保護者と情報共有し，講習を受けておくのが望ましい。

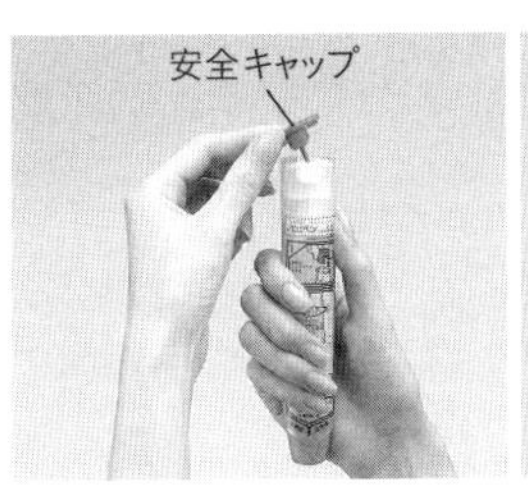

❶オレンジ色のニードル(針)カバーを下に向けて，エピペン®のまん中を利き手でしっかりと握り，もう片方の手で青色の安全キャップをまっすぐ上に外します。

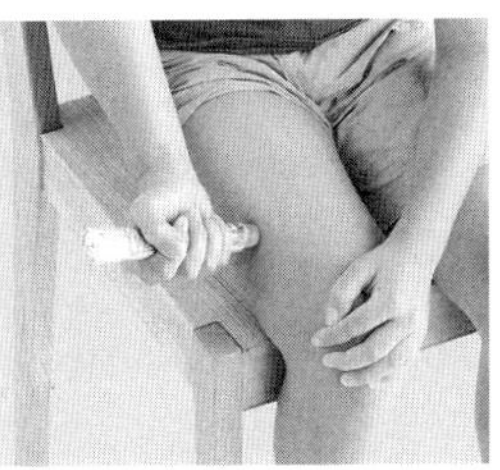
❷エピペン®を太ももの前外側に垂直になるようにし，オレンジ色のニードル(針)カバーの先端を「カチッ」と音がするまで強く押し付けます。太ももに押し付けたまま数秒間待ちます。

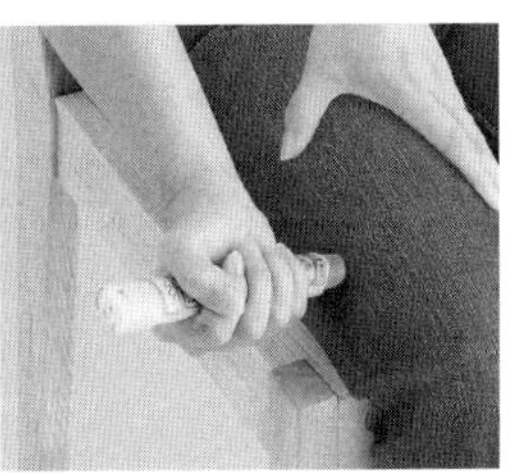
❸緊急の場合には，衣服の上からでも注射できます。

図5 エピペン®と使用手順[4)]

5 心肺蘇生の流れとAED（自動体外式除細動器）

(1) 心肺蘇生法

目の前で子どもが倒れた時や反応がない時は，まずは「心停止」を疑う。

①周りに危険物はないか確認。倒れた原因がそこにあるかもしれない。

②反応（意識）を確認する。軽く肩をたたきながら，耳元で大きな声で呼びかける。

③呼吸の確認。胸に顔を近づけ，胸とお腹の動きを見る。

④呼吸がない，普段どおりではない，わからないなど判断に迷った場合は，心停止と判断し，大声で応援を呼び，119番通報を依頼する。

※この時，通報者は次の応援者を呼び，救急車の誘導をゆだねる。AED（自動体外式除細動器）を持って現場に戻る。

⑤傷病者の顎を上に挙げ，頭部を後屈させ，気道の確保を行う（頭部後屈（とうぶこうくつ）顎先挙上法（あごさききょじょうほう））。意識はないが，呼吸があった場合は横向きの回復体位（側臥位，↗図6）をとらせる。嘔吐しようとしたり，口の中に異物が混入していたりする場合は顔を横に向け異物を掻き出す。

下側の腕を頭の上方へまっすぐ伸ばし，その上に頭をのせる。
上側の膝を曲げ，足先を下側の足のふくらはぎにのせる。
上側の肘を曲げて，手の甲を顎にあてがい，頭部を支える。
上側の肘と足の膝を床や地面につけて，傷病者の体がうつぶせにならないようにする。

図6 回復体位(前田如矢『入門救急処置法』金芳堂，1999より)

⑥呼吸がない・普段通りでない呼吸（しゃくりあげるような途切れ途切れの呼吸＝死戦期呼吸）・わからない場合は，すぐに胸骨圧迫を行う。

⑦肘をまっすぐに伸ばして手の付け根の部分に両手を重ね，胸が約５cm沈み込むように強く，速く，絶え間なく圧迫する。手を置く場所は胸骨の下半分の位置。１分間に100～120回のテンポで30回連続して圧迫する。圧迫と圧迫の間は，胸がしっかり戻るまで十分に圧迫を解除する。

＊人工呼吸の技術と意思があれば，胸骨圧迫30回＋人工呼吸２回の組み合わせで行う。

⑧正常な呼吸をしだしたり，嫌がるようなしぐさをしたりしたら胸骨圧迫を中止し，気道確保や回復体位の姿勢をとる。

⑵ AED(自動体外式除細動器)

呼吸がなかったり，普段通りでなかったり，よくわからない場合は，AED（自動体外式除細動器）を使用する。

AEDは心室細動（心臓のけいれん）を起こした心臓を正常な状態に戻すための器械で，使用に際しての資格は不要である。電源を入れると音声ガイドがスタートするので（ふたをあけると自動的に電源が入るタイプもある）その指示に従えばよい。２枚の電極を胸部の指定場所に貼ると除細動の有無を解析し，必要な場合のみ電気ショックを行う。ショック後は直ちに胸骨圧迫を再開する。電気ショックを行った後，または電気ショックが不要とアナウンスされたどちらの場合も，すぐに胸骨圧迫を再開する。

2013年文部科学省発表の学校におけるAED設置状況によると，設置率

図7 学校内に設置されたAED[5)]

は約92.2%であり，ほとんどの学校に設置されている↑図7。教職員はいつ，どんな時でも使えるよう研修しておく必要がある。

6 感染症の予防

応急手当の際，ウイルス感染する可能性がないわけではない。例えば出血部分に直接指で触れ，その指で自分の目や鼻をこすると，病原体は目や鼻の粘膜から体内に侵入する。血液が付着した手指はすぐ流水で洗ったり，ゴム手袋を使用したりすることで感染を回避できる。人工呼吸は，ウイルス感染防止のほか，精神的なハードルが高いこともあるので，マウスガードを利用するとよい。

普段からの備えは大切である。ゴム手袋･マウスガード･アイガード（くしゃみなどによる飛沫感染を阻止），使用済みのこれらを捨てるビニール袋を教室や職員室に用意するといざという時に役立つ。AEDの近くや，けがの起きやすい体育館や校庭などにも，適宜備える。

7 救急車の呼び方

慌てず，落ち着いて，一呼吸おいて，まず現状をしっかりと整理をする。ここでは教員が119番通報した場合を紹介する。

①（自分）119番に電話する。

②（オペレータ）「119番です。火事ですか，救急ですか。」

（自分）「救急です。」

③（オペレータ）「どうしましたか。」

（自分）「学校で子供が倒れました。」

③（オペレータ）「場所はどちらですか？　住所を教えてください。」

（自分）「●●中学校の体育館です，住所は●●市●●町●●番●号です。」

＊マンションの場合はマンション名，棟名，階数，号室などまで伝えると救急隊がかけつけやすい。交通事故の場合は，郵便局やコンビニなど付近にある目標物を伝える。

④（オペレータ）「けが人・病人について教えてください」

（自分）「授業中にボールを胸に受けて倒れました。意識がなく呼吸も普段とは違っています。」

＊性別，名前，年齢などわかる範囲で，状況を5W（いつ，どこで，誰が，何を，なぜ）で詳しく伝える。

⑤（オペレータ）あなたのお名前と電話番号を教えてください。

（自分）名前は○○です。電話番号○○です。

＊オペレータから応急手当の指示が出ることもある。電話をつないだままにする場合もあるので指示に従う。

⑦救急隊到着

⑧（自分）発生状況，行った応急手当，容態の変化，持病など時系列で報告。その後，傷病者の詳細（本人氏名，年齢，住所，保護者氏名）を知らせる。

⑨救急車に必ず同乗する。搬送病院がわかれば上司に報告する。

練習問題

① 事故や傷病者発生における初期対応の重要性について説明しなさい。

② 熱中症の疑いのある子供を発見した際の応急手当の実際を説明しなさい。

（久田孝）

●引用文献

1）文部科学省（2019）『学校の危機管理マニュアル作成の手引』

2）総務省消防庁（2024）「令和5年版 救急救助の現況」

3）日本救急医療財団心肺蘇生法委員会（2023）『改訂6版　救急蘇生法の指針2020（市民用・解説編）』へるす出版

4）文部科学省（2020）『学校のアレルギー疾患に対する取組ガイドライン（令和元年度改訂）』日本学校保健会

5）本村清人，衛藤隆ほか（2019）『保健体育』大修館書店

究極の事故検証

「不時着」（1964年）

航空機の墜落事故はめったに発生しないが，一度でも発生すると数多くの犠牲者を生むことになる。墜落事故は決して発生させてはいけない重大事故であるため，事故発生時の原因究明はもちろん，航空機同士の異常接近のような危険な事態（インシデント）が起きた時にも徹底的に調査が行われる。

航空機を題材とした映画には，閉鎖的な状況を用いたサスペンスやパニック映画が多いが，事故を扱ったものも少なくない。映画「不時着」（1964年）は古い映画であるが，事故検証の難しさを探った秀作である。ロサンゼルス発シアトル行の旅客機が，離陸直後のエンジントラブルによって海岸への不時着を試みた。しかし機体は海岸の桟橋に激突，炎上し，ほとんどの乗員乗客が犠牲になってしまった。事故後，航空会社幹部のサム・マクベインは事故の原因究明を命じられる。マクベインは友人でもあった死亡した機長の飲酒疑惑や保険金詐欺疑惑を調査するが原因は見つからない。そこでマクベインは究極の検証として，事故機と同じ機種の旅客機を用いて，自分が機長となり，生き残った乗務員１名とともに全く同じ状況を再現することにした。離陸した旅客機に再び同じトラブルが発生し，不時着の危機に直面する。しかし不時着を回避したマクベインは予想もしなかった事故原因を見つけることになる。

監督は「野のユリ」（1963年），「まごころを君に（アルジャーノンに花束を）」（1968年），「ソルジャー・ブルー」（1970年）などで知られる社会派のラルフ・ネルソン。主演は「暴力教室」（1955年）や「パリは燃えているか」（1966年）のグレン・フォードである。

ところで「不時着」の原作はフィクションであるが，実際の航空機事故を扱った映画に「ハドソン川の奇跡」（2016年）がある。2009年に発生したUSエアウェイズ1549便不時着水事故を元にした映画であるが，こちらはフライトシミュレーションで機長の判断の正当性を実証している。時代が変われば検証方法も異なってくる。

14 心のケア

- 災害や事件・事故等の危機に遭遇すると，さまざまなストレス反応が生じる。これらは「異常な」事態における「正常な」反応であるが，長期化して生活に支障をきたす場合にはPTSDなどの可能性を考慮する。
- 学校では子どもの心のケアのための体制作りを行い，危機発生時には迅速かつ柔軟に対応する必要がある。
- 一過性の事件・事故発生時には，可能な限り早い時期に心のケアを行うことが心の傷の重篤化の予防につながる。一方で災害時には，安全・安心感の確保を最優先とし，心のケアは中長期的な視点も持ちながら行っていく。
- 心のケアの留意点として，発達段階に沿うこと，特に配慮の必要な子どもがいること，子どもの健康的な側面に着目することが挙げられる。
- 「心の減災」の視点を踏まえて，日常における心の備えを進めることが求められる。
- 教職員自身の心のケアのあり方についても理解しておく必要がある。

キーワード

ストレス反応　緊急支援
心的外傷後ストレス障害（PTSD）
サイコロジカル・ファーストエイド（PFA）
災害後の体験段階モデル
心的外傷後成長（PTG）
心の減災教育
10秒呼吸法

1 心のケアの重要性

自然災害や学校内外の事件・事故等に遭遇すると，子供には様々な心身の反応が表われる。多くの子供は，時間の経過とともに自ら回復する力を有しているが，状況に応じた適切なケアがなされない場合，その後の成長や発達に大きな影響が及ぶことになる。

わが国では，1995年に発生した阪神・淡路大震災を契機に「心のケア」という言葉が広く知られるようになった。その後も災害や事件・事故の発生時において心のケアの実践が積み重ねられ，支援のモデルが確立されてきている。心のケアというと，精神科医や心理の専門職などが行うものというイメージがわくかもしれないが，子供の心のケアの担い手は子供にとって身近な大人たちであり，学校においては教職員が重要な役割を果たす。そのため，学校では日頃から子供の心身の健康に注意を払うとともに，心のケアのための体制づくりをしておく必要がある。

子供が災害や事件・事故等をどのように体験し，どのように捉えるかは千差万別である。また，災害や事件・事故等の規模や性質によっても影響の現れ方は異なる。さらには，学校の実情や地域の特性など幅広い要因も考慮する必要がある。これらを踏まえると，心のケアには柔軟で臨機応変な対応が求められる。しかし，子供に起こりやすい反応や発達段階を踏まえた心のケアのあり方を知っておくことで，見通しをもちながら子供とかかわることができるようになる。

本章では，文部科学省が作成した子供の心のケアに関する資料[1)2)]を参考にしながら，心のケアのためのストレス理解および体制づくり，事件・事故発生時と地震発生時における心のケアの展開と留意点について整理する。また，日常における心のケアのあり方について，「心の減災」の視点からまとめる。最後に，教職員の心のケアについても簡単に触れておく。

2 心のケアのためのストレス理解

(1) 自然災害や事件・事故等発生時に起こりやすい反応

1) 個人の反応[2) 3)]

自然災害や事件・事故等の危機的な出来事（ストレッサー）に遭遇すると，個人の身体・感情・認知・行動面には，以下に示すような様々な反応（ストレス反応）が生じる。

①身体面：動悸，発汗，息苦しさ，不眠，頭痛，腹痛，食欲不振，吐き気，落涙，疲労感等
②感情面：ショック，無感動，恐怖，不安，悲しみ，怒り，無力感，自責感，不信感等
③認知面：記憶・集中力の障害，思考力・判断力・決断力・問題解決能力の低下等
④行動面：口数の変化，活動レベルの変化，うっかりミスの増加，嗜好品の増加，ゆとりをなくす，身だしなみの変化，依存行動の変化等

子供の場合は，上記のストレス反応により学習面や対人関係面にも影響が及ぶことがある。たとえば，集中力や思考力の低下が学習意欲の低下へと結びつき，宿題忘れや成績低下につながることがある。また，怒りなどのネガティブな感情が他者に向けられると暴力につながり，恐怖・不安や様々な身体症状の苦しさが他者とのかかわりの回避につながることなどがある。

2) 集団の反応[3)]

学校において何らかの危機が発生した際には，個人の反応と相まって，以下に示すような集団の反応が生じる。個人の反応と集団の反応が影響を及ぼし合い，悪循環に陥ることも少なくはない。

①人間関係の対立

危機を経験した集団内では，人間関係の対立が生じたり，危機以前からあった対立が顕在化したりする。たとえば，クラスメイトの死に際して悲しみを見せないなど，自分とは異なる反応を示す他者を受け入れられなくなったり，いじめに気づけなかった教職員に責任を転嫁したりすることが生じる。

②情報の混乱

危機的な出来事が生じると，情報伝達ルートの混乱により必要な情報が共有されなくなることがある。また，個人の思考力や判断力の低下によって噂や憶測が飛び交い，誤った情報が拡散する恐れがある。

③問題解決システムの機能不全

日常的に準備されている学校のシステムが正常に機能しなくなることがある。たとえば，災害による負傷者が続出した場合に，一人の養護教諭と数台のベッドを備えた保健室では対応が追いつかなくなる。

3) ストレス反応の保障[3)4)]

これまでに述べてきたように，危機的な出来事を経験すると，個人や集団には様々な反応が生じる。とりわけ，危機の直後に生じる個人の反応は，危機という「異常な」事態における「正常な」反応であり，誰もが経験しうるものである。このような反応の多くは一過性のものであり，時間経過とともに軽減し消失していく。しかし，危機を経験した個人の立場からすると，今までに経験したことのない反応が起こるため，不安や混乱が生じ，解消しようとしてもうまくいかずに自責感が強まることもある。したがって，危機に直面したときに生じる反応は，個人の弱さや能力の不足などからくるものではなく，あたりまえの反応であるとして保障すること（ノーマライゼーション）が大切になる。

⑵ 心的外傷後ストレス障害 (Post Traumatic Stress Disorder：PTSD)

自然災害や事件・事故等の危機への遭遇の仕方は個人によって様々であるが，直接的に遭遇して死を身近なものに感じたり，近親者に起こった生死に関わる体験を目撃したりすることがある。これらは個人のもっている力では対処できないような衝撃的な体験（トラウマ体験）である。トラウマ体験から生じる反応（トラウマ反応）が長期にわたって続く場合には，PTSDの可能性を考慮し，医療機関などと連携することが必要になる。

精神疾患の診断マニュアルであるDSM-5[5]によると，PTSDは以下のような症状を主な特徴とする。

①侵入（再体験）

・トラウマ体験を不意に繰り返し思い出す

＊子供の場合，トラウマ体験にまつわる遊びを繰り返すことがある

・トラウマ体験に関連した悪夢を見る

＊子供の場合，内容がはっきりしない恐ろしい夢を見ることもある

・トラウマ体験が再び起こっているように感じる（フラッシュバック）

・トラウマ体験に類似したきっかけにより，顕著な心理的または生理的反応が生じる

②回避

・トラウマ体験またはそれに関連する苦痛な記憶，思考，感情などを避ける

・トラウマ体験に結びつくもの（人，場所，会話，行動，物，状況）を避ける

③認知と気分の陰性変化

・トラウマ体験の重要な部分を思い出すことができない

・他者から孤立している感覚がある

・幸福感，満足感や愛情などの快感情を体験できないことが続く　など

④過覚醒

・激しい苛立ちや怒りが生じる

・過度に警戒する

・些細なことや小さな音で過剰に驚く

・集中できない

・よく眠れない（入眠や睡眠維持の困難，浅い眠り）　など

これらの症状が1ヶ月以上にわたって続き，日常生活に支障をきたすほど耐えがたい苦痛を伴う場合にPTSDと診断される。症状が3日～1ヶ月続いた場合には，急性ストレス障害（Acute Stress Disorder: ASD）に分類される。なお，トラウマ体験後にPTSDの診断基準をすべて満たす子供は少なく，部分的にPTSD症状を呈したり，抑うつや不安・恐怖といった他の様々な症状を併存したりする場合が多いと考えられている[2)]。

3 心のケアのための体制づくり

危機的な出来事によって心に深い傷を受けた場合，長期的な心のケアが必要になる。特に子供に対しては，学校，家庭，地域社会が連携して心のケアにあたることが重要である。学校においては平常時から心のケアの体制作りを行い，危機発生時には迅速かつ柔軟に対応することが求められる。

(1) 日常の取り組み[1) 2)]

1) 校内における連携

朝の健康観察のみならず，学校生活の様々な場面において子供の様子を観察し，変化に気づいた場合には関係教職員と情報を共有しながら組織的に対応する。子供の心身の問題の背景は多様化かつ複雑化しているため，学級担任など一人の教職員のみで対応しようとすると，問題や状況を客観的に捉えられない場合がある。必ず複数の目で，多面的・総合的に問題や状況を把握することが大切になる。

2) 研修会の開催

心のケアにおいては，状況に応じた臨機応変な対応が求められるものの，適切な知識があることもまた不可欠である。危機状況における子供のストレス反応とそれに対するかかわり方などに関する研修会を定期的に実施することにより，見通しを持ちながら支援にあたることができるようになる。

3) 危機発生を見据えた体制整備

心のケアの視点を含めた危機管理マニュアルを作成するとともに，危機発生時に配布する子供用，保護者用，教職員用の資料を準備する。また，平常時よりスクールカウンセラー（School Counselor: SC）やスクールソーシャルワーカー（School Social Worker: SSW）などの専門職と連携する体制を作り，危機発生時にも組織全体で円滑に動くことができるようにしておく。

4) 地域の関係機関との連携

災害や事件・事故等が発生した場合には，地域との連携が不可欠になる。平常時より地域の関係機関（医療・保健機関，福祉機関，相談機関など）や人的資源（自治会，民生委員・児童委員，学校評議員など）との関係づくりを行い，危機発生時に迅速に連携を求めることができるような体制を構築しておく必要がある。

(2) 危機発生時の取り組み[1)2)3)]

1)「心のケア委員会（仮称）」等の設置

危機発生時には，「心のケア委員会（仮称）」などの支援チームを立ち上げる。メンバーは，校長，教頭，教務主任，生徒指導主事，主任，養護教諭，学級担任，当該校のSCやSSWなどであり，各メンバーの役割（全体統括，保護者対応，関係機関との連携など）を決めて対応する。

2) 緊急支援チームの受け入れ

危機による反応が特定の子供のみに生じているときには，担任等の教職員に加えて，当該校のSCが通常の業務の範囲内で子供の心のケアを行う。しかし，学校コミュニティ全体が混乱するような危機が生じたときには，一部の子供への心のケアにとどまらず，子供全体，教職員，保護者への支援が必要となる。また，当該校のSCも大きな衝撃を受ける可能性がある。このような場合には，学校や教育委員会の要請を受けて，当該校以外のSCなど外部の専門家からなる緊急支援チームが派遣される。当該校のニーズにもよるが，緊急支援チームは子供の直接的な支援にあたることは少なく，危機状況のアセスメントを行いながら教職員，保護者，当該校のSCをバックアップすることが主たる役割となる。

4 心のケアの展開

ここでは心のケアの展開として，事件・事故が発生した場合と地震災害が発生した場合を取り上げ，初期および中長期的な対応について概観する。

(1) 事件・事故発生時の心のケア

1) 初期対応

突発的で衝撃的な事件・事故が発生した際には，可能な限り早い時期に状況に応じた適切な応急処置を行うことによって，心の傷の重篤化を防ぐことができると考えられている。ここでは，事件・事故発生時の緊急支援[3)]における心のケアの3本柱について説明する。

①事件・事故についての正確な情報を伝え，共有する

まずは，発生した事件・事故について，その段階でわかっている正確な事実を伝えて共有する。噂や憶測が広まることで生じる二次被害を防ぐためにも，関係者全員で正確な事実を共有することは非常に重要である。

子供に向けて事実報告を行う際には，不安な状況において安心感を与え，大人への信頼感を育むことを念頭に置く。できるだけ正確な事実を伝えることは大切であるが，たとえば自殺の手段や教員の不祥事の具体的な内容など，子供の傷つきを深めるような情報を詳細に伝えることは控える。また，事件・事故で直接的に大きな影響を受けた子供や保護者の意向を尊重する。特に子供の自殺の場合は，保護者から自殺という事実は伏せてほしいという意向が示されることが少なくはない。そのような場合，学校は当該の子供が亡くなったという事実のみを報告することになる。子供たちから「自殺ではなかったのか」という質問があることが想定されるが，「どうしてそう思ったの？」「誰からそのように聞いたの？」「あなたはどう思うの？」など，一つひとつ丁寧に応答しながら，学校としては当該の子供が亡くなったことしか家族から聞いていないこと，無責任なことを言うことで亡くなった子供やその家族がさらに傷つくため気をつけたいことなどを伝える。事実報告に先立ち，想定される質問に対する応答を学校全体で十分に共有しておくことも重要である。

②ストレス反応とそれに対する対処方法についての情報提供を行う

危機的な出来事を体験した際にどのようなストレス反応が生じ，それに対してどのように対応することが効果的であるかについての情報を提供する。様々なストレス反応が生じるのは「異常な」事態における「正常な」反応であり，適切に対処すれば次第に回復することを伝えるだけでも，多くの子供たちは安心し，立ち直りに向けて自ら動いていくことができる。ストレス反応への対処については，時間経過とともに収束する場合が多いこと，無理せず信頼できる人に話を聴いてもらうこと，自分なりのストレス解消法を大切にすること，食事や睡眠をきちんと取りできるだけ規則正しい生活を心がけることなどを具体的に伝えていく。

なお，教職員から子供たちに向けて上記のような説明を行う際には，前もって緊急支援チームから情報提供を受けておくことが重要である。学校における事件・事故に対して，教職員自身も大きな衝撃を受ける場合が多い。そのため，できるだけ早い段階で情報提供がなされることにより，それに照らして自らの体験を振り返り，表現し，共有する機会をもつことが保障される。このような心の応急処置を経ることで，教職員自身が子供たちの強い反応を落ち着いて受け止められるようになる。

③事件・事故の体験をありのままに表現する機会を保障する

事件・事故への遭遇の仕方は一人ひとり異なるため，各自の体験をありのままに表現する機会を保障することが求められる。できるだけ早期に話を聴いてもらうことは，辛い気持ちを一人で抱えることなく，誰かに相談して危機を乗り越えることができたという体験につながる。ただし，ここで重要になるのは，表現を強制することではなく，表現してもしなくてもよいことや表現すると楽になる場合があることを伝えていくことである。以下では表現の機会として，アンケートと個別面談を取り上げる。

ア．アンケート

「心の健康調査票」のような形で，各学級において事件･事故の事実を報告・共有してから実施されることが多い。記入内容から，教職員が見ている限りでは捉えきれなかった事件・事故の影響が明らかになったり，過去のトラウマ体験がよみがえって初めて表現されたりすることがある。

イ．個別面談

先述のアンケートに基づき，可能な限り，学級担任など子供にとって身近な教職員が話を聴く。事件・事故をどのように知り，どのようなことを感じたか，現在はどのような反応が出ているのかをアンケートの項目に沿って丁寧に聴いていく。そして，様々な反応が生じるのは「異常な」事態における「正常な」反応であって，決しておかしなことではないこと，表現することで少しずつ回復していけることを伝える。今は話すことがない，もしくは話したくないという子供には，表現を無理強いせず，「話したくなったらいつでも話してほしい（聞く用意がある）」と伝える。

なお，アンケートや個別面談を通じて，より専門的な見立てや心のケアが必要だと考えられた場合には，SCが直接面談を担当する。また，自分の受け持つクラスの子供が亡くなるなど，事件・事故によって担任が特に大きな衝撃を受けている場合には，周囲の教職員が面談を代行するなどの配慮も必要である。

2）中長期対応

アンケートや個別面談を通じて，特に配慮が必要と考えられた子供の経過観察を行っていく。また，アニバーサリー反応[1)]（記念日反応）への対応についても心がけておく。アニバーサリー反応とは，事件・事故や災害等のトラウマ体験をした場合，それを体験した月日になると，いったんは治まっていた反応が再燃することをいう。対応としては，事件・事故のあった日が近づくと以前の反応が再び生じるかもしれないこと，それは誰にでも起こる可能性があること，その場合も心配しなくてもよいことなどを，子供と保護者に事前に伝えていくことがあげられる。それにより，子供の混乱や不安感が軽減し，保護者も冷静に対応することができる。

⑵ 災害発生時の心のケア

大規模な災害が発生すると，生活全般が立ちゆかなくなり，余震等により安全が脅かされる事態が続くこともある。このような状況では，自らの感情について振り返ることは困難であるため，当面の安全確保と生活の回復に向けた支援が優先される。過去には，被災体験をできるだけ早期に語らせ感情を吐き出させるディブリーフィング（debriefing）が推奨されていたが，現在では禁忌とされている。したがって，事件・事故発生時の緊急支援において実施するようなアンケートや個別面談をどの時期に行うかは十分に吟味し，中長期的な視点ももちながら，継続的に心のケアを進めていくこととなる。

1）初期対応

①サイコロジカル・ファーストエイド（Psychological First Aid: PFA）[6)]

PFAは，「心理学的応急処置」という意味である。危機が生じた際には，身体のみならず心に対しても応急処置が必要であるという考え方に基づき，被災者を支援するための心理学的な介入モデルである。被災者を傷つけず，本来もっている回復力を促進するためのモデルとして世界的に受け入れられている。なお，サイコロジカル・ファーストエイド学校版（Psychological First Aid for Schools: PFA-S）では，表1に示すような8つの活動内容が明示されている。➔P.242 表1

②子供によく見られる反応の意味とその対応[7)]

ア．身体症状

災害時に生じた恐怖や不安，怒りや悲しみなどの様々な感情を表出せずにいると，体調不良や持病の悪化といった身体症状として表われてくることがある。これらの症状に対しては，災害時のストレスが原因とは決めつけずに，まずは身体のケアを行い，必要に応じて医療機関等を紹介する。器質的な異常が特にない場合には，リラックスする体験や，気持ちを表出しやすいような言葉かけをしていく。

イ．再体験（フラッシュバック）

災害後の過酷な状況が少し落ち着いて身体が楽になると，災害時の記憶が活性化してフラッシュバックが生じる。悪夢は夢の中でのフラッシュバックである。また，子供は言語表現が発達途上であるため，地震ごっこや津波ごっこといった遊びがフラッシュバックの意味をもつ。周囲の大人は，不謹慎だから止めるようにとは言わずに，まずは遊びを見守ることが大切になる。そして，ときには遊びの中に入って体験や感情を共有したり，落ち着くための方法を一緒に試してみたりする。ただし，物を破壊するなどの危険を伴うような遊びは制止し，今どのような気持ちでいるのかを丁

表1 PFA-Sの概要[6)]

①**被災者に近づき，活動を始める**：被災者に負担を掛けない共感的態度で，こちらから手を差し伸べたり，児童生徒や教職員の求めに応じたりする。

②**安全と安心感**：当面の安全を確かなものにし，被災者が心身を休められるようにする。

③**安定化**：圧倒されている児童生徒と教職員の混乱を鎮め，見通しが持てるようにする。

④**情報を集める**：周辺情報を集め，児童生徒や教職員が今必要としていること，困っていることを把握する。

⑤**現実的な問題の解決を助ける**：今必要としていること，困っていることに取り組むために，児童生徒と教職員を現実的に支援する。

⑥**周囲の人々との関わりを促進する**：家族，友人，先生，その他の学校関係者など身近にいて支えてくれる人や，地域の援助機関との関わりを促進し，その関係が長続きするように援助する。

⑦**対処に役立つ情報**：苦痛を和らげ，適応的な機能を高めるために，ストレス反応と対処の方法について知ってもらう。

⑧**紹介と引き継ぎ**：被災者が今必要としている，あるいは将来必要となるサービスを紹介し，引き継ぎを行う。

寧に聴いていく。

ウ．退行

幼児や小学校低学年の子供の場合は，一人でトイレに行けていたのに行けなくなる，母親と一緒にいないと寝られなくなるなど，今までできていたことができなくなる「退行」が生じることが多い。これらは安全感・安心感を取り戻すための表現であり，心の回復の第一歩であると考えられている。特に保護者にとっては，常に子供と一緒にいなければならない負担感が大きくなるが，一過性のものであると考えて子供の欲求に寄り添ったり，少し手助けをしたりすることが大切になる。安心感で満たされると，子供の方から自然と離れていく。

エ．自責感

特に小学生以降の子供たちには，「自分があのときに○○していればよかったのに」「○○さんが犠牲になったのは自分のせいではないか」など，災害時の自分の言動を責める反応が生じることがある。自分を責め続けることによって抑うつ状態となり，本来もっている心の回復力が損なわれることもある。自責感を抱く子供に対しては，まずは今の気持ちに丁寧に耳を傾けた上で，「あなたは悪くない」「自分を責める必要はない」というメッセージを伝えていく。自責感はエネルギーとなり，災害の経験を語り継ぎ，次世代の命を守るための活動へとつながることもある。

2) 中長期対応

国内外の数多くの災害において子供の心理支援に携わってきた冨永[7]は，災害後にはどのような体験を経て心のケアがなされていくのかという観点で構成した「災害後の体験段階モデル」を提唱している。被災地においては，以下のモデルを参照し，今どのような体験段階にあるのかを考えたうえで支援にあたることが望まれる。

【段階１　安全・安心体験】

すべての体験の前提となる段階である。寒暖の厳しさから守られ，食事や睡眠が保障されること（からだの安全）が第一であり，次に安否情報を得ること（つながりの安心）が大切になる。

【段階２　ストレスマネジメント体験】

災害後の過酷な環境が緩和されてくると，眠れない，イライラするなどのからだの反応（過覚醒）が生じ，からだが少し楽になると災害の記憶が活性化して心の反応（再体験）が生じる。学校が再開し，友人や教師に出会うことや日常のカリキュラムが戻ることは，心の健康の回復を大きく後押しする。この時期に，実施の目的と方法をわかりやすく伝えたうえで命を守るための防災訓練を行うことは，次に同じような災害が発生しても対処できるという自信につながる。

【段階３　心理教育体験】

災害後に生じる心身の反応の意味を知り，望ましい対処法を学ぶ。まずは，アンケート等を通じて自分の心身にどのような反応が生じているのかを確認することから始めるが，アンケート項目そのものがフラッシュバックを生じさせることがあるため，必ず心理教育やストレスマネジメント体験，個別相談体制を用意したうえで実施する。

【段階４　生活体験の表現】

安心できる体験を重ね，落ち着いた雰囲気ができてきたところで，少しずつ生活体験の語りや表現を求めていく。まずは，避難所でがんばったこと，毎日の生活で工夫したこと，友だちとの楽しいひととき，支援へのお礼といったテーマで生活体験を表現できる機会をもつ。互いを労い，安心して語れる空間を保障することが大切になる。

【段階５　被災に伴う体験の表現】

安心できる空間の中で，自分の気持ちを話しても批判されないという体験が積み重なると，子供たちは被災に伴う体験を表現し始める。ただし，子供たちにはそれぞれのペースがあるため，話したくない・書きたくない場合には，表現しなくてもよいことを保障する。辛く苦しい体験に向き合うことはストレス反応やトラウマ反応を軽減させ，防災教育における語り部の役割を担うことにもつながる。

【段階６　避けていることへのチャレンジ】

災害に関連する場所や事柄を長期にわたって避け続けると生活に支障をきたすため，安全・安心・信頼感が保障された空間の中で，少しずつ取り組むことが重要になる。ただし，向き合うことができるまでにはかなりの期間を要することもある。また，トラウマ反応が重い場合には個別のカウンセリングにつなげ，カウンセラーと一対一で，避けていることへのチャレンジを試みる。

【段階７　「喪の作業」】

共に過ごしてきた人がいないことへの悲しみを分かち合い，生前のよい思い出を語り合い書き綴ることは，辛い作業ではあるが，安らかな気持ちをもたらす。辛いことに向き合うことと日常を楽しむこととをしっかりと切り分けながら，回復への道を歩んでいく。

5 心のケアの留意点

(1) 発達段階に応じた支援[1)2)]

子供の場合，事件・事故や災害等の危機状況をどのように体験し認識するかは，発達段階によって異なる。したがって，個々の子供の心のケアを進めるにあたっては，発達段階を踏まえてかかわることが求められる。

1) 乳幼児期

乳幼児期においては，全体的な状況への理解はほとんどできていないと考えられる。そのため危機の全体像を客観的に判断して言語化することは難しく，たとえば災害の場合においては,「怖かった」「痛かった」「たくさん歩いた」などと表現することが多い。その後に成長･発達する過程で，体験の意味や全体像を認識していくことになる。危機発生から数年後に，当時の恐怖などを思い出すような出来事に遭遇したときに，危機状況を再体験する可能性があることにも留意する必要がある。

2) 児童期（小学生）

児童期においては，危機発生時の記憶は鮮明に残っていることが多い。また，災害の場合，避難者という立場にとどまらず，避難所運営の補助など支援者としての活動を自発的に行うことも少なくはない。そのため，自らが体験した出来事を日々の生活の中でふと思い出すことがあると考えられる。この時期の子供たちは,「もっと○○しておけばよかった」といった罪の意識（サバイバーズ・ギルト：survivor's guilt）を抱きやすい一方で,「○○の助けがなかったのがいけなかった」など，他者を攻撃することも多い。数年後には思春期を迎えることも見据えて，各自が危機に対してどのように向き合っているのかを見守ることが必要である。

3) 思春期（中高生）

思春期においては,「未曾有の出来事」であったことを理解したうえで危機と向き合っている。この時期は自らのアイデンティティの確立へと向かう時期であり，進路選択や自己決定を行っていく時期でもある。危機を経験したことが人生の分岐点となり，進路選択に影響を及ぼすことも少なく

はない。自らの経験を活かした職業に就くことを目指す子供もいれば，危機の影響から学習が停滞したり経済的な厳しさに直面したりすることで，希望していた進路を断念せざるを得なくなる子供もいる。進路選択に際して希望を過度に下げたり，自信過剰であったりする場合には，危機の影響が出ている可能性も考慮しながら子供の話を丁寧に聴き，現実的な選択へと導いていくことが求められる。

⑵ 特に配慮が必要な子供たち[1)2)]

1)近親者が亡くなった子供

災害や事件・事故等により近親者が亡くなることは，心理的なよりどころを失う体験であり，その死を受け止めることには困難が伴う。大切な人の死に引き続く反応は「悲嘆反応」と呼ばれる。悲しみ・怒り・不安・ぼんやりするなどの情緒面の変化，睡眠や食行動の変化，疲労・倦怠感や身体の不調，意欲や集中力の低下，仲間関係における困難などが生じる。

多くの子供は，悲嘆反応の過程にあっても何とか日常生活を営むことができる。そして，時間経過とともに反応は和らぎ，大切な人の死を受け止められるようになる。周囲の大人は子供の悲嘆反応を自然なこととして受け止め，子供の気持ちに寄り添いながら回復を見守ることが求められる。

2)危機発生前から障害や適応困難を抱えていた子供

知的障害や発達障害がある子供は，危機状況が十分に理解できず，環境の変化にも弱いため，危機発生時の混乱が大きくなることが多い。また，日頃からストレスを抱えやすく，学校不適応などの課題のある子供についても，危機そのものの影響を大きく受けたり，平常時に家族や友人，教職員から受けていた支援が得られにくくなったりすることにより，混乱が大きくなることが予想される。もともと何らかの適応困難を抱えている子供たちは，危機発生時に問題が表面化しやすいことを念頭に置いておく必要がある。

3)転校・転居した子供

危機を経験するだけではなく，その結果として転校・転居を余儀なくされた場合，危機状況から直接被るストレスのみならず，転居および転校先での適応などの新たなストレスが生じる。危機のあとも，同様の体験をした仲間や教師とともに過ごすことができれば，体験を共有し支え合うことができるが，危機の経験のない仲間とともに学校生活を送ることになると，孤立感が強まることも少なくはない。子供によっては，一見すると何事もなかったように過ごしている場合もあるが，しばらくするとイライラしたり元気がなくなったり，不登校という形で表現されたりすることがある。子供が危機当時のことを知っている人と交流することや，危機をどのように体験したのかを安心して話せる場を作ることなどが大切になる。

(3) 心的外傷後成長(Posttraumatic Growth: PTG)の視点を踏まえた支援

災害や事件・事故といった危機は，個人や集団にネガティブな影響をもたらすという側面が強い。しかし，危機を乗り越えようと奮闘する過程で，自分の強みに気づいたり，周囲の人や地域のもつ力の大きさを感じたりすることも多くある。困難な状況に遭遇しても，それを乗り越えて心理的な成長・発達を遂げるという健康的な側面は，PTGとして注目されている。実際に，地震により被災した小中学生の作文からは，被災後に家族・地域・友人からサポートを受けたことにより，今度は自分が同じ状況に置かれた人たちの助けになりたいという思いや，地域全体の復興を願いながら「役に立ちたい」という思いを行動に移したことなどが綴られている[8)9)]。

子供の成長・発達の場である学校現場においては，PTGの視点を踏まえながら心のケアを行うことが非常に大切である。一方で，危機への支援という点では，辛い体験を乗り越えることによる子供たちの成長を目的とするのではなく，今まさに直面している課題をしっかりと把握し，その状況から脱することを第一の目的とすることが必要である[4)]。PTGは，危機状況の軽減や解消のあとにもたらされるものであることにも留意されたい。

6 日常における心のケア―「心の減災」の視点から

ここまでは事件・事故や災害発生時における心のケアのあり方についてまとめてきた。しかし，何らかの危機が発生する前からの心の備えもまた大切である。前もって備えておくことにより，危機が生じたときの心への影響を軽減できる可能性がある。

⑴ 心の減災教育プログラム

特に地震などの自然災害については，家具の固定や食料の備蓄といった物理的な備えが重要であることは言うまでもないが，災害時に生じうるストレスに適切に対処するためのスキルを身につけ，心の備えをするという「心の減災」も欠かせない。このような視点に立ち，小学生・中高生・成人用の心の減災教育プログラムが開発されている[10)]。多忙な学校現場のニーズに応じて，小学生用は3回，中学・高校生用は2回で完結するプログラムとなっている。また成人用は，研修会等で用いることを想定して1回のプログラムとなっている（いずれも名古屋大学心の減災研究会のホームページにて無償ダウンロードできる）。

小学生用・中高生用・成人用のすべてのプログラムには，以下に示すように，大きく3つのテーマが盛り込まれている。

①ストレス反応とリラクセーション法：災害後に生じうるストレス反応に関する基礎知識とリラクセーション法（10秒呼吸法）の学習　➔図1

②認知の修正：災害後に生じうるストレス反応や避難所での対人関係トラブルなどに対する，ものの見方や考え方の理解と対処法の学習

③信頼と協力：長引く避難所生活や不自由な生活における対人関係の持ち方についての学習

⑵「心の減災」の応用可能性

「心の減災」の視点は，地震などの災害発生時だけではなく，日々の心の健康を促進するためにも役立つ。すなわち，心の減災教育プログラムによって身につけたストレスへの対処スキルは，日常生活の中で不安や恐怖を感じたり，何らかの困難に直面したりした際にも応用することができる。習得したストレス対処スキルを用いて困難な状況を乗り越えることができたという体験は，「こうすればうまくできる」「やればできる」といった自己効力感を高め，次に同じような困難に直面したときの備えへとつながる。

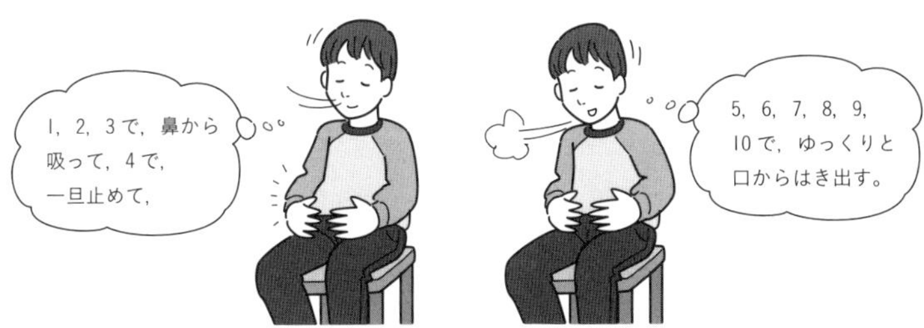

1, 2, 3で，鼻から
吸って，4で，
一旦止めて，
5, 6, 7, 8, 9,
10で，ゆっくりと
口からはき出す。

図1 10秒呼吸法[5)]

7 教職員の心のケア[1)2)]

(1) 必要性

事件・事故発生時や災害時には，子供のみならず教職員も心に大きな傷を負う。特に災害時には，教職員自身の家族の喪失，家屋の倒壊，すさまじい被害状況の目撃等が生じうる。また，学校が避難所となり絶え間なく対応業務にあたることに疲弊したり，苦痛を抱えた子供や保護者に接することによる二次受傷などが生じたりすることもある。

教職員は子供の教育を担うという立場上，自分自身の不適応感を表出しにくい。また，危機発生時には緊張感や使命感がいっそう強くなることにより，自らの心身の疲労に気づきにくくなったり，休息をとることに罪悪感を抱いたりする。支援にあたって高い目標を設定する一方で，思うように活動できずに自責感が高まることもある。

自分自身の心が傷ついたままでいると，感受性や共感性が鈍くなり，子供の心の傷に気づくことが難しくなる。したがって，教職員が自らの心をケアすることは，子供の支援をするためにも大切なことである。

(2) 教職員個人が心がけたいこと

どのような危機状況においても，個人でできることには限界がある。したがって，何事も一人で抱え込まず，関係者と連携することが大切である。複数の目で子供個人や集団の様子を把握し共有することで，より多面的な

理解が可能となり，危機状況が解決に向かいやすくなる。

また，ストレスによる心身の不調は誰にでも起こりうることを認識しておく必要がある。そして，実際に不調を感じた際にはためらわずに休息を取り入れたり，周囲に相談したり，医療機関等を受診したりすることが大切である。自分なりのリラクセーションや気分転換の方法ももっておきたい。

⑶ 学校組織として心がけたいこと

教職員の心のケアについては，個人の取り組みのみならず，学校組織全体としても考えていく必要がある。まずは，平常時より教職員間のコミュニケーションを大切にし，チームで問題解決に向かう体制や雰囲気を作ることが求められる。また，心のケアを行ううえでの研修の重要性については先述した通りであるが，教職員自身のストレスマネジメントなどをテーマとした研修を実施し，心身の健康について振り返る機会を設けることも有効である。

重大な事件・事故等に巻き込まれた子供の担任や，自然災害による被災の程度が深刻であった教職員には，特に配慮が必要である。教職員間の共通理解のもとで役割分担の軽減や免除を行いながら，教職員自身の心の傷の回復に向けた歩みを支えることが求められる。

練習問題

① 危機発生時に子供に生じうる心身の反応について説明しなさい。
② 危機発生時における表現活動の留意点について，事件・事故と災害の場合を比較しながら説明しなさい。
③ 日常における心のケアの重要性について，「心の減災」の視点を踏まえて説明しなさい。

（野村あすか）

●引用文献
1）文部科学省（2010）『子供の心のケアのために―災害や事件・事故発生時を中心に―』https://www.mext.go.jp/a_menu/kenko/hoken/1297484.htm（2024年1月12日閲覧）
2）文部科学省（2014）『学校における子供の心のケア―サインを見逃さないために―』https://www.mext.go.jp/a_menu/kenko/hoken/__icsFiles/afieldfile/2014/05/23/1347830_01.pdf （2024年1月12日閲覧）
3）福岡県臨床心理士会編・窪田由紀編著（2020）『学校コミュニティへの緊急支援の手引き　第3版』金剛出版
4）狐塚貴博（2024）「学校における心の危機と支援」中谷素之・平石賢二・高井次郎編『学び・育ち・支えの心理学―これからの教育と社会のために―』pp.259-277　名古屋大学出版会
5）American Psychiatric Association著，日本精神神経学会監修（2014）『DSM-5　精神疾患の分類と診断の手引き（日本語版）』医学書院
6）アメリカ国立子供トラウマティックストレス・ネットワーク，アメリカ国立PTSDセンター，兵庫県こころのケアセンター・大阪教育大学学校危機メンタルサポートセンター訳（2017）『サイコロジカル・ファーストエイド学校版 実施の手引き 第2版』https://www.j-hits.org/_files/00127028/pfa_s.pdf（2024年1月12日閲覧）
7）冨永良喜（2012）『大災害と子供の心―どう向き合い支えるか―』岩波書店
8）小林朋子（2007）「震災を体験した小学校高学年の子供の心理」『静岡大学教育学部研究報告（人文・社会科学篇）』58　pp.171-179
9）小林朋子・櫻田智子（2012）「災害を体験した中学生の心理的変化―中越大震災1ヶ月後の作文の質的分析より―」『教育心理学研究』60　pp.430-442
10）窪田由紀・松本真理子・森田美弥子・名古屋大学心の減災研究会編著（2016）『災害に備える心理教育―今日からはじめる心の減災―』ミネルヴァ書房

なぜ性暴力は告発されにくいのか

「シー・セッド　その名を暴け」(2022年)

ニューヨークタイムズの記者であるミーガン（キャリー・マリガン）とジョディ（ゾーイ・カザン）は，大物映画プロデューサーであるハーヴェイ・ワインスタインによる女性への性加害を明らかにしようと取材に動き出す。被害者たちは仕事の打ち合わせなどの名目でワインスタインから呼び出され，性行為を要求される。しかし彼の性暴力は示談で解決を図られ，秘密保持契約によって彼女たちは被害を発言することも禁じられていた。口を閉ざす被害者たちへ2人の記者は粘り強く説得を続ける。ミーガンは「報道してもみんなが無関心で，彼が悪事を続けるかもしない」と不安になるが，証拠を集めて告発記事を発表する。

この映画には著名な俳優も実名で登場する。たとえばアシュレイ・ジャッドはワインスタインからの性的要求をはねつけたために仕事の機会を奪われた。他にもワインスタインからキャリアを終わらされた女性たちが次々と公表に応じ始め，最終的に82人の被害者が名乗り出た。その結果ワインスタインは逮捕，起訴され，実刑を受けた。これがその後世界中に広がる#MeToo運動の始まりである。性暴力告発に関する他の映画としては「スキャンダル」(2019年）があるが，こちらはFOXニュースを舞台として，CEOのロジャー・エイルズによるキャスターへのセクハラを取り上げたもので，「シー・セッド　その名を暴け」と同様に実話が元になっている。

日本では令和2年6月に「性犯罪・性暴力対策強化のための関係府省会議」より「性犯罪・性暴力対策の強化の方針」が策定された。性犯罪に関する刑事法の見直しや，ワンストップ支援センターの体制充実による被害者支援などとともに，本書の第10章でも取り上げている「生命（いのち）の安全教育」の推進が挙げられている。また教員による児童生徒等への性加害も大きな問題となっており，「教育職員等による児童生徒性暴力等の防止等に関する法律」（令和4年4月1日施行）や日本版DBS制度（令和6年6月）が作られた。前者の法律では教員養成課程において児童生徒等への性暴力防止に関する教育を充実させることとなっている。国全体として性犯罪・性暴力を防止する取組が進められている。

日本の#MeToo運動の中でも芸能事務所の創設者による男性タレントへの性暴力は大きな問題となり，数多くの被害者が告発するに至った。性犯罪・性暴力の告発は簡単ではないが，#MeTooが大きな力となっている。

教職員の危機管理能力を高める―教職員研修としての卓上訓練

キーワード

教職員研修

卓上訓練

- 教職員への学校安全・危機管理研修には，教職員の危機管理意識を向上させる，危機発生時に適切かつ迅速に意思決定し，実行に移すための能力を高めるなどのねらいがある。
- 学校危機管理研修としての卓上訓練には，ストレスが少ない，短時間で実行できるなどの利点がある。
- 卓上訓練のほか教員向けの様々な研修方法が存在する。

1 教職員への学校安全・危機管理に関する研修の意義

学校の危機管理体制を確実なものにするためには，教職員の危機管理能力を高めることが不可欠である。そのためには学校安全・危機管理の研修を教職員に対して実施することが効果的である。文部科学省が実施した「学校安全の推進に関する計画に係る取組状況調査」(2016年3月現在）によると，危険等発生時対処要領（危機管理マニュアル）を策定している学校の割合は97.2%であるのに対して，職員に対する校内研修の実施や校外研修への派遣を行った学校の割合は，校内研修の実施は90.0%，校外研修への派遣は72.6%に留まっていた。「第2次学校安全の推進に関する計画」(2017年3月）によると，「学校や学校設置者は，国の取組を踏まえて，学校安全の中核となる教職員の役割の明確化や，その者に対する研修等を充実し，各学校における安全の取組を推進していくことが必要である」ことが示されている。実際に研修を進めるためには，研修の手法について十分理解しておく必要がある。

教職員の学校安全・危機管理研修には，

①教職員の危機管理意識を向上させる。

②危機管理マニュアルを実効性あるものにする。

③いち早く危機を発見し，危機発生を未然に防ぐ。

④危機発生時に適切かつ迅速に意志決定し，実行に移すための能力を高める。

⑤教職員間の意思の疎通を図る。

等の意義があるといえるだろう。

具体的な研修の内容としては。学校や子供に関係した事件・事故の実態，危機管理に関する理論の理解，危機管理マニュアルの作り方，救急処置の方法の習得，安全教育の進め方などが挙げられる。また近年では，不審者の学校への侵入に備えて，さすまたなど防犯器具の使用方法を身に付けるための研修も行われている。

研修の時期としては，教職員の異動後の年度始めはもちろん，夏休み前や行事の直前などに設定し，具体的な課題に対応した研修を行うことが効果的である。

研修の実施方法としては学外講師による講演や技術指導などが挙げられるが，後述するような卓上訓練も可能である。

2 学校危機管理における卓上訓練（Tabletop Exercise）

学校や地域などの危機管理訓練において活用される手法の一つとして，卓上訓練（Tabletop Exercise）がある。卓上訓練とは,「危機的状況をふだん通りにストレスのない状況下で模擬訓練すること。参加者は危機管理計画に基づいて，問題を調べ，それを解決するように，議論を導く」ことを指す。つまり，ある危機的な状況をシミュレートし，それへの対応を参加者が討議することによって，危機発生時の意志決定を学習することができるという方法である。

卓上訓練の長所としては，以下の点が考えられる。

①少ないストレスで行うことができるので，参加者にとって負担が少ない。
②シミュレーションを通じて自分たちの意志決定過程を確認することで，実際の場面でのよりよい意志決定が可能となる。
③参加者間のコミュニケーションが高まり，各々の役割や責任を確認することができる。
④短時間で訓練できるので，複数の危機管理のテーマを同時に取り上げることも可能となる。
⑤頻繁に行うことができるので，マニュアルの見直しなどを繰り返し行うことが可能となる。
⑥特別な場所や道具を必要とせず，低予算で行うことができる。

もちろん児童生徒も含めて実際に避難訓練を実施することや，マニュアルを実際に運用した訓練も重要であり，時間が可能な限り繰り返し実施することが効果的であることは間違いない。しかしながら，日常的に出遭う些細な問題から大きな災害まで，様々な状況で迅速かつ適切な意志決定が要求される場合，補完的にこのような簡便な訓練も必要となる。特に教科等における校外学習や特別活動に際して，あらかじめ予想される危機状況について卓上訓練を実施することは，万が一に備える上で効果的であると思われる。

3 卓上訓練の進め方

卓上訓練の方法としては，詳細なシナリオを用意して，危機発生以降の流れに応じて複数の課題を提示し，それに対して参加者が意志決定を繰り返す手法が一般的である。しかし学校における数多い課題に対応するために方法を簡便化し，一つの課題を1回のみ提示して行う例をここでは紹介したい。実際の進め方は以下の通りである。

(1) 卓上訓練の進め方についての説明

進行役が管理職や学校安全担当者と相談の上，課題を用意する。課題はそれぞれの学校の状況を考慮し，単一もしくは複数の危機状況を示したものを用意する↓表1。

教職員を5～6人のグループに分け，進行役は用意した課題を各グループに提示することを予告し，提示された課題について5分間で対応策を決定するように指示する↗図1。各グループに手渡すまでその内容を伏せる。なお危機状況が自分たちの学校で起きるということを前提にして討議するように説明する。

表1 卓上訓練の例

a. 登校しない児童がいたので保護者に確認したところ，家を出たという返事があった。
b. 児童が下校中に不審者から暴力を振るわれたという知らせが保護者から入った。
c. 休み時間に児童から，長い棒を持って校庭を歩いている人がいると連絡があった。
d. 校外学習を行っている時に，児童の一人が交通事故に遭ったと，ほかの児童から知らせがあった。

⑵ 課題の提示とグループ別活動

各グループ代表者にテーマを手渡す。それぞれのグループは与えられた課題（危機状況）への対応を話し合う。話し合い後，模造紙へ油性ペンで書き込む➜図2。なお活動時間については，慣れるまでは討議5分，書き込み5分のように長めに設定し，慣れるにしたがって短くしていくとよい。

⑶ 危機対応の発表と質疑

5分経過したところでグループ別活動を中止する。グループごとに模造紙をホワイトボードに貼り，代表者が課題とその対応について教職員全員に説明を行う。不明点等について質疑を行い，よりよい意志決定がほかにあるかどうかを話し合う➜図3。また各グループが同じ課題について活動した場合には，最も優れた意志決定を行ったグループを投票により決定することもできる。

図1 グループ討議

図2 意志決定の内容を書き出す

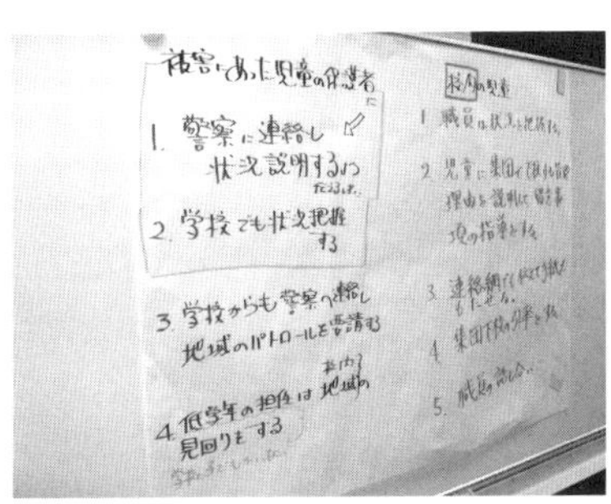

図3 書き出した内容の掲示

⑷ 意見交換

最後に，卓上訓練全体を通じた意見を出し合い，さらなる応用の可能性などについて話し合う。

以上が卓上訓練の進め方であるが，卓上訓練の前に危機管理の考え方やマニュアルの内容を復習するなどの活動も含めるとさらに効果的である。↓表2は，前半に危機管理全般に関する講義（学外講師による例）と卓上訓練をあわせた研修プログラムを載せた。各学校の事情にあわせて応用することが大切である。

なおここでは教職員を対象とした研修での卓上訓練について取り上げたが，児童生徒を対象とした安全教育において，児童生徒自身が意志決定するための訓練にも応用することができる。

本稿は,「安全教育学研究」第5巻第1号（2005）に掲載された『卓上訓練（Tabletop Exercise）を用いた学校危機管理研修プログラム』をもとに執筆したものである。

表2 防犯をテーマとした危機管理研修プログラムの例

1　危機管理に関する講義（90分）
①子供の犯罪被害の実態 ②学校危機管理の考え方 ③安全管理設備について ④危機管理マニュアルについて ⑤防犯教育の進め方 ⑥家庭・地域との連携
2　危機管理の卓上訓練（60分）
①卓上訓練の意義についての簡単な講義 ②卓上訓練の進め方についての説明 ③課題の提示とグループ別活動 ④危機対応の発表と質疑 ⑤意見交換

4 その他の研修方法

卓上訓練以外にもいくつもの研修方法がある。↓表3は卓上訓練を含む様々な研修方法を挙げている[1]。学校の管理下で発生が想定される危機事象に対応するために，日頃から教員のための研修の機会を設けることが重要である。また教員が個別に学ぶことができる教材として，文部科学省が開発し，公開している「教職員のための学校安全e-ラーニング」[2] がある。(独) 日本スポーツ振興センターも学校でのスポーツ事故防止に関する研修用動画を公開している[3]。

表3 学校で実施できる研修方法[1]

ハザードマップと地図を用いた研修／学校版タイムラインづくり
卓上訓練の活用／マップ・マヌーバーの活用
状況判断（ケーススタディ）の活用／ASUKAモデルの活用
実践的な不審者対応訓練／実践的な避難訓練等の工夫例

練習問題

① 表1に示した以外で，交通安全，生活安全，災害安全（防災）による卓上訓練のテーマを考えなさい。

② 1であげたテーマを用いて，実際に小グループで卓上訓練を行いなさい。

（渡邉正樹）

●引用文献

1）文部科学省(2021)『学校安全推進のための教職員向け研修・訓練実践事例集』

2）文部科学省『教職員のための学校安全e-ラーニング』 https://anzenkyouiku.mext.go.jp/learning/index.html

3）(独) 日本スポーツ振興センター『学校でのスポーツ事故を防ぐために』 https://www.jpnsport.go.jp/anzen/tabid/1765/Default.aspx

ルールは大切！？

「ゾンビランド」(2009年)

かつての安全教育では，ルールを守るという指導がほとんどであった。交通事故死が16,000人を超えることもあった昭和40年代（1965～1974）は，交通規則を遵守することが交通安全のために最も重要であった。しかし近年は「マニュアルを疑え」「ハザードマップを信じるな」という意見もしばしば耳にするように，決められたルールは役に立たないように思える。

2009年の「ゾンビランド」は，地球上でゾンビが増殖し，人類はほぼ壊滅状態にある世界が舞台となっている。これまでのゾンビ映画同様に人類がいかにして生き残るかがテーマになるのだが，ここで重要となるのは主人公コロンバス（ジェシー・アイゼンバーグ）が作った32のルールである。たとえば「人をみたらゾンビと思え」や「ゾンビを発見したらまず逃げろ」のようなゾンビへの直接の対処から，「シートベルトをしろ」や「火の用心」のようにごく普通のルールまである。コロンバスはこのルールを守りながら旅に出るが，途中出会った射撃の得意な男や詐欺師の姉妹とともに，ゾンビがいないと噂されるロサンゼルスの遊園地へ向かう。

ルールを作り，それを守ることは，迅速かつ的確な意思決定に必要なことである。しかしそれにこだわりすぎると逆に危険な状況に陥ることもある。災害発生の二次避難行動として「おかしもの約束」がよく使われるが，これはあくまでも教師が子供たちを指示通りに行動させるものであり，基本的に子供の主体性はない。したがって教師の指示待ちという状況を生みやすい。また「おかしもの約束」自体，津波発生時の避難としては有効とはいえない。だからと言ってルールのない集団は混乱を招くだけである。ルールを理解しつつ，主体的に意思決定できることが望ましいが，決して簡単なことではないだろう。

「ゾンビランド」には，公開時すでに名の知られていたウディ・ハレルソン（ガンマン役）やアビゲイル・ブレスリン（姉妹の妹役）が出演していたが，コロンバスを演じたアイゼンバーグと姉妹の姉役のエマ・ストーンは当時まだ無名であった。その後大ブレイクし，売れっ子となった4人であるが，2019年にはまさかの続編「ゾンビランド:ダブルタップ」が公開された。そこではさらにルールが増えていた。

巻末資料

1 学校保健安全法（抜粋）
学校保健安全法施行規則（抜粋）

1．学校保健安全法（抜粋）最終改正：平成20年（2008）6月

第一章総則

（国及び地方公共団体の責務）

第三条　国及び地方公共団体は，相互に連携を図り，各学校において保健及び安全に係る取組が確実かつ効果的に実施されるようにするため，学校における保健及び安全に関する最新の知見及び事例を踏まえつつ，財政上の措置その他の必要な施策を講ずるものとする．

２　国は，各学校における安全に係る取組を総合的かつ効果的に推進するため，学校安全の推進に関する計画の策定その他所要の措置を講ずるものとする．

３　地方公共団体は，国が講ずる前項の措置に準じた措置を講ずるように努めなければならない．

第三章学校安全

（学校安全に関する学校の設置者の責務）

第二十六条　学校の設置者は，児童生徒等の安全の確保を図るため，その設置する学校において，事故，加害行為，災害等（以下この条及び第二十九条第三項において「事故等」という．）により児童生徒等に生ずる危険を防止し，及び事故等により児童生徒等に危険又は危害が現に生じた場合（同条第一項及び第二項において「危険等発生時」という．）において適切に対処することができるよう，当該学校の施設及び設備並びに管理運営体制の整備充実その他の必要な措置を講ずるよう努めるものとする．

（学校安全計画の策定等）

第二十七条　学校においては，児童生徒等の安全の確保を図るため，当該学校の施設及び設備の安全点検，児童生徒等に対する通学を含めた学校生活その他の日常生活における安全に関する指導，職員の研修その他学校における安全に関する事項について計画を策定し，これを実施しなければならない．

（学校環境の安全の確保）

第二十八条　校長は，当該学校の施設又は設備について，児童生徒等の安全の確保を図る上で支障となる事項があると認めた場合には，遅滞なく，その改善を図るために必要な措置を講じ，又は当該措置を講ずることができないときは，当該学校の設置者に対し，その旨を申し出るものとする．

（危険等発生時対処要領の作成等）

第二十九条　学校においては，児童生徒等の安全の確保を図るため，当該学校の実情に応じて，危険等発生時において当該学校の職員がとるべき措置の具体的内容及び手順を定めた対処要領（次項において「危険等発生時対処要領」という．）を作成するものとする．

2　校長は，危険等発生時対処要領の職員に対する周知，訓練の実施その他の危険等発生時において職員が適切に対処するために必要な措置を講ずるものとする．

3　学校においては，事故等により児童生徒等に危害が生じた場合において，当該児童生徒等及び当該事故等により心理的外傷その他の心身の健康に対する影響を受けた児童生徒等その他の関係者の心身の健康を回復させるため，これらの者に対して必要な支援を行うものとする．この場合においては，第十条の規定を準用する．

（地域の関係機関等との連携）

第三十条　学校においては，児童生徒等の安全の確保を図るため，児童生徒等の保護者との連携を図るとともに，当該学校が所在する地域の実情に応じて，当該地域を管轄する警察署その他の関係機関，地域の安全を確保するための活動を行う団体その他の関係団体，当該地域の住民その他の関係者との連携を図るよう努めるものとする．

2．学校保健安全法施行規則（抜粋）最終改正：平成24年（2012）3月

第六章安全点検等

（安全点検）

第二十八条　法第二十七条の安全点検は，他の法令に基づくもののほか，毎学期一回以上，児童生徒等が通常使用する施設及び設備の異常の有無について系統的に行わなければならない．

2　学校においては，必要があるときは，臨時に，安全点検を行うものとする．

（日常における環境の安全）

第二十九条　学校においては，前条の安全点検のほか，設備等について日常的な点検を行い，環境の安全の確保を図らなければならない．

2　第3次学校安全の推進に関する計画（概要）

Ⅰ　**総論**

●第３次計画の策定に向けた課題認識

○学校が作成する計画・マニュアルに基づく取組の実効性に課題

○学校安全の取組内容や意識の差

○東日本大震災の記憶を風化させることなく今後発生が懸念される大規模災害に備えた実践的な防災教育を全国的に進めていく必要性など

●施策の基本的な方向性

○学校安全計画・危機管理マニュアルを見直すサイクルを構築し，学校安全の実効性を高める

○地域の多様な主体と密接に連携・協働し，子供の視点を加えた安全対策を推進する

○全ての学校における実践的・実効的な安全教育を推進する

○地域の災害リスクを踏まえた実践的な防災教育・訓練を実施する

○事故情報や学校の取組状況などデータを活用し学校安全を「見える化」する
○学校安全に関する意識の向上を図る（学校における安全文化の醸成）

●目指す姿

○全ての児童生徒等が，自ら適切に判断し，主体的に行動できるよう，安全に関する資質・能力を身に付けること
○学校管理下における児童生徒等の死亡事故の発生件数について限りなくゼロにすること
○学校管理下における児童生徒等の負傷・疾病の発生率について，障害や重度の負傷を伴う事故を中心に減少させること

Ⅱ　推進方策

推進方策１．学校安全に関する組織的取組の推進

○学校経営における学校安全の明確な位置付け
○セーフティプロモーションスクールの考え方を取り入れ，学校安全計画を見直すサイクルの確立
○学校を取り巻く地域の自然的環境をはじめとする様々なリスクを想定した危機管理マニュアルの作成・見直し
○学校における学校安全の中核を担う教職員の位置付けの明確化，学校安全に関する研修・訓練の充実
○教員養成における学校安全の学修の充実

推進方策２．家庭，地域，関係機関等との連携・協働による学校安全の推進

○コミュニティ・スクール等，学校と地域との連携・協働の仕組みを活用した学校安全の取組の推進
○通学時の安全確保に関する地域の推進体制の構築，通学路交通安全プログラムに基づく関係機関が連携した取組の強化・活性化
○SNSに起因する児童生徒等への被害，性被害の根絶に向けた防犯対策の促進

推進方策３．学校における安全に関する教育の充実

○児童生徒等が危険を予測し，回避する能力を育成する安全教育の充実，指導時間の確保，学校における教育手法の改善
○地域の災害リスクを踏まえた実践的な防災教育の充実，関係機関（消防団等）との連携の強化
○幼児期，特別支援学校における安全教育の好事例等の収集
○ネット上の有害情報対策（SNSに起因する被害），性犯罪・性暴力対策（生命（いのち）の安全教育）など，現代的課題に関する教育内容について，学校安全計画への位置付けを推進

推進方策４．学校における安全管理の取組の充実

○学校における安全点検に関する手法の改善（判断基準の明確化，子供の視点を加える等），学校設置者による点検・対策の強化（専門家との連携等）

○学校施設の老朽化対策，非構造部材の耐震対策，防災機能の整備の推進
○重大事故の予防のためのヒヤリハット事例の活用
○学校管理下において発生した事故等の検証と再発防止等（学校事故対応に関する指針の内容の改訂に関する検討）

推進方策５．学校安全の推進方策に関する横断的な事項等

○学校安全に係る情報の見える化，共有，活用の推進（調査項目，調査方法の見直し等）
○災害共済給付に関するデータ等を活用した啓発資料の周知・効果的な活用
○設置主体（国立・公立・私立）に関わらない，学校安全に関する研修等の情報・機会の提供
○AIやデジタル技術を活用した，科学的なアプローチによる事故予防に関する取組の推進
○学校安全を意識化する機会の設定の推進（各学校の教職員等の意識を高める日・週間の設定等）
○国の学校安全に関する施策のフォローアップの実施

3 学校における不審者侵入への対応

なお図中のページ番号は出典のマニュアルでのページ番号を示す。

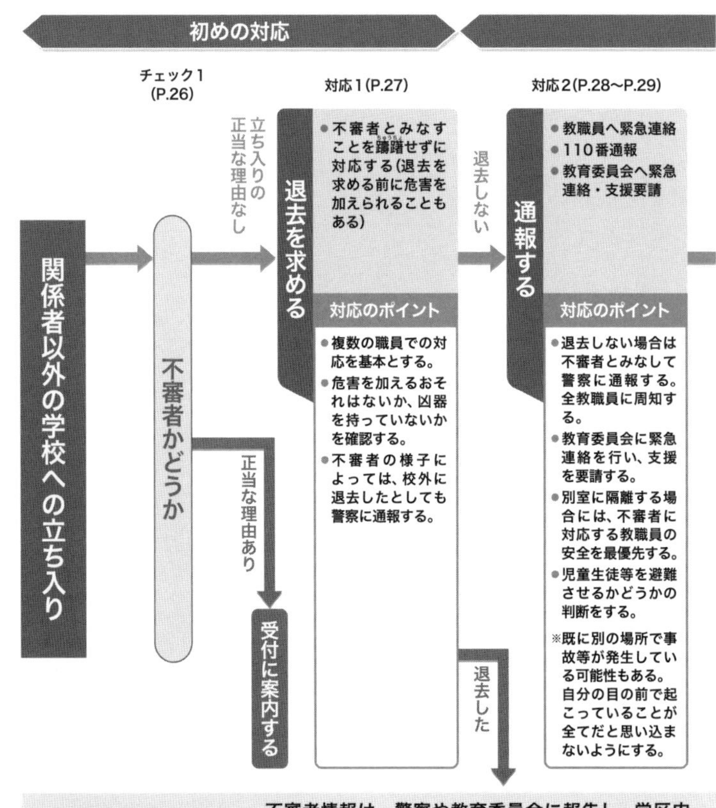

不審者の立ち入りへの緊急対応の例
初めの対応
チェック1
(P.26)
対応1(P.27)
対応2(P.28~P.29)
関係者以外の学校への立ち入り
不審者かどうか
立ち入りの正当な理由なし
正当な理由あり
受付に案内する
退去を求める
● 不審者とみなすことを躊躇せずに対応する(退去を求める前に危害を加えられることもある)
対応のポイント
● 複数の職員での対応を基本とする。
● 危害を加えるおそれはないか、凶器を持っていないかを確認する。
● 不審者の様子によっては、校外に退去したとしても警察に通報する。
退去しない
退去した
通報する
● 教職員へ緊急連絡
● 110番通報
● 教育委員会へ緊急連絡・支援要請
対応のポイント
● 退去しない場合は不審者とみなして警察に通報する。全教職員に周知する。
● 教育委員会に緊急連絡を行い、支援を要請する。
● 別室に隔離する場合には、不審者に対応する教職員の安全を最優先する。
● 児童生徒等を避難させるかどうかの判断をする。
※既に別の場所で事故等が発生している可能性もある。自分の目の前で起こっていることが全てだと思い込まないようにする。
不審者情報の共有
不審者情報は、警察や教育委員会に報告し、学区内
教育委員会は、当該学校の近隣学校（国私立、

各学校においては、以下のフローを参考に、各学校の実情にあった対応ができるよう体制整備や訓練を行う必要があります。

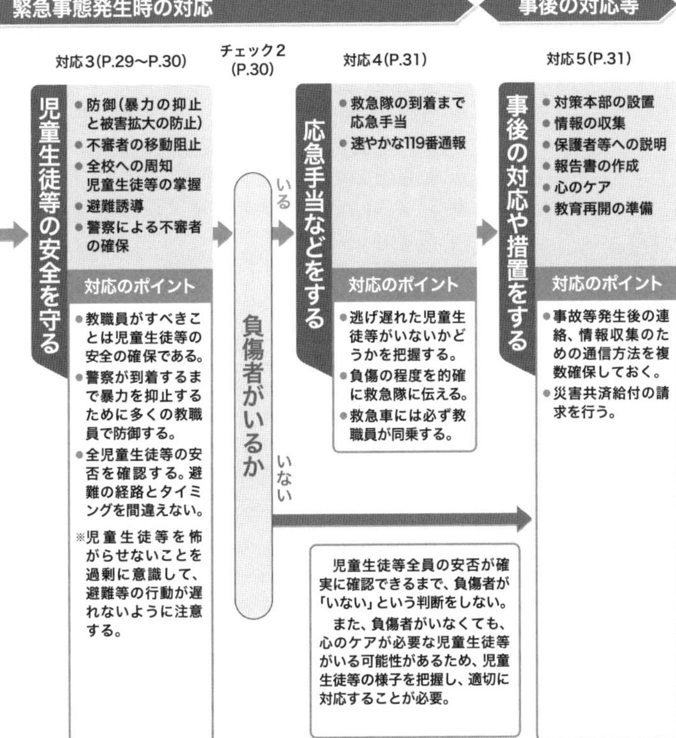

緊急事態発生時の対応
事後の対応等
対応3(P.29～P.30)
チェック2
(P.30)
対応4(P.31)
対応5(P.31)
児童生徒等の安全を守る
●防御(暴力の抑止と被害拡大の防止)
●不審者の移動阻止
●全校への周知
児童生徒等の掌握
●避難誘導
●警察による不審者の確保
対応のポイント
●教職員がすべきことは児童生徒等の安全の確保である。
●警察が到着するまで暴力を抑止するために多くの教職員で防御する。
●全児童生徒等の安否を確認する。避難の経路とタイミングを間違えない。
※児童生徒等を怖がらせないことを過剰に意識して、避難等の行動が遅れないように注意する。
負傷者がいるか
いる
いない
応急手当などをする
●救急隊の到着まで応急手当
●速やかな119番通報
対応のポイント
●逃げ遅れた児童生徒等がいないかどうかを把握する。
●負傷の程度を的確に救急隊に伝える。
●救急車には必ず教職員が同乗する。
児童生徒等全員の安否が確実に確認できるまで、負傷者が「いない」という判断をしない。
また、負傷者がいなくても、心のケアが必要な児童生徒等がいる可能性があるため、児童生徒等の様子を把握し、適切に対応することが必要。
事後の対応や措置をする
●対策本部の設置
●情報の収集
●保護者等への説明
●報告書の作成
●心のケア
●教育再開の準備
対応のポイント
●事故等発生後の連絡、情報収集のための通信方法を複数確保しておく。
●災害共済給付の請求を行う。

のパトロールの強化や近隣の学校等への情報提供をするようにします。
他市の学校含む）に情報提供する体制を構築しておくことが必要です。

（文部科学省（2018）「学校の危機管理マニュアル作成の手引」より）

4 登下校時の緊急事態発生時の対応

なお図中のページ番号は出典のマニュアルでのページ番号を示す。

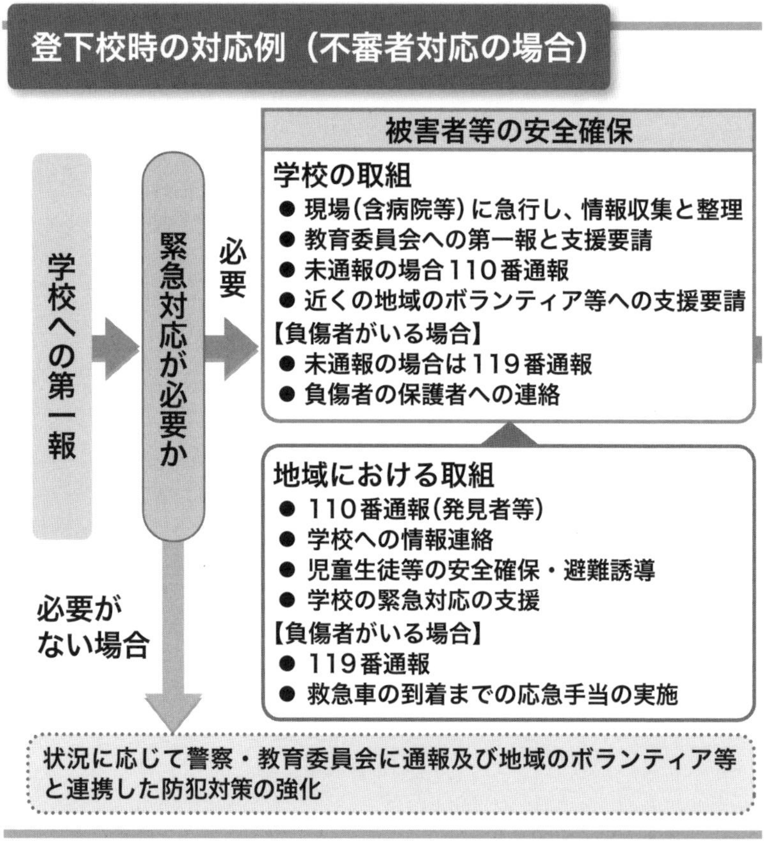

登下校時の対応例（不審者対応の場合）

学校への第一報 → 緊急対応が必要か → 必要 →

被害者等の安全確保

学校の取組
- 現場（含病院等）に急行し、情報収集と整理
- 教育委員会への第一報と支援要請
- 未通報の場合110番通報
- 近くの地域のボランティア等への支援要請

【負傷者がいる場合】
- 未通報の場合は119番通報
- 負傷者の保護者への連絡

地域における取組
- 110番通報（発見者等）
- 学校への情報連絡
- 児童生徒等の安全確保・避難誘導
- 学校の緊急対応の支援

【負傷者がいる場合】
- 119番通報
- 救急車の到着までの応急手当の実施

必要がない場合 ↓

状況に応じて警察・教育委員会に通報及び地域のボランティア等と連携した防犯対策の強化

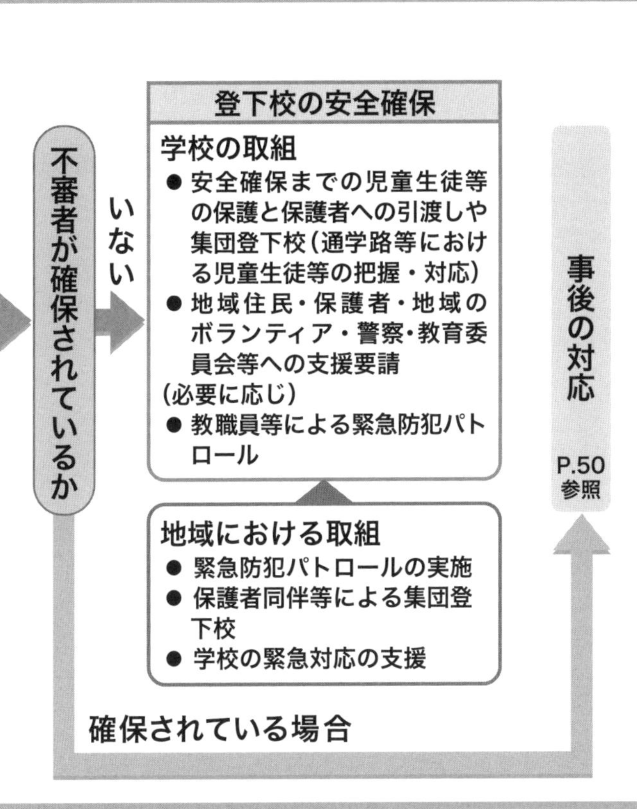

（文部科学省（2018）「学校の危機管理マニュアル作成の手引」より）

5 学校における地震防災のフローチャート

なお図中のページ番号は出典のマニュアルでのページ番号を示す。

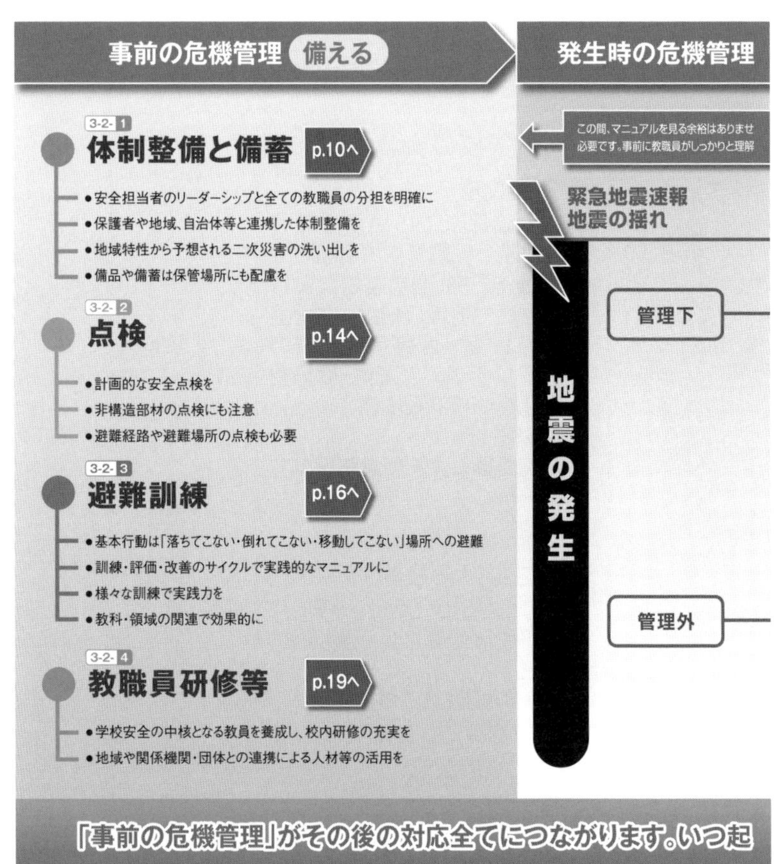

事前の危機管理 備える
発生時の危機管理
3-2- 1
体制整備と備蓄
p.10へ
●安全担当者のリーダーシップと全ての教職員の分担を明確に
●保護者や地域、自治体等と連携した体制整備を
●地域特性から予想される二次災害の洗い出しを
●備品や備蓄は保管場所にも配慮を
3-2- 2
点検
p.14へ
●計画的な安全点検を
●非構造部材の点検にも注意
●避難経路や避難場所の点検も必要
3-2- 3
避難訓練
p.16へ
●基本行動は「落ちてこない・倒れてこない・移動してこない」場所への避難
●訓練・評価・改善のサイクルで実践的なマニュアルに
●様々な訓練で実践力を
●教科・領域の関連で効果的に
3-2- 4
教職員研修等
p.19へ
●学校安全の中核となる教員を養成し、校内研修の充実を
●地域や関係機関・団体との連携による人材等の活用を
この間、マニュアルを見る余裕はありませ
必要です。事前に教職員がしっかりと理解
緊急地震速報
地震の揺れ
地震の発生
管理下
管理外
「事前の危機管理」がその後の対応全てにつながります。いつ起

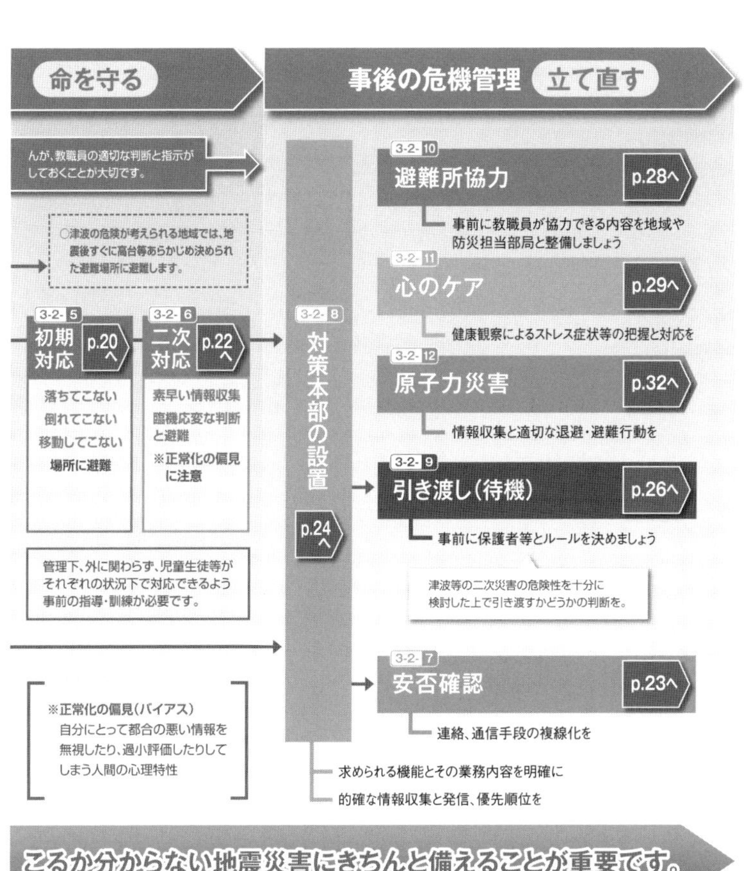
命を守る
事後の危機管理 立て直す
んが、教職員の適切な判断と指示が
しておくことが大切です。
○津波の危険が考えられる地域では、地震後すぐに高台等あらかじめ決められた避難場所に避難します。
3-2-5 初期対応 p.20へ
落ちてこない
倒れてこない
移動してこない
場所に避難
3-2-6 二次対応 p.22へ
素早い情報収集
臨機応変な判断と避難
※正常化の偏見に注意
管理下、外に関わらず、児童生徒等がそれぞれの状況下で対応できるよう事前の指導・訓練が必要です。
※正常化の偏見（バイアス）
自分にとって都合の悪い情報を無視したり、過小評価したりしてしまう人間の心理特性
3-2-8 対策本部の設置 p.24へ
求められる機能とその業務内容を明確に
的確な情報収集と発信、優先順位を
3-2-10 避難所協力 p.28へ
事前に教職員が協力できる内容を地域や防災担当部局と整備しましょう
3-2-11 心のケア p.29へ
健康観察によるストレス症状等の把握と対応を
3-2-12 原子力災害 p.32へ
情報収集と適切な退避・避難行動を
3-2-9 引き渡し（待機） p.26へ
事前に保護者等とルールを決めましょう
津波等の二次災害の危険性を十分に検討した上で引き渡すかどうかの判断を。
3-2-7 安否確認 p.23へ
連絡、通信手段の複線化を
こるか分からない地震災害にきちんと備えることが重要です。

（文部科学省（2012）「学校防災マニュアル（地震・津波災害）作成の手引き」より）

6 大雨発生時の教育委員会・学校の対応

なお図中のページ番号は出典のマニュアルでのページ番号を示す。

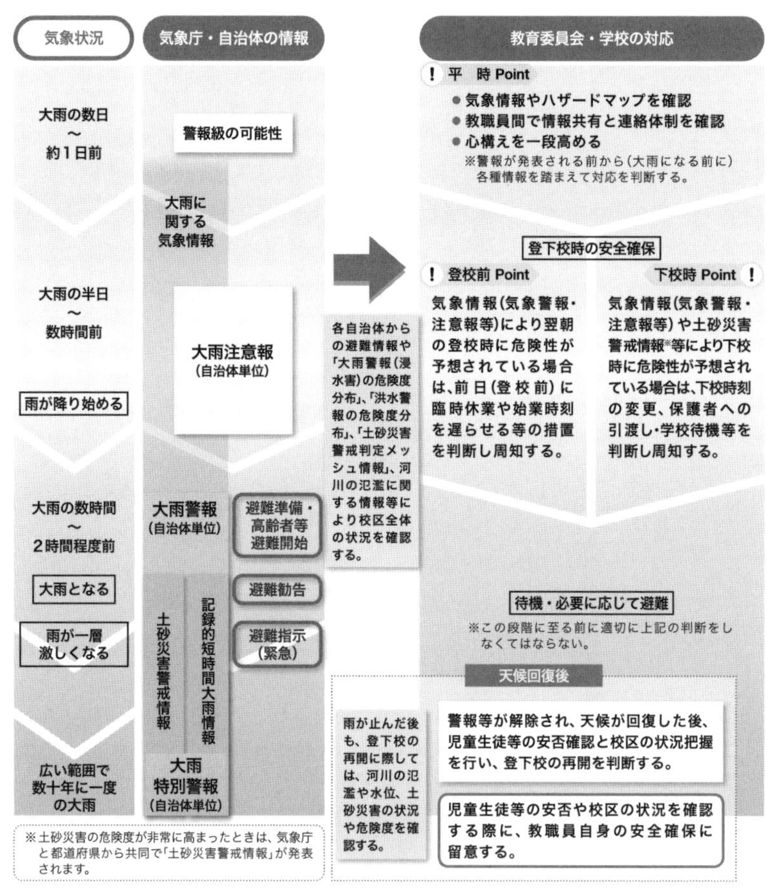

（文部科学省（2018）「学校の危機管理マニュアル作成の手引」より）

7 学校の管理下となる範囲

学校の管理下となる場合	例
1．学校が編成した教育課程に基づく**授業**を受けている場合（保育所等における保育中を含みます。）	各教科（科目），道徳，自立活動，総合的な学習の時間，幼稚園における保育中
2．学校の教育計画に基づく**課外指導**を受けている場合	部活動，林間学校，臨海学校，夏休みの水泳指導，生徒指導，進路指導など
3．**休憩時間**に学校にある場合，その他校長の指示又は承認に基づいて学校にある場合	始業前，業間休み，昼休み，放課後
4．通常の経路及び方法により**通学**する場合（保育所等への登園・降園を含みます。）	登校（登園）中，下校（降園）中
5．学校外で授業等が行われるとき，その場所，集合・解散場所と住居・寄宿舎との間の合理的な経路，方法による往復中	鉄道の駅で集合，解散が行われる場合の駅と住居との間の往復中など
6．学校の寄宿舎にあるとき	

（独立行政法人日本スポーツ振興センター）

8 災害共済給付の対象となる災害の範囲

<table>
<tr><th>災害の種類</th><th colspan="2">災害の範囲</th></tr>
<tr><td>負傷</td><td colspan="2">その原因である事由が学校の管理下で生じたもので，療養に要する費用の額が5,000円以上のもの。</td></tr>
<tr><td>疾病</td><td colspan="2">その原因である事由が学校の管理下で生じたもので，療養に要する費用の額が5,000円以上のもののうち，文部科学省令で定めているもの。
●学校給食等による中毒
●ガス等による中毒
●熱中症
●溺水
●異物の嚥下又は迷入による疾病
●漆等による皮膚炎
●外部衝撃等による疾病
●負傷による疾病</td></tr>
<tr><td>障害</td><td colspan="2">学校の管理下の負傷及び上欄の疾病が治った後に残った障害で，その程度により，1級から14級に区分される。</td></tr>
<tr><td rowspan="3">死亡</td><td colspan="2">学校の管理下において発生した事件に起因する死亡及び上欄の疾病に直接起因する死亡。</td></tr>
<tr><td rowspan="2">突然死</td><td>運動などの行為に起因する突然死。</td></tr>
<tr><td>運動などの行為と関連のない突然死。</td></tr>
</table>

◆供　花　料：学校の管理下における死亡で，損害賠償を受けたことなどにより死亡見舞金を支給しないものに対し供花料（17万円）を支給。

◆へき地通院費：へき地にある学校（義務教育諸学校）の管理下における児童生徒の災害に対し，通院日数に応じ，1日当たり定額1,000円の通院費を支給。

（独立行政法人日本スポーツ振興センター　学校安全webより）

9 学校安全計画例

学校安全計画（小学校）　　※学級活動の欄　◎…1単位時間程度の指導

項目		月	4	5	6	7・8
月の重点			通学路を正しく歩こう	安全に休み時間を過ごそう	梅雨時の安全な生活をしよう	自転車のきまりを守ろう
道徳			規則尊重	生命の尊重	思いやり・親切	勤勉努力
安全教育	生活		・遊具の正しい使い方 ・校内探検 ・廊下の歩き方，安全な校内での過ごし方	・地域巡り，野外観察の交通安全 ・活動に使用する用具等の安全な使い方	・通学路の様子，安全を守っている人々の働き	・虫探し・お店探検時の交通安全
	社会		・我が国の国土と自然環境(5)	・地域の安全を守る働き(消防署や警察署)(3)	・自然災害と人々を守る行政の働き(4)	・地域に起こる自然災害と日頃の備え(4)
	理科		・天気の変化 ・ガスバーナーの使い方など正しい加熱，燃焼や気体の発生実験	・カバーガラス，スライドガラス，フラスコなどガラス実験器具の使い方	・雨水の行方と地面の様子 ・実験・観察器具の正しい使い方	・夜間観察の安全
	図工		・ハサミ・カッター・ナイフ・糸のこぎり・金づち・釘抜き・彫刻刀・ペンチ等の用具，針金			
	家庭		・針，はさみの使い方 ・用具の個数確認	・アイロン等の熱源用具の安全な取扱い	・食品の取扱い方	・包丁の使い方 ・調理台の整理整頓
	体育		・固定施設の使い方 ・運動する場の安全確認	・集団演技，行動時の安全	・水泳前の健康観察 ・水泳時の安全	
	総合的な学習の時間		「○○大好き～町たんけん」(3年)「交通安全ポスターづくり」(4年)			
	学級活動	低学年	・通学路の確認 ◎安全な登下校 ・安全な給食配膳 ・子供110番の家の場所	・休み時間の約束 ◎防犯避難訓練の参加の仕方 ・遠足時の安全 ・運動時の約束	・雨天時の約束 ◎プールの約束 ・誘拐から身を守る	・夏休みの約束 ◎自転車乗車時の約束 ・落雷の危険
		中学年	・通学路の確認 ◎安全な登下校 ・安全な清掃活動 ・誘拐の起こる場所	・休み時間の安全 ◎防犯避難訓練への積極的な参加 ・遠足時の安全 ・運動時の約束 ◎防犯教室(3年生)	・雨天時の安全な過ごし方 ◎安全なプールの利用の仕方 ・防犯にかかわる人たち	・夏休みの安全な過ごし方 ・自転車乗車時のきまり ・落雷の危険
		高学年	・通学路の確認 ◎安全な登下校 ・安全な委員会活動 ・交通事故から身を守る ◎身の回りの犯罪	・休み時間の事故とけが ◎防犯避難訓練の意義 ・交通機関利用時の安全	・雨天時の事故とけが ◎救急法と着衣泳 ・自分自身で身を守る ◎防犯教室(4，5，6年生)	・夏休みの事故と防止策 ・自転車の点検と整備の仕方 ・落雷の危険
	児童会活動等		・新1年生を迎える会	・児童総会 ・クラブ活動，委員会 ・活動開始		・児童集会 ・地域児童会集会
	主な学校行事等		・入学式 ・健康診断 ・交通安全運動	・運動会・遠足 ・避難訓練(不審者)	・自然教室 ・集団下校訓練(大雨等) ・プール開き	
安全管理	対人管理		・安全な通学の仕方 ・固定施設遊具の安全な使い方	・安全のきまりの設定 ・電車・バスの安全な待ち方及び乗降の仕方	・プールでの安全のきまりの確認	・自転車乗車時のきまり，点検・整備 ・校舎内での安全な過ごし方
	対物管理		・通学路の安全確認 ・避難経路の確認 ・安全点検計画	・諸設備の点検及び整備	・学校環境の安全点検及び整備	・夏季休業前や夏季休業中の校舎内外の点検
学校安全に関する組織活動(保護者，地域，関係機関等との連携)			・登下校時，春の交通安全運動期間の街頭指導(保護者等との連携)	・校外における児童の安全行動把握，情報交換	・地域ぐるみの学校安全推進委員会 ・学区危険箇所点検	・地域パトロール意見交換会
研修			・通学路の状況と安全上の課題 ・防犯に関する研修(緊急時の校内連絡体制マニュアルの点検)	・熱中症予防と発生時の対応 ・安全教育に係るカリキュラム・マネジメントの考え方	・応急手当(止血等，心肺蘇生とAEDを含む)研修(PTAと連携)	・遊具等の安全点検方法等

（文部科学省『「生きる力」をはぐくむ学校での安全教育』（2019）より抜粋）

memo

memo

memo

memo

おわりに

近年，学校の管理下における死亡事故は大幅に減少し，児童生徒等の交通事故や犯罪被害も減少傾向にあります。学校安全の課題は着実に解決に向かっていますが，過去に発生した事件・事故と同様か，あるいは類似した事故等が繰り返し発生しているという事実があります。

編者が常々感じていることですが，学校現場にはヒヤリ・ハットを重視して，事故発生を防ごうとする文化が非常に希薄だということがあります。私が過去に調査に携わったいくつかの学校事故では，検証を進めていくと事故発生以前に危険な状態が確認されているにも関わらず，何も対策を行わず放置されていたという事実に行きつきます。

学校教育以外の領域を見てみると，航空機同士の異常接近のような事故が発生しそうになった場合には，極めて危険な事態（インシデント）として徹底的に調査が行われます。また医療現場では，様々な医療事故のヒヤリ・ハットについて日常的に振り返り，事故発生を未然に防ぐ取組が行われています。事故が発生した場合だけではなく，事故が発生していない場合でも危険な状況が認識されれば，将来予想される事故発生を未然に防ぐ対策をとることが可能になります。

学校に話を戻すと，「危なかったけどけが人が出なくてよかった」で終わってしまい，「今回は人的被害がなかったが，次には起きないように対策を講じよう」という発想になかなかつながりません。しかし全く予測ができない事故は存在せず，ほぼすべての事故は過去に発生しているか，あるいはヒヤリ・ハット事例が存在します。しかしそれが共有されることも，その後に活かされることもないまま，重大事故が繰り返し発生しています。

「第３次学校安全の推進に関する計画」にも，「学校管理下における重大事故につながり得るヒヤリ・ハット事例を次の活動に活かすために情報共有することや，他校で起きた事例は自校でも起き得ることを想定し校内研修を進める機会を作り，事故の発生を未然に防ぐよう努める」とあります。

ヒヤリ・ハット事例を活かせるかどうかは，学校安全について学び，危機管理意識を高まることが不可欠です。「はじめに」でも述べましたが，教師をめざす学生の皆さんは教職課程コアカリキュラムとして学校安全を学ぶことになります。しかし現在教員となっている皆さんもまた，改めて学校安全ついて学ぶ機会を設けていただきたいと思います。長い経験があるから大丈夫ということにはなりません。編者は経験が事故防止につながることに対して懐疑的です。一般に危険回避を阻害する要因として認知バイアスがありますが，その中にはベテランバイアスが挙げられます。ベテランバイアスは，豊富な経験が逆に合理的な判断を妨げるというものです。「これまで被害がなかったから今回も大丈夫」は，特に教員など指導者が陥りやすいことです。たとえ経験が豊富であっても，常に判断が正しいとは限りません。自分の経験を過信せず，被害の有無に限らず危険な状況を見落とすことなく，安全を優先する文化を学校の中で育てていただきたいと思います。そのための一助として本書を活用いただければ幸いです。

最後に資料収集と編集の労をとっていただいた大修館書店の中村あゆみさんと，分担執筆者の皆さんに感謝の意を表します。

2024年9月

東京学芸大学名誉教授　渡邉正樹

さくいん

英数字

あ行

か行

さ行

た行

な行

執筆者一覧

編著者

渡邉正樹（東京学芸大学名誉教授）……………………… 第1～4章，第9～11章，第15章

執筆者（50音順）

伊佐野龍司（日本大学）……………………………………………… 第8章

小田隆史（東京大学）……………………………………………… 第7章

髙橋宗良（鎌倉女子大学）……………………………………………… 第5章

野村あすか（名古屋大学）……………………………………………… 第14章

久田孝（環太平洋大学）……………………………………………… 第13章

南川和宣（岡山大学大学院）……………………………………………… 第12章

森純子（市川中学校・高等学校）……………………………………………… 第6章

[編著者]

渡邉正樹（わたなべ　まさき）
1957年生まれ。東京学芸大学名誉教授。監修に『こども ぼうさい・あんぜん絵じてん』（三省堂），『危険予測シリーズ どこがあぶないのかな？ 1〜8』（少年写真新聞社），編著に『学校保健概論 第4版』（光生館），『レジリエントな学校づくり—教育中断のリスクとBCPに基づく教育継続』（大修館書店），『今，はじめよう！ 新しい防災教育 子どもと教師の危険予測・回避能力を育てる』（光文書院）など。

学校安全と危機管理 四訂版

NDC374／286p／21cm

初　版第１刷——2006年 4月15日
改訂版第１刷——2013年10月10日
三訂版第１刷——2020年 4月10日
四訂版第１刷——2024年10月20日

編著者————渡邉正樹
発行者————鈴木一行
発行所————株式会社 大修館書店
〒113-8541 東京都文京区湯島 2-1-1
電話 03-3868-2651（営業部）　03-3868-2299（編集部）
振替 00190-7-40504
[出版情報]　https://www.taishukan.co.jp

装丁・デザイン—岡田真理子
組　版————広研印刷
印刷所————八光印刷
製本所————ブロケード

ISBN978-4-469-26992-5　　Printed in Japan